T3-BNK-172

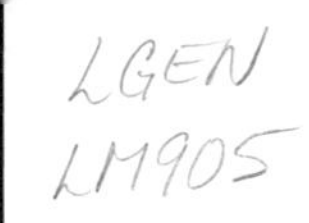

Manuel de l'élève

Michel Lyons et Robert Lyons

CHENELIÈRE ÉDUCATION

Défi mathématique
Mathématique, 2e cycle du primaire
Manuel de l'élève 2

Michel Lyons et Robert Lyons

Éditrice : Maryse Bérubé
Coordination : Denis Fallu
Révision linguistique : Marie Chalouh
Correction d'épreuves : Ginette Gratton
Illustrations : Norman Lavoie, Sylvie Nadon et Yvon Roy
Conception graphique, infographie et couverture : Norman Lavoie

Remerciements

Cette édition de *Défi mathématique* résulte de la collaboration de nombreuses personnes qui ont mis en commun leur compétence. Nous ne pouvons les nommer toutes ici, mais nous tenons à leur exprimer notre reconnaissance face à leur engagement. Parmi elles, nous désirons toutefois mentionner Ginette Poitras, Serge Girard et Michel Solis qui, depuis près de 20 ans, nous ont appuyés sans relâche.

Enfin, merci à Françoise Loranger, Manon Beauregard, conseillères pédagogiques, et Ginette Beaudry, consultante, qui ont bien voulu lire et commenter la présente édition de *Défi mathématique*.

Michel Lyons et Robert Lyons

CHENELIÈRE ÉDUCATION
7001, boul. Saint-Laurent
Montréal (Québec)
Canada H2S 3E3
Téléphone : (514) 273-1066
Télécopieur : (514) 276-0324
info@cheneliere-education.ca

ISBN 2-7651-0276-7

Dépôt légal : 3e trimestre 2003
Bibliothèque nationale du Québec
Bibliothèque nationale du Canada

Imprimé au Canada

3 4 5 ITIB 07 06

Nous reconnaissons l'aide financière du gouvernement du Canada par l'entremise du Programme d'aide au développement de l'industrie de l'édition (PADIÉ) pour nos activités d'édition.

Gouvernement du Québec – Programme de crédit d'impôt pour l'édition de livres – Gestion SODEC.

L'Éditeur a fait tout ce qui était en son pouvoir pour retrouver les copyrights. On peut lui signaler tout renseignement menant à la correction d'erreurs ou d'omissions.

Table des matières

Logique

Numération

Fractions

Jeux de nombres

Géométrie

Méli-mélo

Un défi pour toi

C'est l'heure du souper.
Un problème se pose...
Qu'est-ce qu'on mange ?

Caboche imagine plusieurs possibilités.

Troublefête rassemble tous les ingrédients nécessaires. Il réunit plats et ustensiles.

D3D4 suit attentivement la recette et mesure toutes les quantités avec précision.

Et Domino qui s'en promet !

Quand tu résous un problème...

Tout comme Caboche, tu peux imaginer des pistes de solution. La logique de Troublefête est une force que tu possèdes aussi et qui peut grandir.

En apprenant à être aussi efficace que D3D4, tu deviendras l'as des as de la résolution de problèmes. Et comme Domino, tu y prendras sûrement beaucoup de plaisir !

Nous te souhaitons une belle année de découvertes en leur compagnie.

Michel et Robert

Logique

La logique est la science de l'argumentation objective.

Pour bien communiquer ses idées en mathématiques, il faut s'expliquer clairement et bien écouter les autres.

Facile de perdre la carte...

Au pays des Sans-Atout, tous les jeux sont populaires. Troublefête y passe ses meilleurs moments, lui qui est passionné d'énigmes logiques.

Au château des Hautes, le jeu préféré de la cour s'appelle le « jeu des différences ».

Les règles de ce jeu sont les suivantes :

- Seuls les as et les figures sont en jeu.
- Chaque rangée et chaque colonne compte des cartes de valeurs toutes différentes.
- Chaque rangée et chaque colonne compte des cartes de sortes toutes différentes.

Exemple 1

1 Observe l'*exemple 1*.

Deux cartes ont été inversées, par erreur. Lesquelles ?

2 Observe l'*exemple 2*.

a) Quelle doit être la carte marquée d'un *a* ?

b) Quelle doit être la carte marquée d'un *b* ?

c) Où va le valet de carreau ?

d) Quelle carte va juste au-dessus du valet de pique ?

e) Où vont les autres cartes ?

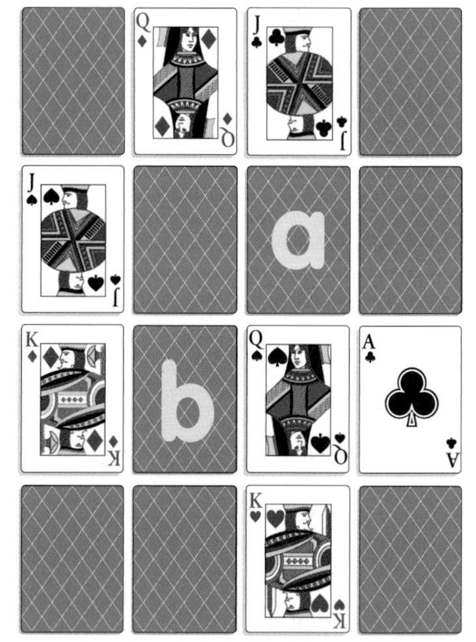

Exemple 2

... au pays des Sans-Atout

3 Troublefête demande des renseignements. Il aimerait visiter des amis qui habitent au village des Basses.

Sur la carte, trouve où demeurent les amis de Troublefête.

4 Situe les points cardinaux qui manquent sur la carte de Troublefête.

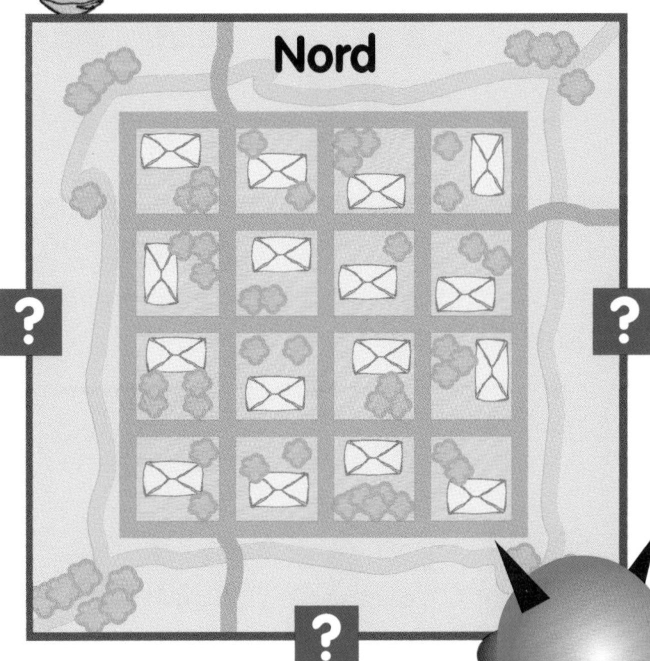

5 Trouve une maison située :

a) sur le bord de la rivière Ouest ;

b) au centre du village ;

c) au coin où se rencontrent les rivières Nord et Ouest ;

d) dans le quartier nord-est, mais pas sur le bord d'une rivière.

1 Avec un jeu de cartes, reforme la grille et complète-la en respectant les règles du jeu des différences. Il existe à chaque étape un placement absolument certain. Le premier cas te montre une séquence possible.

a)

b)

c)

d)

2 Trouve d'abord les cartes où une information partielle est donnée. Justifie chaque réponse.

a)

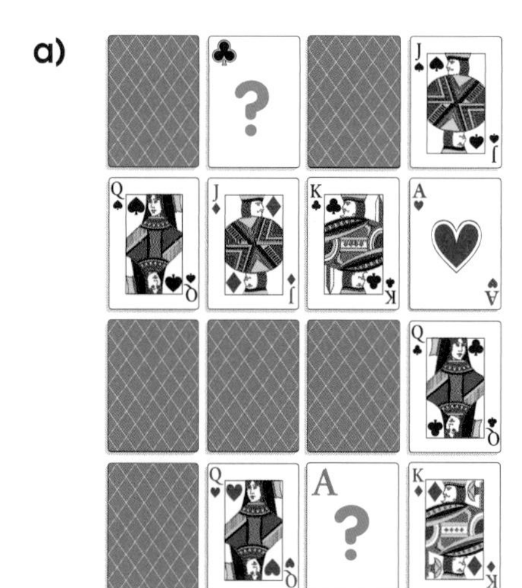

b)

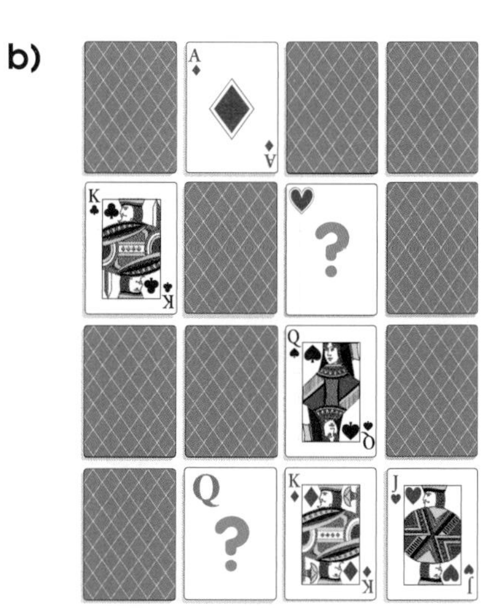

Avant de reformer chaque grille, réponds aux questions qui te sont posées.

a)

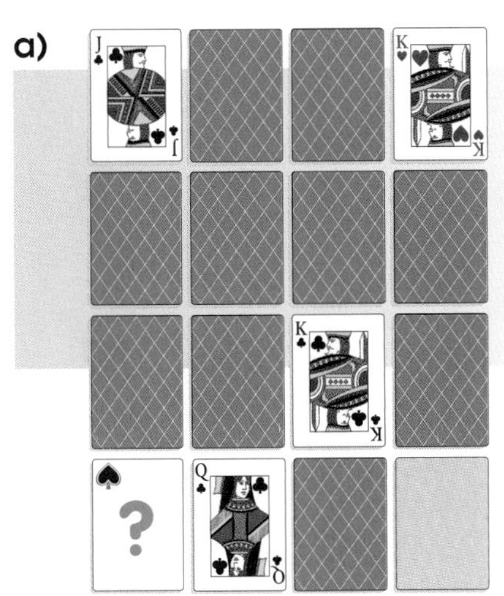

Où va l'as de trèfle ?

Quelle carte doit occuper la case bleue ?

b)

Où va la dame de carreau ?

Quelle carte doit occuper la case bleue ?

2 Reforme les grilles en justifiant oralement chaque étape de ta solution.

a)

b)

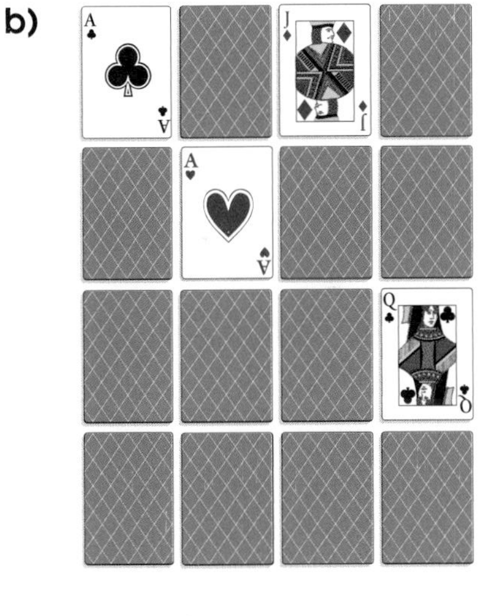

c)

d)

1 Dispose les neuf cartes illustrées dans une grille carrée de neuf cases en suivant les indices. Notes tes déductions au fur et à mesure pour trouver toutes les solutions possibles.

a) Le 2♦ est en haut.
Il y a un ♦ entre deux ♥.
Le 3♣ n'est pas voisin d'un 4.
Le 4♣ est à droite.
Le 3♥ est voisin de droite du 2♦.
Aucun 2 n'est au-dessus d'un 3.
Il y a un ♣ au centre.
Il n'y a aucun 2 à gauche.
Il y a un 2 en bas, à droite.

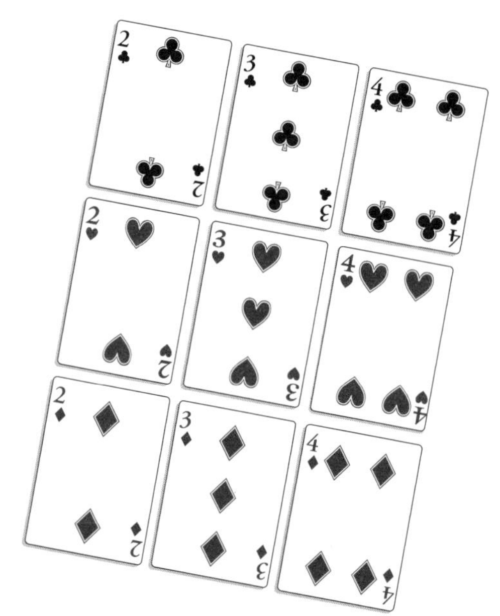

b) Le 2♥ n'est pas à droite.
Le 3♥ n'est pas à gauche.
Le 4♥ est au centre.
Le 2♣ ne touche pas à deux autres 2.
Le 3♣ est dans un coin en bas.
Le 3♦ est voisin du 4♥.
Aucun 4 n'est sous un autre 4.
Tous les ♦ sont en haut.
Il y a un 4 en bas, à gauche.

Dispose les cartes de la page Logique A-5 dans les cases d'une grille carrée de neuf cases en suivant les indices. Prévois toutes les possibilités.

a) Le 2♣ est dans un coin, à gauche.
Le 3♣ n'est pas plus haut que le 3♥.
Le 4♣ est en haut, pas dans un coin.
Le 2♥ est à droite du 3♦.
Le 4♥ est dans un coin, à droite.
Il n'y a pas de ♥ en bas.
Le 3♦ ne touche pas au 4♣.
La carte du centre n'est pas un 3.
Il y a un 4 entre deux autres 4.

b) Le 2♥ est à droite, sous un 4.
Le 3♥ n'est pas voisin d'un♣.
Le 4♥ est à gauche et il a trois voisins.
Le 2♣ est voisin du 4♥.
Aucun♣ n'est entre deux♥.
Le 3♦ est dans un coin, à droite.
Il n'y a pas de ♦ au centre.
Il n'y a aucun 2 en bas.

c) Le 2♦ n'est pas sur un bord.
Le 3♦ ne touche pas à deux 4.
Le 4♦ est voisin d'un 3.
Le 2♥ n'est pas sous le 4♣.
Le 4♥ est en bas.
Il y a un 4 sous un autre 4.
Il n'y a aucune carte rouge en haut.
Tous les 3 sont à gauche.

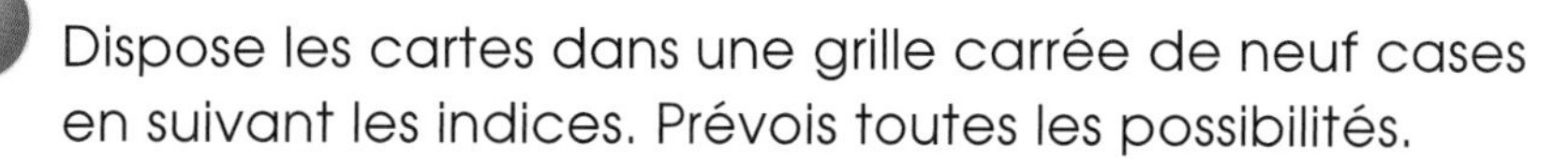

1 Dispose les cartes dans une grille carrée de neuf cases en suivant les indices. Prévois toutes les possibilités.

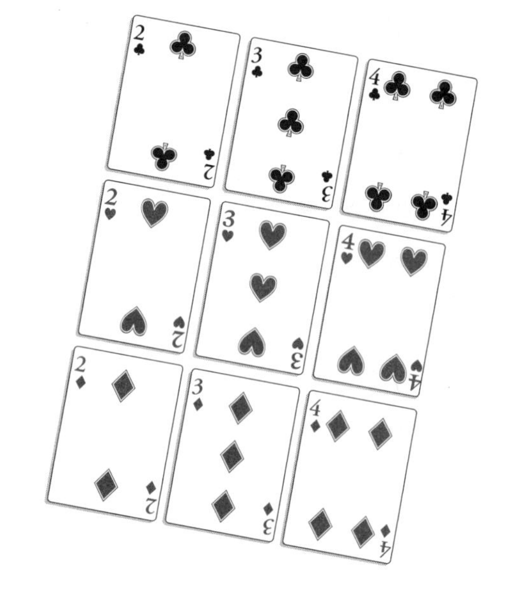

a) Le 3♦ est voisin d'un 2.

Le 4♦ est immédiatement sous un coin.

Il y a un ♦ qui n'est pas voisin d'un ♥.

Le 2♣ est dans un coin, en haut.

Le 3♣ est voisin d'un 2.

Le 4♣ est entre deux ♥.

Il y a un ♥ au centre.

Tous les 3 sont à gauche.

b) Le 2♦ n'est pas au-dessus d'un 3.

Le 3♦ est en bas.

Le 4♦ n'est pas au-dessus d'un ♦.

Le 2♣ est voisin du 3♦.

Le 2♥ est dans un coin, en haut.

Le 4♥ n'est pas plus bas que le 4♣.

Il y a un 4 entre deux 3.

Il y a au moins un 3 en haut.

Tous les trèfles sont à droite.

c) Le 2♥ est voisin d'un 2.

Le 3♥ est à droite.

Le 4♥ n'est pas voisin d'un 4.

Le 2♣ n'est pas voisin d'un ♣.

Le 3♣ n'est ni à gauche, ni à droite.

Le 4♣ est à droite, sans toucher au 2♦.

Le 2♦ est au-dessus du 3♣.

Il n'y a aucun ♦ en bas.

Aucun 3 ne touche à un autre 3.

1 Dispose les cartes de la page Logique A-7 dans une grille carrée de neuf cases en suivant les indices. Prévois toutes les possibilités.

a) Le 3♥ est en haut.

Les cartes de ♥ ne sont pas toutes à droite.

Le 4♣ est entre le 2♦ et un coin.

Il n'y a aucun 2 sous le 4♣.

Aucune carte n'est à gauche d'un ♦.

Il y a un 2 entre deux 3.

Il y a un 3 en haut, dans le coin gauche.

Il n'y a aucun 4 en bas.

b) Le 3♦ est juste au-dessus d'un ♥.

Le 4♦ n'est pas à droite.

Le 2♣ est dans un coin.

Le 3♣ n'est pas voisin d'un ♣.

Le 4♣ n'est pas voisin de deux 2.

Il y a un ♣ au centre.

Le 3♥ n'est pas dans un coin.

Aucun ♥ n'est en haut ni à droite.

Il n'y a pas de ♦ sous un 4.

Il n'y a aucun 4 à gauche.

c) Aucun ♦ n'est entre deux 2.

Aucun ♥ n'est entre un ♥ et un ♣.

Aucune carte paire n'est à droite.

Aucun 4 ne touche à un 3.

Aucune carte rouge n'est en bas.

B 9

Une notation pour raconter...

Décrire le déroulement d'une partie d'échecs est plus difficile qu'il n'y paraît. Il y a les déplacements, les captures, les menaces au roi adverse...

1. Pour utiliser la notation algébrique, il faut d'abord pouvoir facilement identifier toutes les cases du jeu.

   Dans le diagramme ci-contre :

   a) quelle pièce se trouve dans la **rangée 5** ?

   b) quelle pièce se trouve dans la **colonne c** ?

   c) quelle pièce occupe la case **d3** ?

   d) place un centicube dans chacune des cases **h3** et **b6**.

   e) où faut-il jouer la dame blanche pour gagner la partie ?

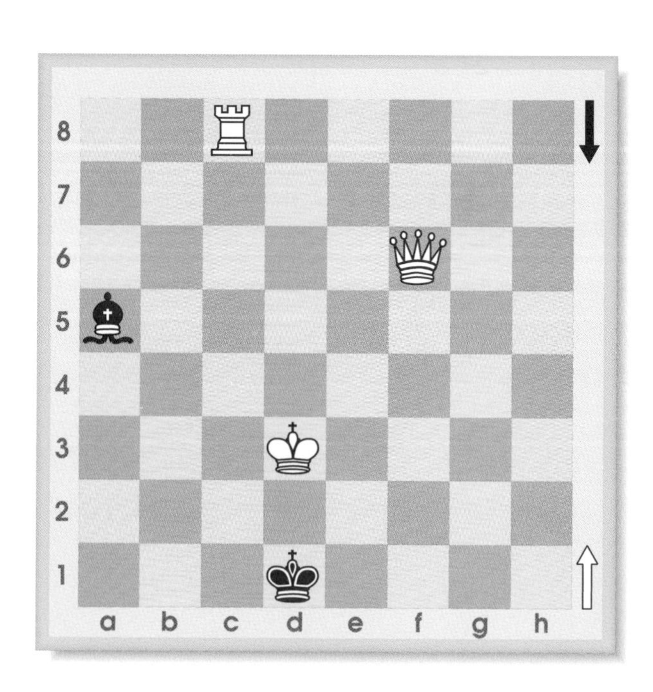

... une partie d'échecs

L'exemple ci-contre montre comment on peut décrire chaque mouvement d'une partie d'échecs avec la notation algébrique.

Grâce à ces codes, je peux suivre, moi aussi !

Rejoue la partie décrite ci-contre avec la notation algébrique. Aide-toi des indices suivants pour noter les coups manquants.

a) À leur 4ᵉ coup, les noirs jouent un pion en **g6**.

b) À leur 6ᵉ coup, les blancs jouent une pièce en **d5**.

c) Au 7ᵉ coup des blancs, deux pièces se déplacent.

d) À leur 9ᵉ coup, les blancs jouent une pièce en **f4**.

e) À leur 12ᵉ coup, les noirs capturent le fou blanc.

f) Au 13ᵉ coup, les blancs mettent fin à la partie et gagnent.

	Blancs	Noirs
1.	e4	e5
2.	Cf3	Cc6
3.	Fb5	Cg8–e7
4.	Cc3	
5.	d4	e×d4
6.		Cg8
7.	0–0	Fg7
8.	Te1	Cc6–e7
9.		C×d5
10.	e×d5+	Rf8
11.	De2	a6
12.	F×c7	
13.		MAT

Dans la partie du numéro 2, pourquoi note-t-on différemment les mouvements des cavaliers aux 2ᵉ et 3ᵉ coups des noirs ?

En équipe de deux, rejouez ces fins de partie pour différencier le **MAT** du **PAT**.

MAT ou DÉFAITE

Le roi blanc est en échec...

et il est coincé.

PAT ou PARTIE NULLE

Le roi blanc n'est pas en échec...

mais il est coincé.

C'est aux noirs à jouer. Ils ont le trait.
Sont-ils **MAT** ? Sont-ils **PAT** ?
S'ils peuvent **JOUER**, note leur coup.

a)

b)

c)

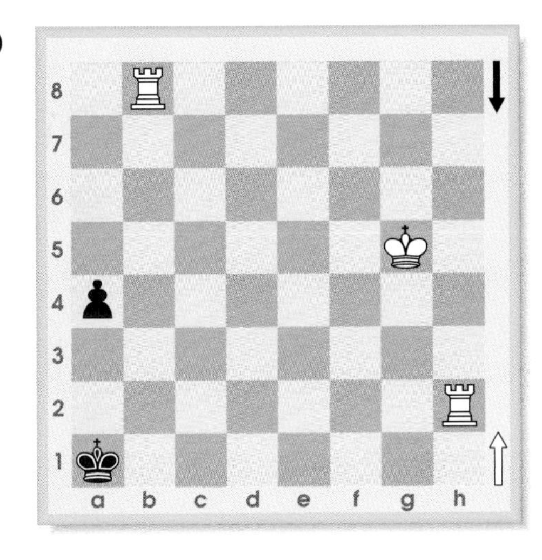

d)

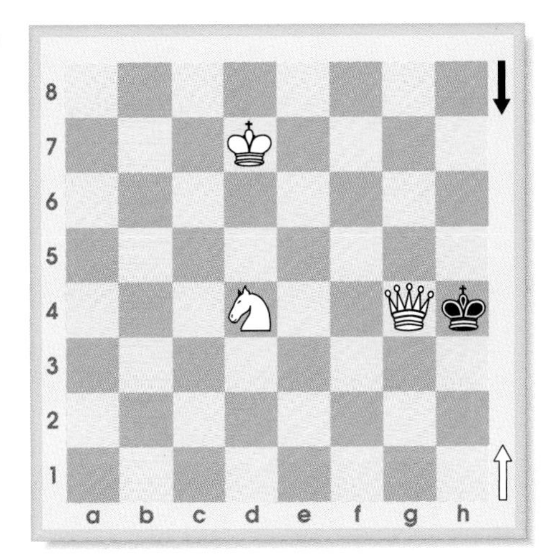

e)

f)

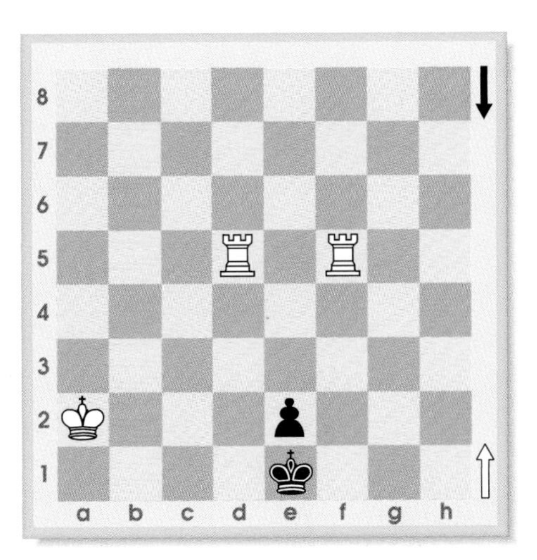

B 13

En équipe de deux, reproduisez d'abord la position des pièces sur votre échiquier.

a)

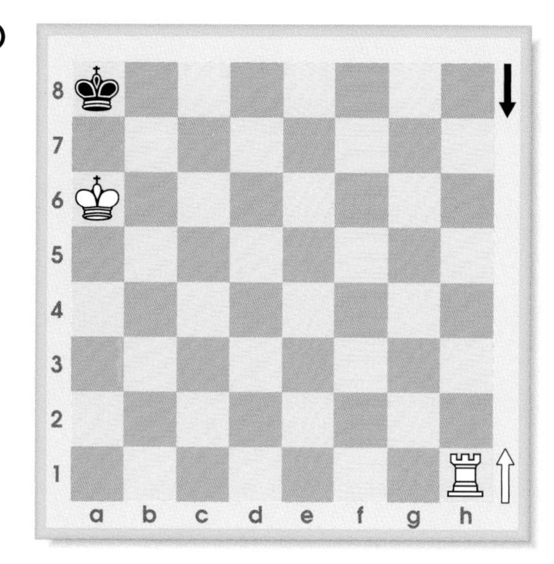

Trait aux blancs.
Note un coup qui donne :

- le **MAT** ;
- le **PAT**.

b)

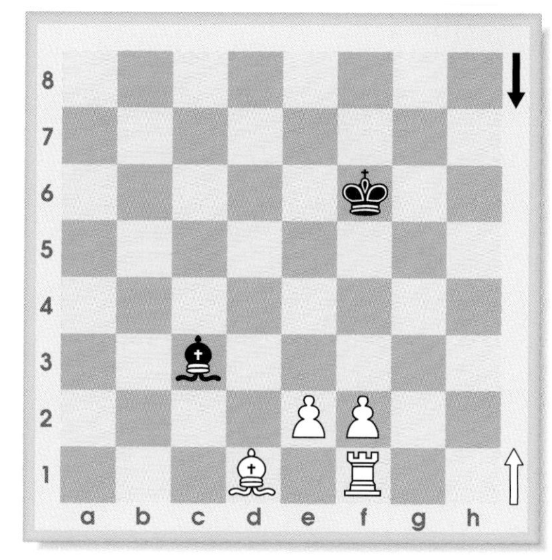

Le roi blanc était **MAT**.
Dans quelle case se trouvait-il ?

c)

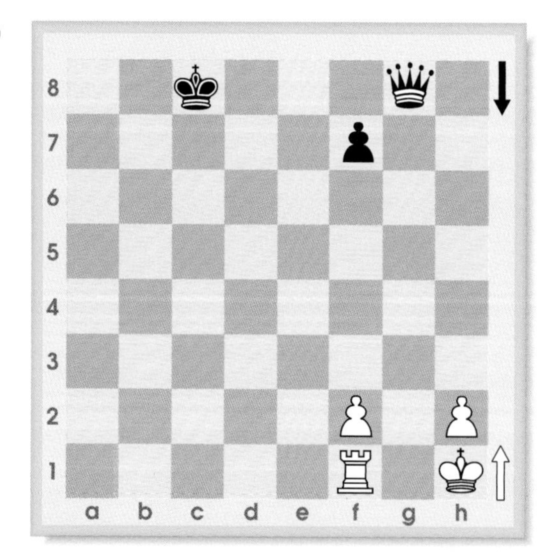

Dans quelle case faut-il ajouter un fou noir pour donner le **MAT** aux blancs ?

d)

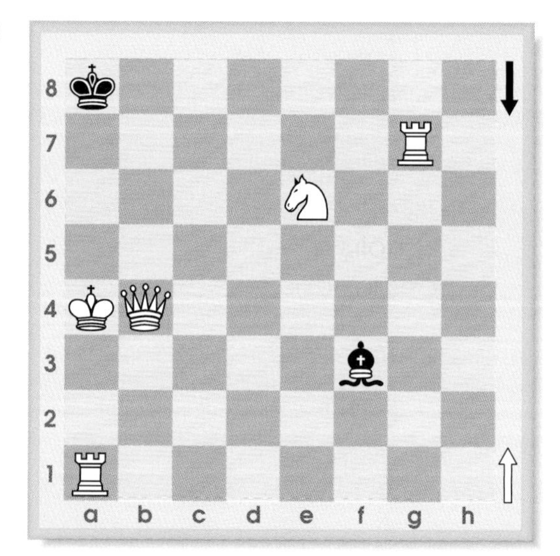

Les blancs font **MAT** en un seul coup. Note toutes les solutions.

Le résultat de chaque partie est indiqué.
Note la case où se trouvait le roi blanc.

a)

Les blancs sont **MAT**.

b)

c)

Les blancs sont **PAT**.

d)

POUR LES AS

2 Les noirs étaient **MAT**. Quelles sont les pièces manquantes dans les cases encadrées ?

a)

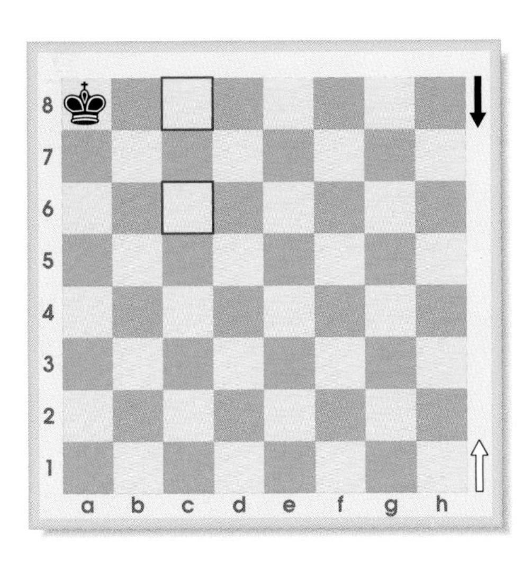

b)

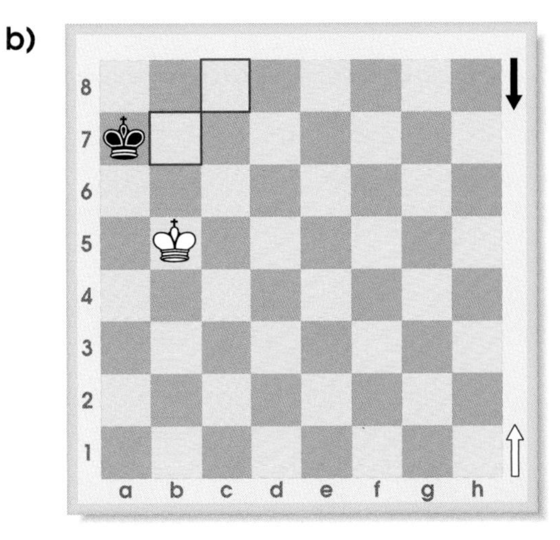

Voici la plus courte partie d'échecs qu'il soit possible de jouer. C'est le *mat du sot*. Rejoue cette partie sur ton échiquier et note les coups manquants.

	Blancs	**Noirs**
1.		e5
2.	g4	**MAT**

En partant de la position du diagramme, joue les coups notés.

	Blancs	**Noirs**
1.	a5	Rc8
2.	Fd7+	Rb8
3.	Tb4+	Ra8
4.	Rc7 **PAT** (dommage !)	

Au 4e coup, les blancs auraient pu faire mat. Comment ?

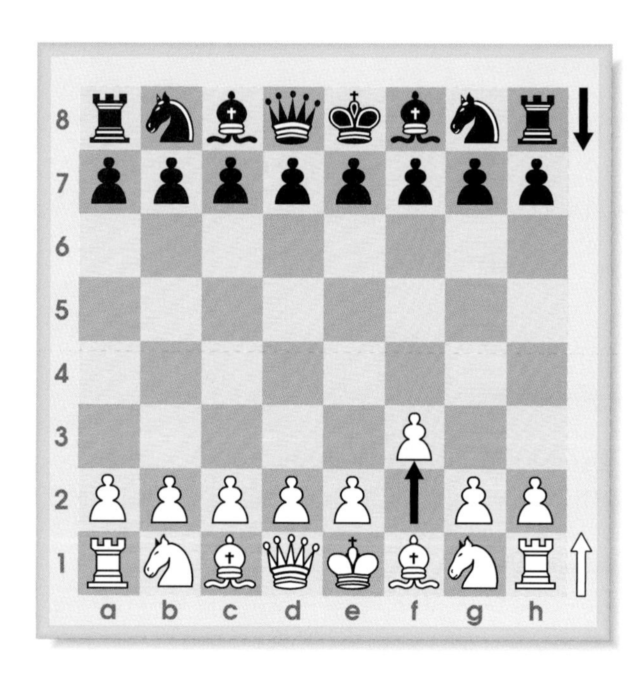

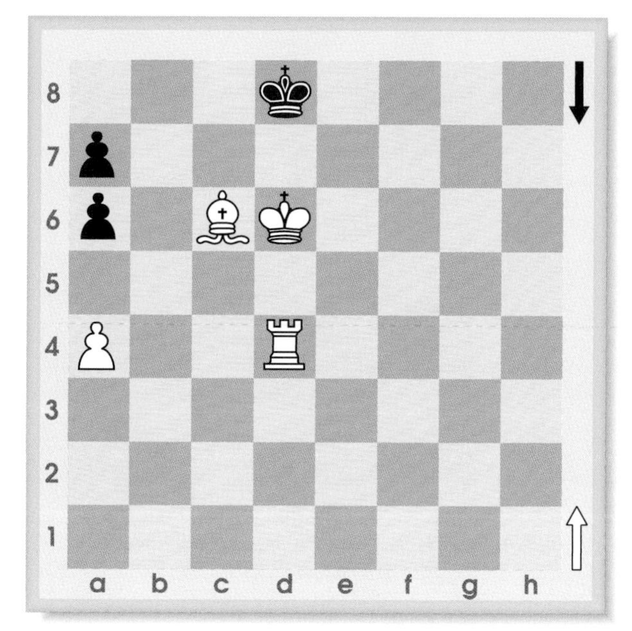

3

Voici la description d'une autre partie très brève. On l'appelle le *mat du berger*. On se fait souvent piéger de cette façon quand on manque d'expérience.

Quel est le 4e coup des blancs ?

	Blancs	**Noirs**
1.	e4	e5
2.	Fc4	Fc5
3.	Dh5	Cf6
4.	**MAT**	

Rejoue cette partie et apprend à contrer ce type de menace.

Trait aux noirs.
Sont-ils **MAT** ? Sont-ils **PAT** ?
S'ils peuvent **JOUER**, note leur coup.

a)

b)

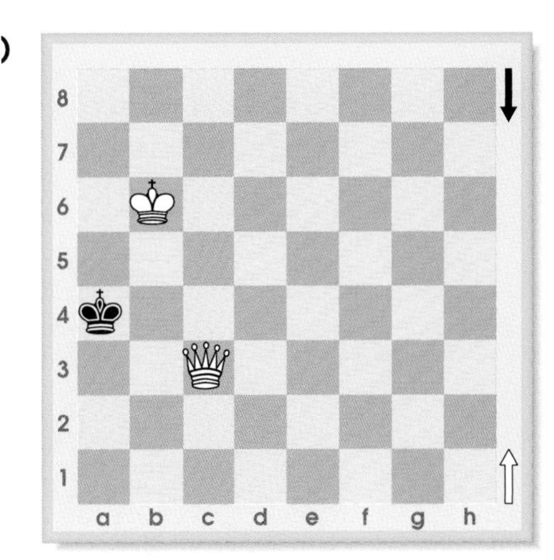

c)

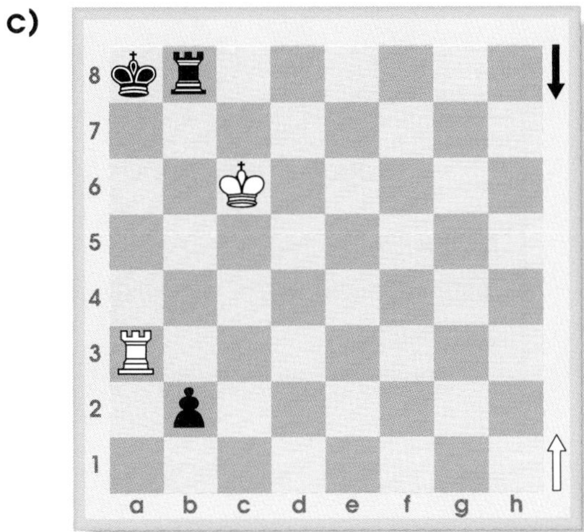

d)

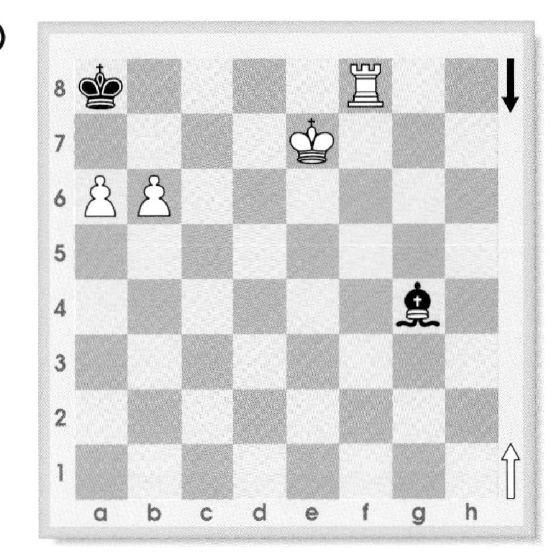

e)

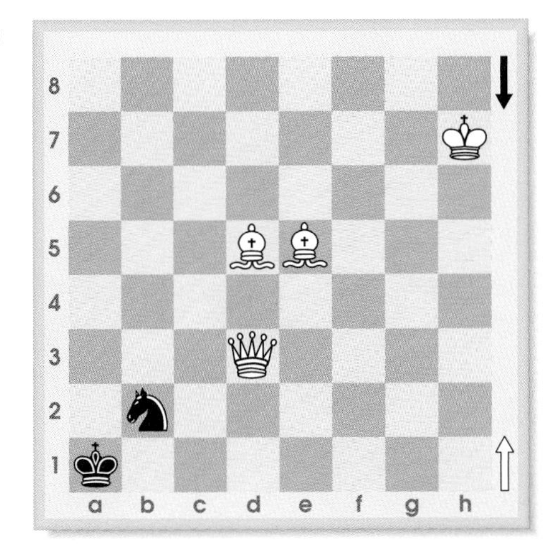

En équipe de deux, inventez sur l'échiquier des positions où les blancs sont **MAT** et d'autres où ils sont **PAT**.

Dessinez vos diagrammes.
Soumettez ces cas à vos camarades.

Si une tour et un roi affrontent un roi isolé, ils peuvent gagner à coup sûr. Mais il leur faudra coopérer...

Dans chaque zone du diagramme, où faut-il ajouter une tour (T) et un roi (R) blancs pour mettre le roi noir **MAT**, si cela est possible ?

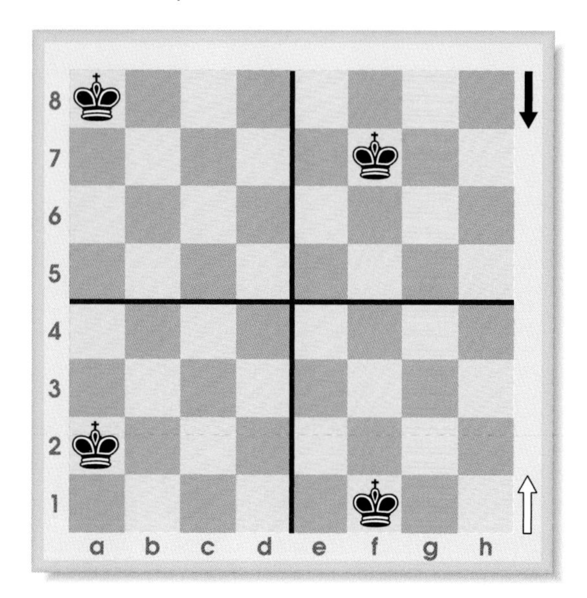

Conseil

La tour seule ne peut donner le MAT à un roi isolé. L'aide de son roi placé en OPPOSITION est un moyen très efficace.

Bouclier de l'opposition

Tour et roi doivent donc coopérer pour refouler le roi adverse sur l'un des bords.

Pour chaque zone du diagramme, note les deux coups des blancs qui les conduisent au **MAT**.

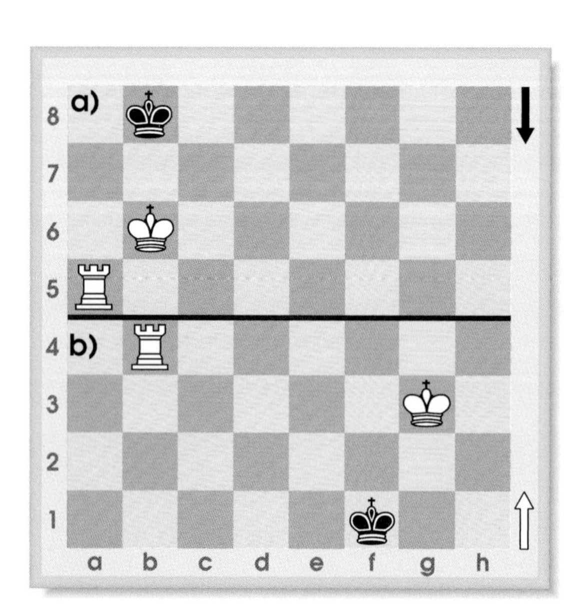

L'issue d'une partie d'échecs dépend souvent de la possibilité de transformer le pion en dame.

Voici des cas où le pion ne peut compter sur l'aide de son roi. Il doit foncer. Et vite !

Les blancs ont le trait.

Pour chaque diagramme, découvre si les blancs vont gagner la course. Utilise la règle du carré de Berger.

a)

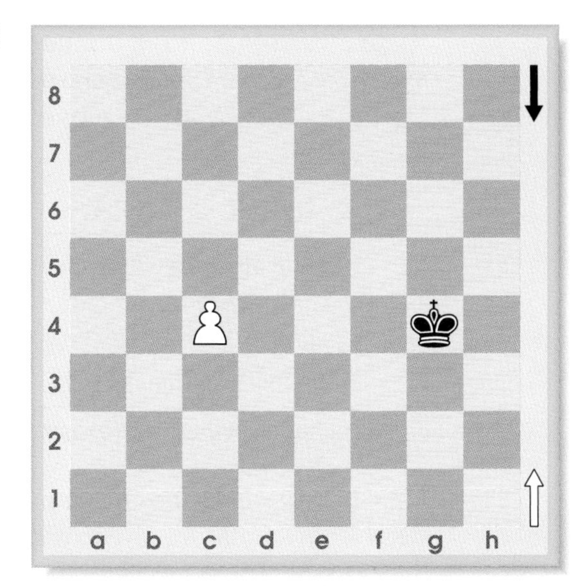

b)

Le carré de Berger

Comment calculer les chances qu'a un pion d'atteindre la promotion ? On trace un carré à partir de sa position jusqu'au bord opposé.

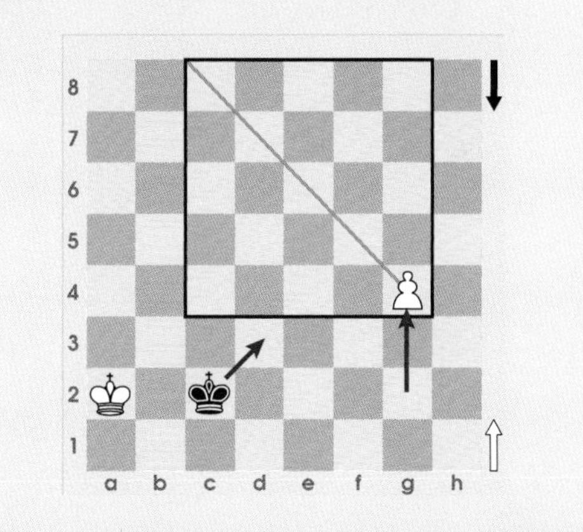

Si le roi adverse ne peut pas pénétrer dans ce carré, le pion va remporter la course. Ici, le pion blanc échappe au roi.

c)

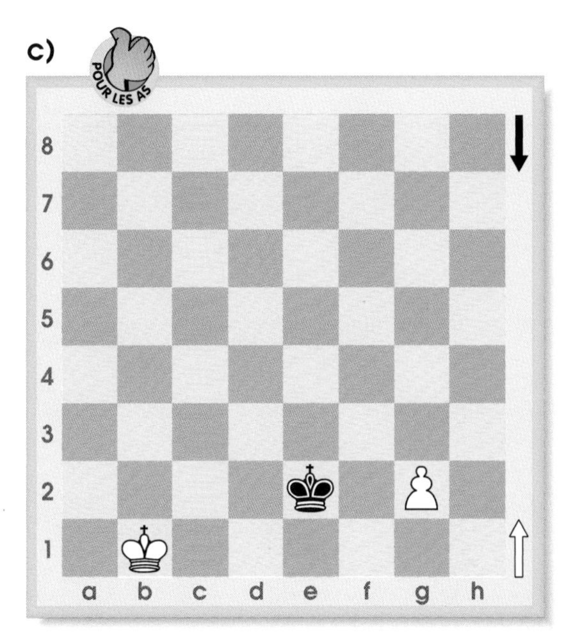

Joue d'abord, le mieux possible, chaque finale en équipe pour découvrir l'issue normale de la partie.

Vérifie tes conclusions en affrontant l'ordinateur.

a) Trait aux blancs :

victoire ou partie nulle ?

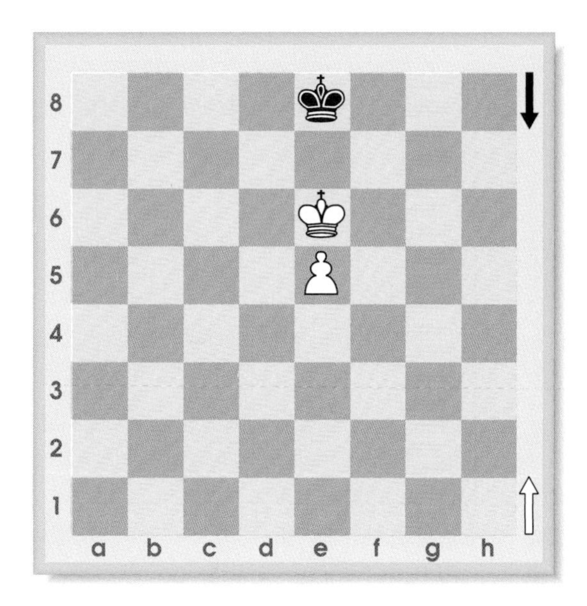

Conseil aux blancs

Pour défendre son pion, le roi se tient devant lui ou à ses côtés.

Conseil aux noirs

Le roi noir doit rester devant le pion blanc et, si possible, en opposition avec le roi adverse.

b) Trait aux noirs :

défaite ou partie nulle ?

c) Trait aux blancs :

victoire ou partie nulle ?

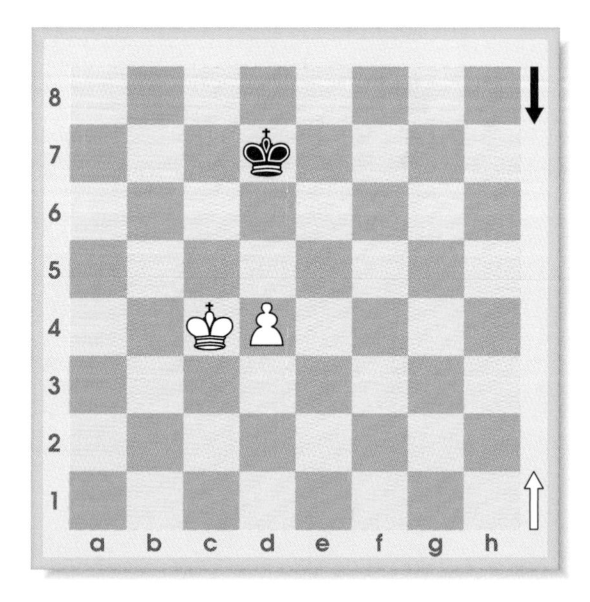

Pour chaque diagramme, trouve les meilleurs coups possibles et note-les. Affronte ensuite l'ordinateur.

a) Trait aux blancs.
Les noirs passent leur pion.

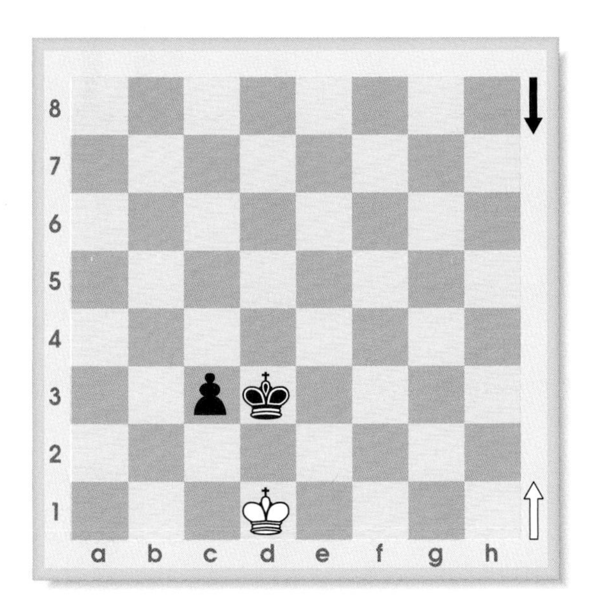

b) Trait aux noirs.
Les noirs gagnent.

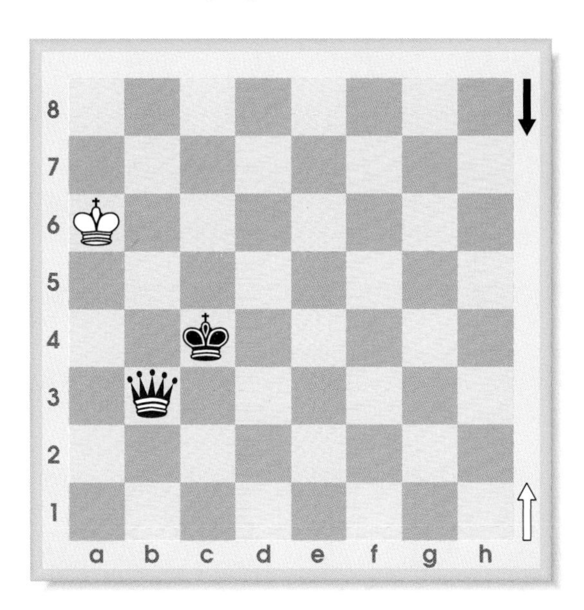

c) Trait aux blancs.
Les blancs gagnent.

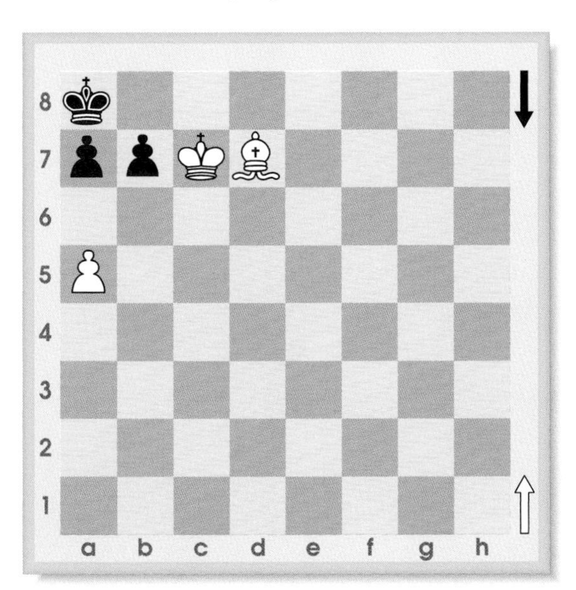

d) Trait aux blancs.
Les blancs gagnent.

POUR LES AS

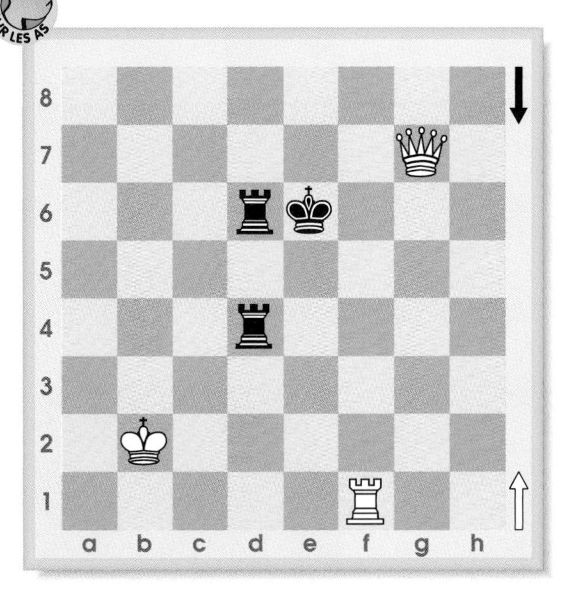

Des outils logiques...

... dignes de Sherlock Holmes

Dans la buée d'une fenêtre, des indices sont découverts.

Tiens des traces ! C'était quelqu'un qui portait des gants...

Sherlock Holmes déduit que le collier a été jeté par la fenêtre. La fouille révèle que seuls Clara, Galia, Ahmed et Eddy ont des gants.

Puis le détective dirige un interrogatoire très rigoureux.
On apprend alors qu'au moment du vol, seuls Diana, Billy, Clara et Galia ont quitté leur siège.
On s'aperçoit aussi que Billy et Galia ont conversé durant tout ce temps.

De plus, ayant peur dans le noir, Clara et Eddy se sont tenu la main jusqu'à la sortie du tunnel.

Sherlock Holmes réunit les passagers.

Une petite visite dans le tunnel confirmera bientôt la géniale conclusion du fameux détective.

C
23

Jonas, le serin, a quitté sa cage et il a été dévoré. Les illustrations montrent les seuls animaux qui ont circulé près de la maison ce jour-là.

Les faits suivants sont absolument vrais :

- Jonas a été croqué sur le toit.
- Un animal à poils a dévoré le serin.
- Les poils retrouvés sur le toit avec les plumes de Jonas ne viennent pas du renard.
- Pompon est un chat.

- Le chien et le loup ne sont pas coupables.

1 **a)** Trace le diagramme de Venn et indique où se trouve Pompon.

b) Une zone du diagramme devrait rester vide. Pourquoi ?

c) Pipo n'a pas d'ailes. Qui est Pipo ?

d) Kiki a peur du hibou. Qui est Kiki ?

e) Pompon, Bico et Flicka, la mouffette, ont passé toute la journée à jouer dans les poubelles. Qui est Bico ?

f) Qui a dévoré Jonas ?

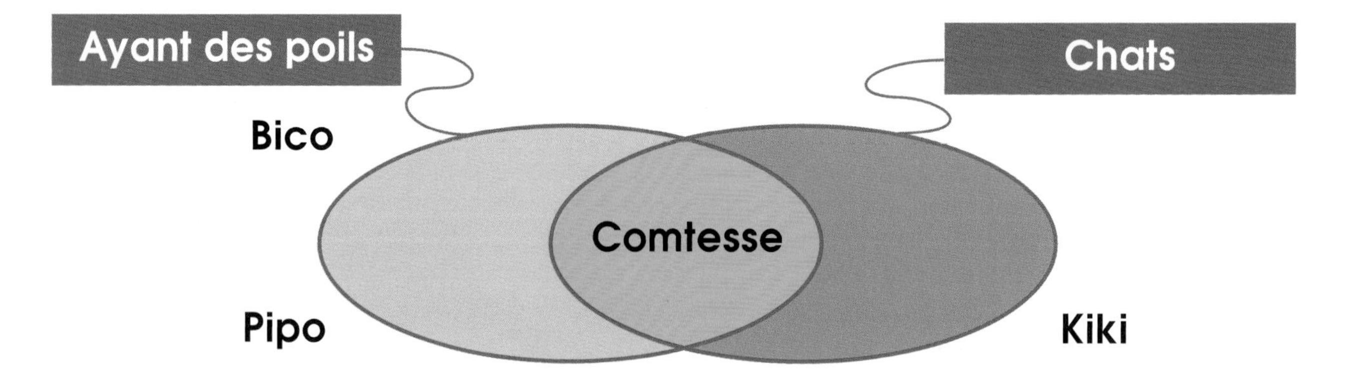

Les animaux vivant près de la maison

Sur la planète Plouk, à l'autre bout du cosmos, les faits suivants sont absolument vrais :

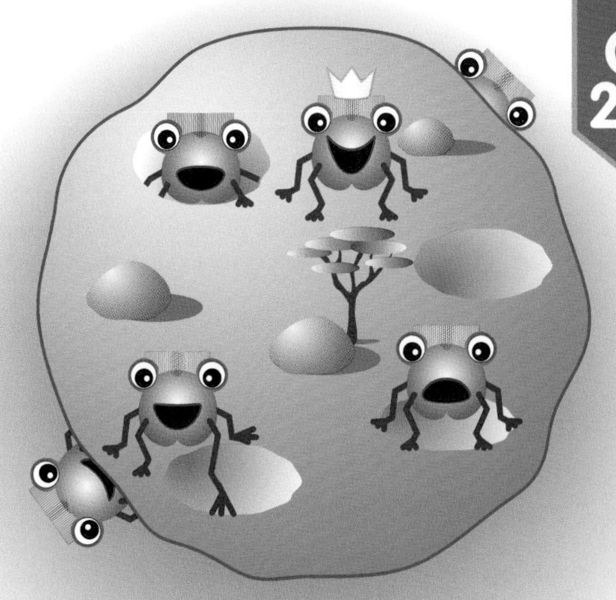

- Sur Plouk ne vivent que des Zags et des Zigs.
- Tous les Zigs ont les cheveux orange.
- Gob vit sur Plouk et il a les cheveux verts.
- Rika est la reine du pays des Zigs.

Réponds aux questions suivantes et prouve toutes tes affirmations.

a) De quelle couleur sont les cheveux de Jak ?

b) Une zone du diagramme restera vide. Pourquoi ?

c) Trace le diagramme de Venn et indique où se trouvent Gob et Rika.

d) Que peux-tu dire de Lolo ?

e) Kiou a les cheveux bleus et il n'est pas un Zag. Que peux-tu dire d'autre de Kiou ?

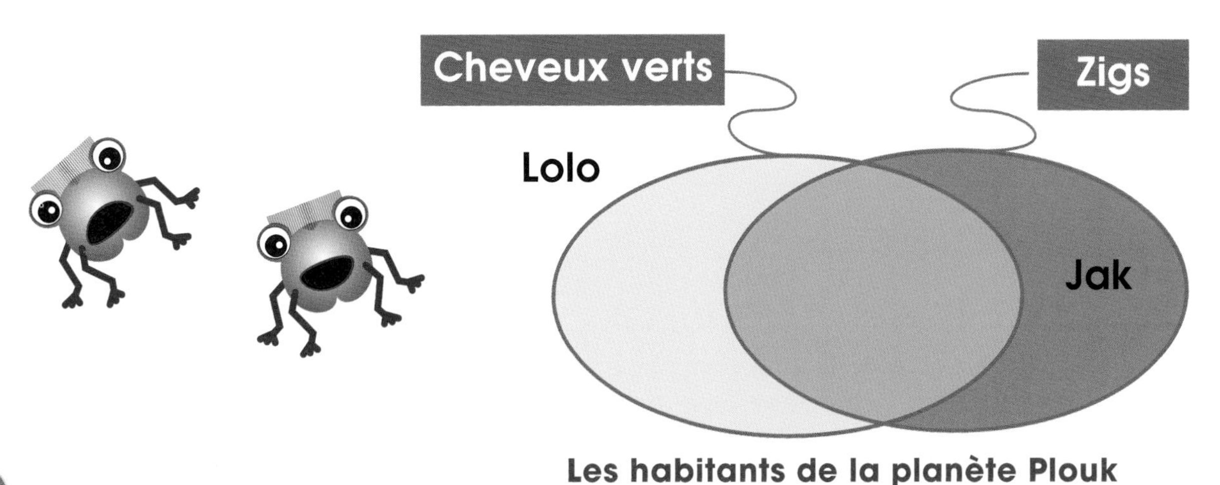

Les habitants de la planète Plouk

Vrai ou faux ?

a) Sur Plouk, tous les Zags ont les cheveux verts.

b) Sur Plouk, il y a au moins un Zig aux cheveux rouges.

c) Bok habite la planète Plouk et il a les cheveux orange. Alors, Bok est forcément un Zig.

La visite au zoo

Voici deux énigmes logiques sur un même thème. Où se trouve chaque animal ? Reproduis la grille pour noter tes réponses.

1

a) Le singe n'est pas à côté du boa.

b) La cage du lion n'est pas entre deux autres.

c) Le boa est entre le singe et le lion.

d) Trois personnes regardent l'éléphant.

e) Personne n'est devant la cage de la girafe.

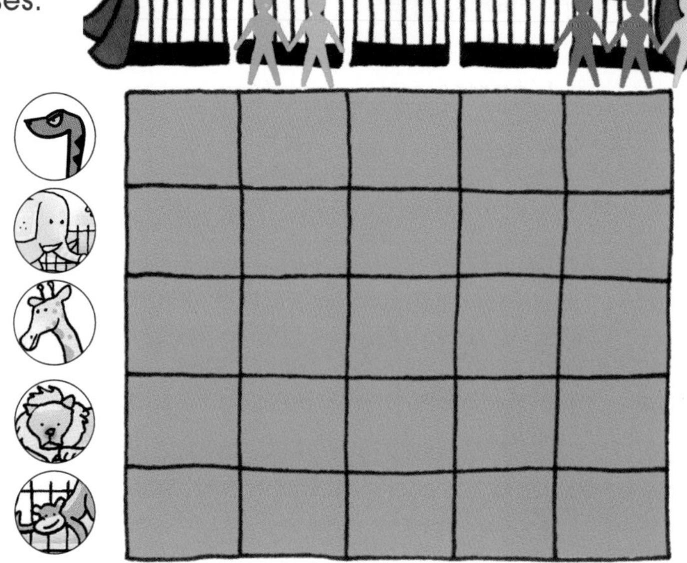

2

a) Le lion est entre la girafe et le boa.

b) Le singe est entre l'éléphant et la girafe.

c) La girafe est entre le singe et le lion.

d) Aucun visiteur n'est devant la cage du boa.

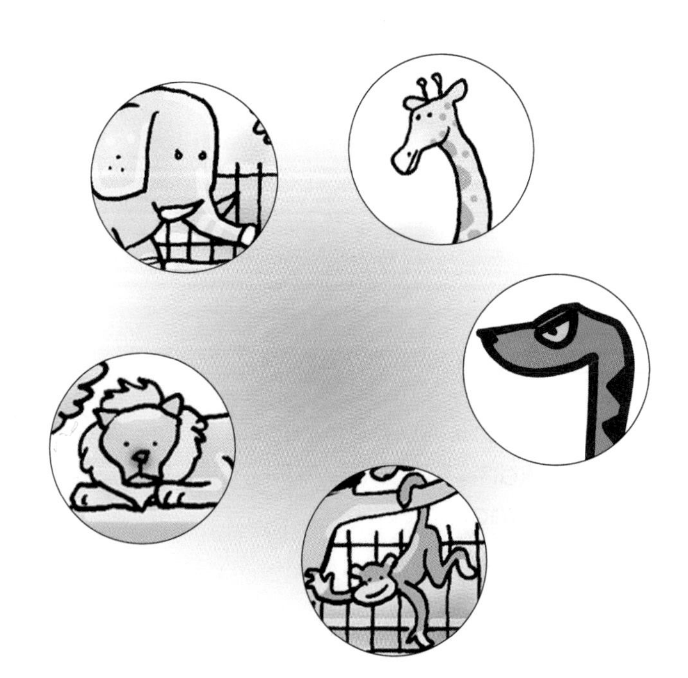

La semaine d'examens

Chaque jour de la semaine, un examen différent est à l'horaire. Complète une grille comme celle illustrée.

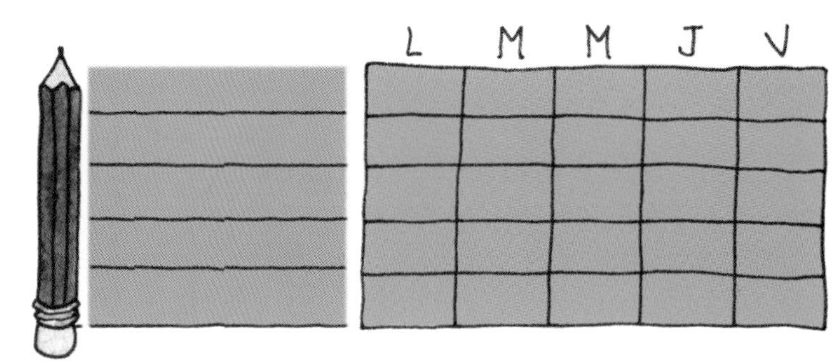

a) L'épreuve d'éducation physique a lieu avant l'examen de sciences et celui de français.

b) L'examen de sciences n'est pas prévu avant le concours de musique.

c) L'examen de maths est le dernier.

d) Le professeur de musique n'est à l'école qu'à partir du mercredi.

a) Aucun examen de langue n'a lieu le mardi ni le vendredi.

b) L'examen de géométrie a lieu la veille d'un cours d'arts.

c) Un oral en français est prévu après l'examen d'arts.

d) L'examen de français n'est pas le lendemain de l'examen de géométrie.

e) Aucun examen de maths n'est à l'horaire avant mercredi.

f) L'épreuve de calcul rapide n'a pas lieu avant l'examen d'anglais.

C 27

Les anniversaires

Cinq enfants d'âges différents célèbrent leur anniversaire le même jour. Leurs gâteaux d'anniversaire sont illustrés. Trouve l'âge de chaque enfant. Reproduis la grille pour noter tes réponses.

1
- **a)** Boris est plus jeune que Tuan.
- **b)** Pavel a plus de bougies sur son gâteau que Joël.
- **c)** Tuan est plus jeune que Joël.
- **d)** Yan n'est pas plus jeune que Tuan.
- **e)** Joël est plus âgé que Yan.

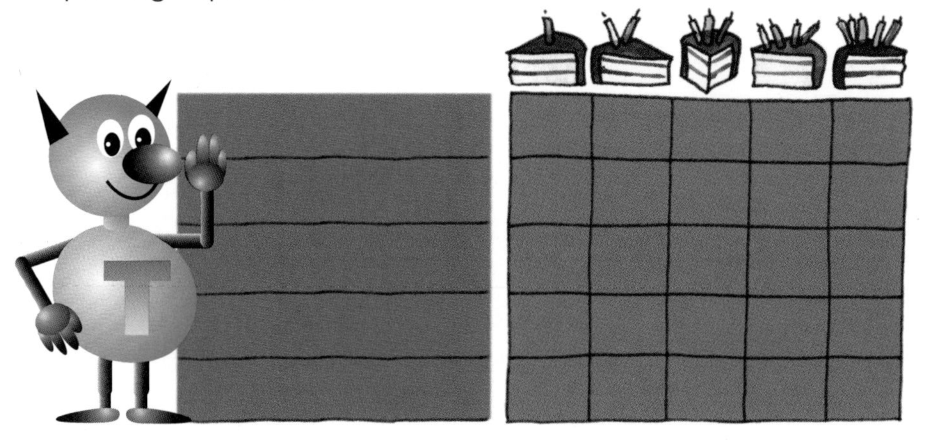

2
- **a)** Il y a plus de bougies sur le gâteau de Cora que sur ceux de Léa et de Doris réunis.
- **b)** Personne n'est plus jeune que Doris, sauf peut-être Josée.
- **c)** Personne n'est plus âgé que Josée, sauf peut-être Kim.

Numération

LE TÉLÉMILLION!
31607
20 902
+10 705
30 16 07
31 607
20 902
+10 705
30 607
31 607

Marques et cailloux...

Depuis la nuit des temps, les humains utilisent des marques pour enregistrer des nombres.

Les bergères et les bergers de l'Antiquité ont imaginé une façon originale de représenter un grand nombre de bêtes.

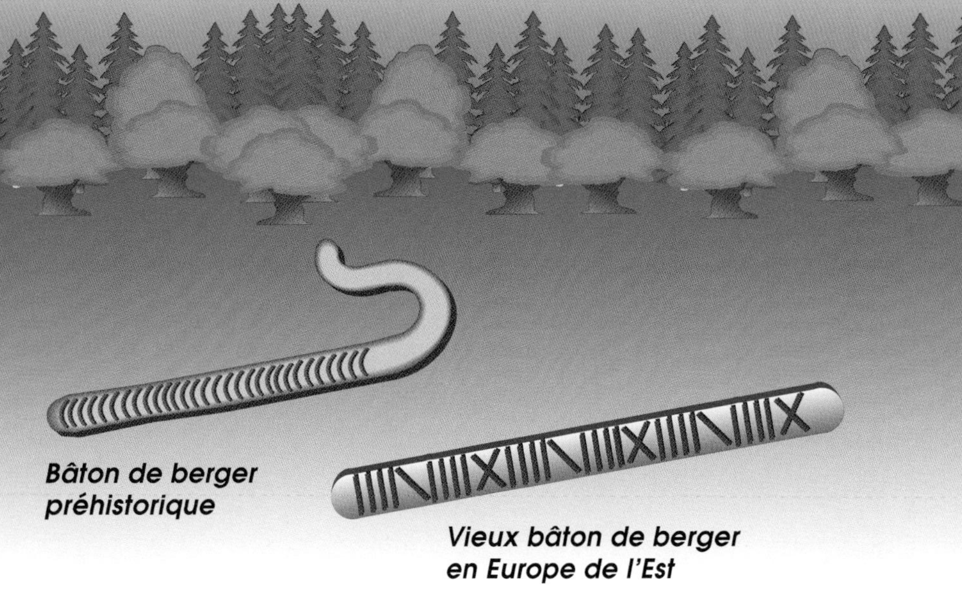

Bâton de berger préhistorique

Vieux bâton de berger en Europe de l'Est

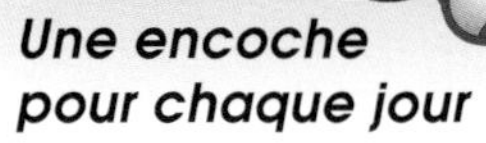

Une encoche pour chaque jour

1 Les deux bâtons ci-dessus montrent exactement le même nombre de moutons. Lequel ? Explique comment.

2 Voici une façon d'enregistrer des mesures adoptée par les indiens Zuñis du Nouveau-Mexique, au XVIIIe siècle.

Bâton d'irrigation des Zuñis

La façon de faire des Zuñis ressemble au système des bergers européens. Elle rappelle également un autre type de numération bien connu.

a) Lequel ?

b) Quel est le nombre affiché de deux façons sur le bâton d'irrigation ?

3 Voici comment les Mayas notaient leurs nombres au VIIIe siècle. Note les nombres qui manquent.

	•	••	?	••••
0	1	2	3	4
|	•|	••|	•••|	?
5	6	7	8	9
||	•||	?	?	?
10	11	12	16	19

... pour faire comme si...

4 L'utilisation de cailloux pour figurer des nombres remonte elle aussi à la nuit des temps. Dans une langue ancienne, le mot *calculus* voulait dire « petit caillou »...

Combien de poissons manque-t-il ?

5 Il y a 5000 ans, en Mésopotamie, les notaires façonnaient des cailloux d'argile pour effectuer leurs calculs.

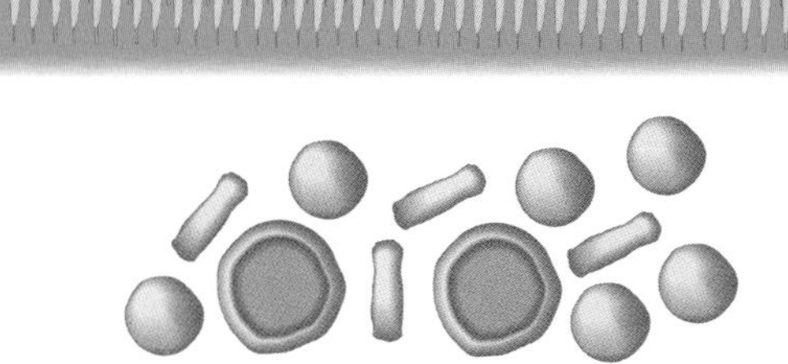

Représentation de 264 sacs de grains

Que vaut chaque sorte de caillou ci-dessous ?

a) 

b)

c) 

6 Grâce au principe de position, les comptables d'Asie pouvaient jadis représenter de très grands nombres en n'utilisant qu'une poignée de cailloux.

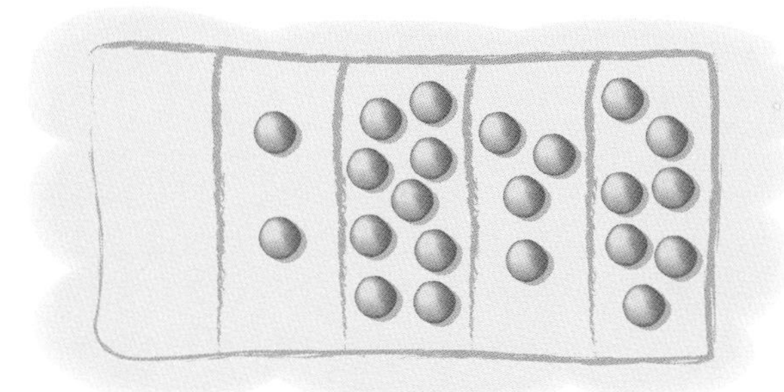

Premier abaque en Asie

Combien de personnes sont représentées ici ?

7 La plus ancienne calculette remonte au début de notre ère.

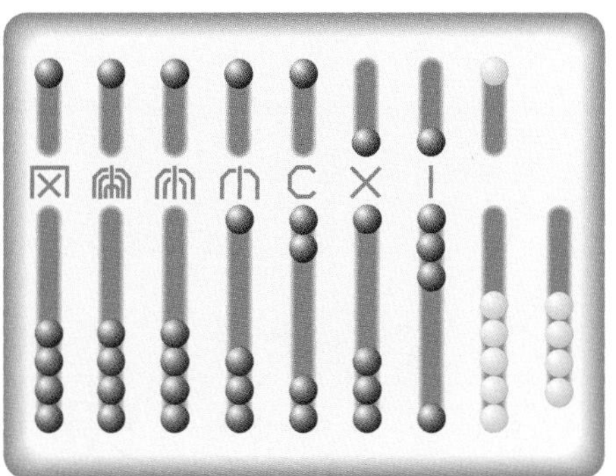

Calculette romaine du Ier siècle

Combien d'as (unité monétaire) sont indiqués par les boutons bruns de cet abaque romain ?

Jadis, des peuples ont utilisé des lettres de leur alphabet comme chiffres. Ils se servaient d'un code semblable à celui de la clé illustrée à droite.

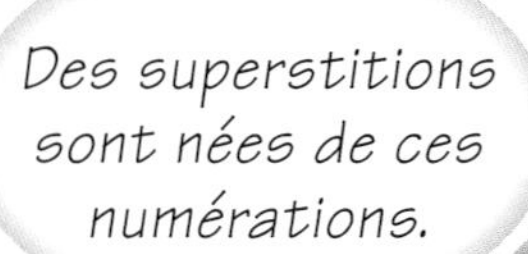

Tous les nombres de 1 à 999 peuvent être représentés. Voici un exemple où un mot est associé à un nombre :

SEL = 100 + 5 + 30 = 135

Attention ! Dans ce jeu, il faut parfois replacer les lettres dans le bon ordre.

Clé

A	1	J	10	S	100
B	2	K	20	T	200
C	3	L	30	U	300
D	4	M	40	V	400
E	5	N	50	W	500
F	6	O	60	X	600
G	7	P	70	Y	700
H	8	Q	80	Z	800
I	9	R	90	#	900

1. De qui est-il question ?

2. Les Romaines et les Romains de l'Antiquité ont créé leurs chiffres à partir de leur alphabet. Complète la clé permettant de noter les nombres en chiffres romains.

Clé

I	⟷	1
V	⟷	5
X	⟷	?
L	⟷	50
C	⟷	100
D	⟷	?
M	⟷	1000

3. Complète les égalités suivantes.

   a) CCLVII = **?**

   b) DCCLI = **?**

   c) MDXC = **?**

   d) **?** = 944

4. En Italie, encore de nos jours, une vieille superstition attribue à un nombre un effet maléfique. Ce nombre se cache dans le mot *vixi* qui, en latin, signifie « mort ».

   De quel nombre s'agit-il ?

1 unité ⟷

Voici différentes façons de représenter des nombres.

Imagine que, pour chaque cas, l'unité représente une personne qui marche dans la rue.

Fais comme si...

 Combien y a-t-il de personnes dans chaque cas ?

a)

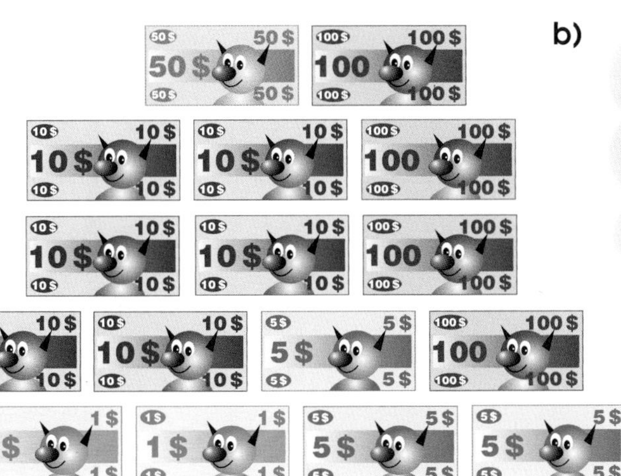

b)

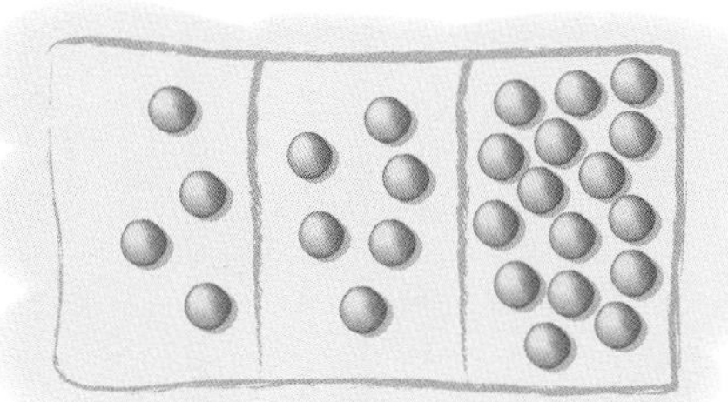

c) MMDCXXVII

d) 658

e)

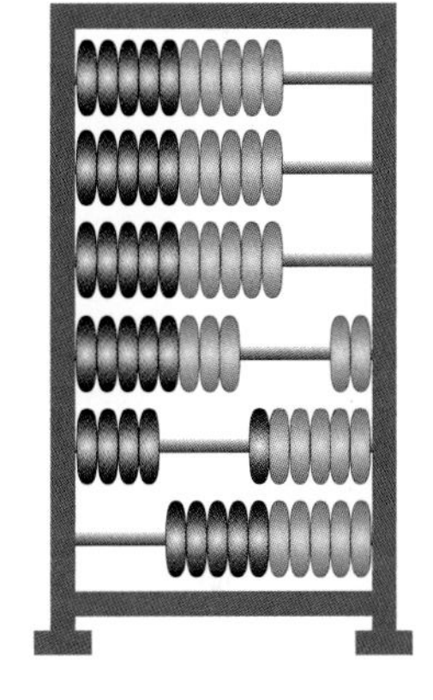

f) **7 centaines + 11 dizaines + 16 unités**

g)

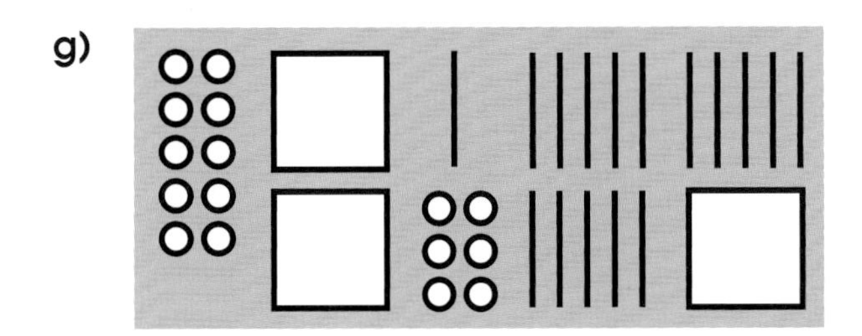

h)

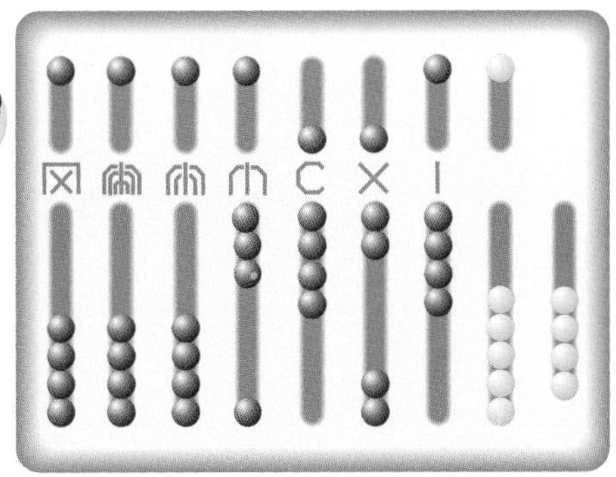

Chacun des abaques de cette page représente un portefeuille. Comme pour les nombres, une somme d'argent peut toujours être représentée de différentes façons.

Assure-toi que chaque « portefeuille » contient vraiment 876 $. Avec Domino, on ne sait jamais...

a)

b)

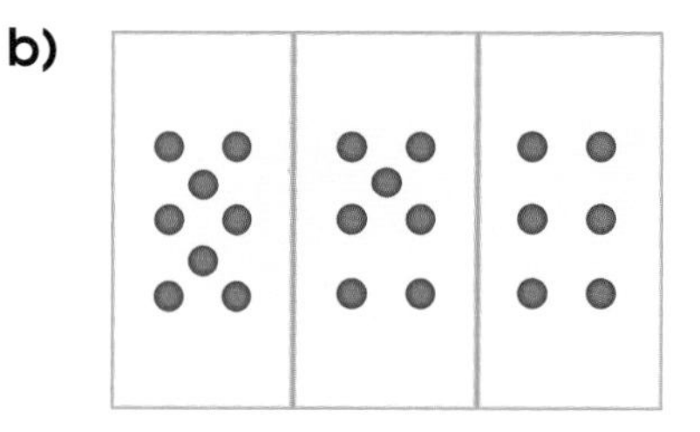

c)

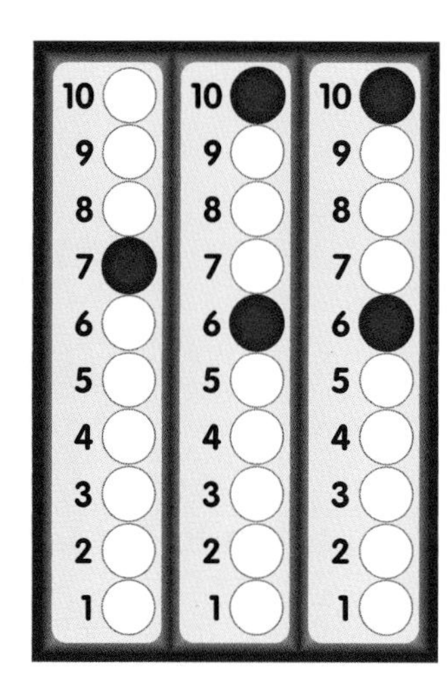

d)

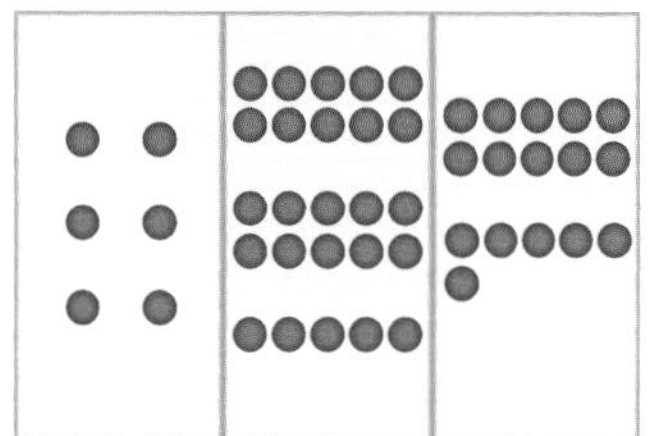

e)

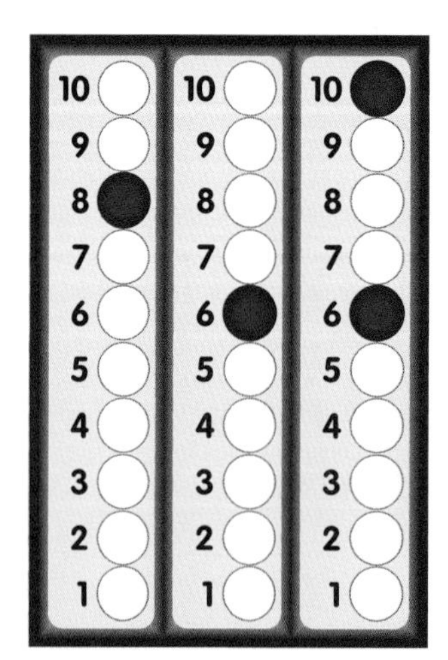

f)

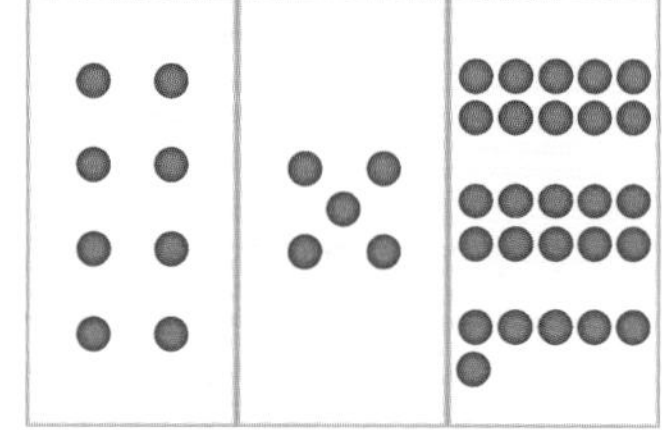

2 Laquelle de ces représentations est la meilleure ?

1 Quel est le nombre représenté sur chaque abaque ?

a) 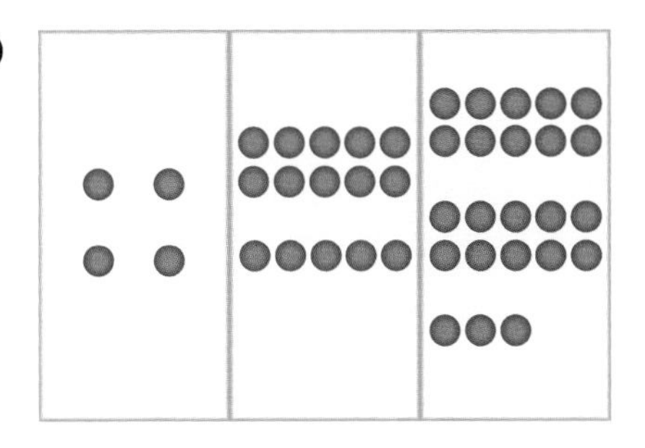

b)

c) 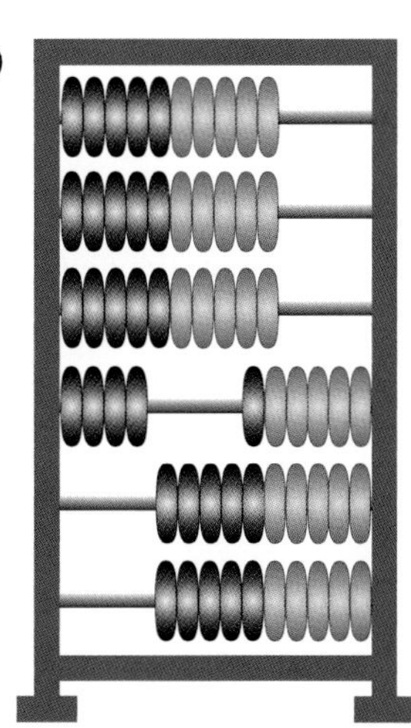

2 Utilise ta super-planche pour compléter les égalités.

a) 4 unités + 5 dizaines + 8 centaines = ▭

b) 4 centaines + ▭ unités + 7 dizaines = 487

c) 2 centaines + 11 dizaines + ▭ unités = 333

d) 12 dizaines + 15 unités + 4 centaines + 6 unités = ▭

e) 4 centaines – 13 dizaines – 18 unités = ▭

f) 4c + 12d + 11u + 143 + 8u + 9d = ▭

g) 7d + 6u – 3d + 5c – 8u = ▭

h) 8c – 2d – 11u – 274 = ▭

i) (4 × 3u) + (2 × 2c) + (5 × 4u) = ▭

j) $\frac{8c + 7d + 6u}{4}$ = ▭

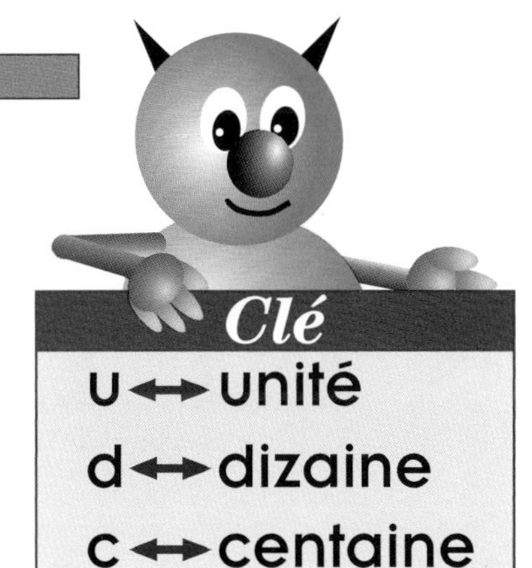

3 À toi maintenant de devenir un mini-prof !

a) Invente cinq cas semblables à ceux du problème 2. Vérifie-les avec ta super-planche et note le tout.

Garde tes réponses secrètes.

b) Échange ton exercice contre celui d'une ou d'un camarade pour le valider.

1 Complète les égalités suivantes.
Utilise ta super-planche.

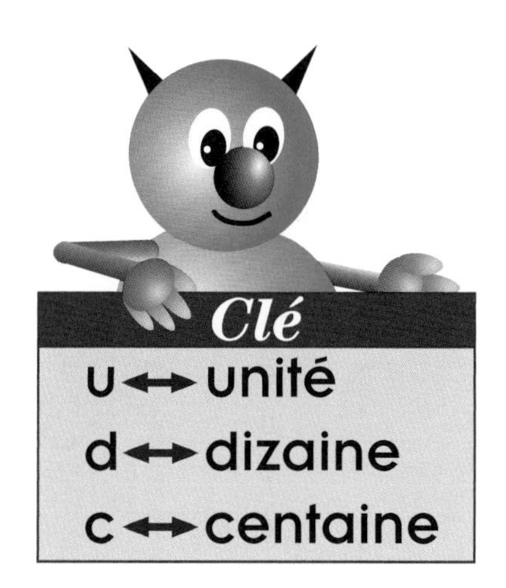

a) 128 unités – 6 dizaines + ______ unités = 103

b) 42 unités + ______ dizaines + 139 = 531

c) 5c + 13d + ______ u + 4d = 692

d) 7c – ______ d + 8u + 16d = 628

e) ______ d + 4c – 5d – 8u = 472

f) 34 dizaines – 4 centaines + ______ centaines = 440

g) 9c – ______ u + 21d – 16u = 785

2 À l'aide de ta super-planche, complète chaque représentation ci-dessous pour obtenir la somme indiquée.

a)

397

b)

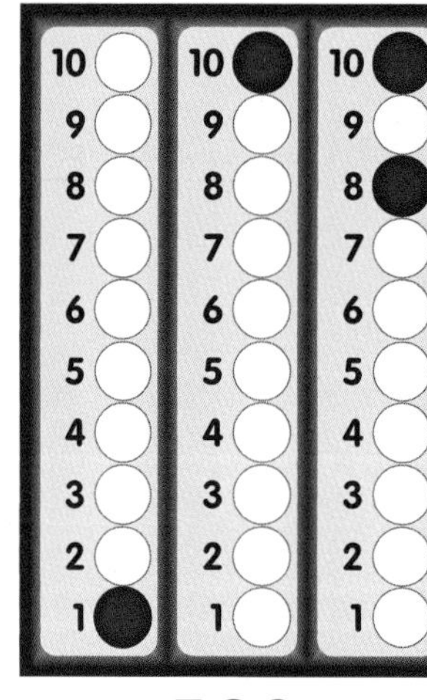

500

c)

603

3 Voici une façon de décomposer le nombre 568 :

4 centaines + 16 dizaines + 8 unités

Les trois nombres utilisés sont pairs : 4, 16 et 8.
Trouve cinq autres décompositions où seulement deux des trois nombres seront pairs.

Pour chacune des opérations suggérées, trouve la meilleure décomposition du nombre 552.

a)

10	10	10
9	9	9
8	8	8
7	7	7
6	6	6
5	5	5
4	4	4
3	3	3
2	2	2
1	1	1

552 – 181

b)

10	10	10
9	9	9
8	8	8
7	7	7
6	6	6
5	5	5
4	4	4
3	3	3
2	2	2
1	1	1

552 ÷ 2

c)

10	10	10
9	9	9
8	8	8
7	7	7
6	6	6
5	5	5
4	4	4
3	3	3
2	2	2
1	1	1

552 ÷ 4

Utilise ta super-planche pour effectuer les opérations suivantes. Sur du papier brouillon, note toutes tes étapes au fur et à mesure.

a) 285 + 34 **b)** 479 + 286 **c)** 358 + 649

d) 571 – 90 **e)** 714 – 249 **f)** 801 – 175

g) 163 × 3 **h)** 227 × 4 **i)** 243 × 5

j) 486 ÷ 2 **k)** 672 ÷ 3 **l)** 952 ÷ 4

m) 528 + 247 + 96 **n)** 408 – 397 + 189 **o)** 376 + 479 – 187

p) 903 – 396 – 155 **q)** (402 – 169) × 3 **r)** (581 + 393) ÷ 2

Deviens mini-prof à ton tour et invente tes propres exercices de calcul.

a) Choisis une opération de base (+, –, × ou ÷).

b) Invente quatre exemples : un cas facile, deux moyens et l'autre pour les as.

c) Si possible, utilise un logiciel de traitement de texte ou de dessin. Cela donnera à ton oeuvre un petit air... professionnel !

d) Échange ton exercice contre celui de quelques camarades.

Fiches complémentaires *Numération* 7 et 12

B9 Nombres et calculs vertigineux...

Une chaîne de restaurants célèbre a vendu plus de 100 milliards de hamburgers depuis sa création.

Si on les plaçait côte à côte, ces sandwiches feraient environ 250 fois le tour de la Terre ou 25 fois la distance Terre-Lune !

Utilise ta calculette. Pour trouver depuis combien de minutes tu es au monde, il te faudra d'abord trouver :

a) le nombre de jours vécus ;

b) le nombre de minutes par jour.

2 Il faudrait empiler environ 4 523 250 pièces de 1 $ pour rejoindre le sommet de l'Everest. Saurais-tu lire ce nombre gigantesque sans avoir le vertige ?

... d'ici et d'ailleurs !

Des Ovniens débarquent !

Un vaisseau spatial venu d'une autre galaxie a atterri hier dans notre ville. Venus de la planète Ohlala, à des millions et des millions de kilomètres de nous, les Ovniens sont des robots plutôt sympathiques et... forts en calcul !

3 Les Ovniens ont une façon d'additionner bien spéciale...

Peux-tu expliquer comment ils arrivent à effectuer 586 + 361 ? Refais le calcul.

4 De vieux manuscrits nous montrent comment le calcul était enseigné dans les universités d'Europe il y a cinq siècles.

Une addition du XVe siècle...

Comment cette universitaire du Moyen Âge réussit-elle l'addition 586 + 361 ? Refais le calcul.

Voici le film montrant une addition effectuée par un Ovnien.

1 À ton tour maintenant d'additionner avec la technique des tirets.

a) 418 + 253

b) 2 947 + 305

c) 3 654 + 4 639

d) 8 459 + 3 281

2 Voici des cas un peu plus difficiles. Résous-les.

a) 2 756 + 5 285

b) 13 657 + 37 249

c) 8 386 + 692 + 5 974

3 Dans l'addition suivante réalisée à la manière des Ovniens, indique la valeur :

47 213
\+ 8 198
45 301
55 411

a) du tiret sous le 3 ;

b) du tiret sous le 0 ;

c) du tiret sous le 4.

À deux, expliquez les réponses à l'aide de vos super-planches.

TRUX-12 et Troublefête viennent d'effectuer une addition, chacun à sa façon. Essaie de comprendre chaque étape.

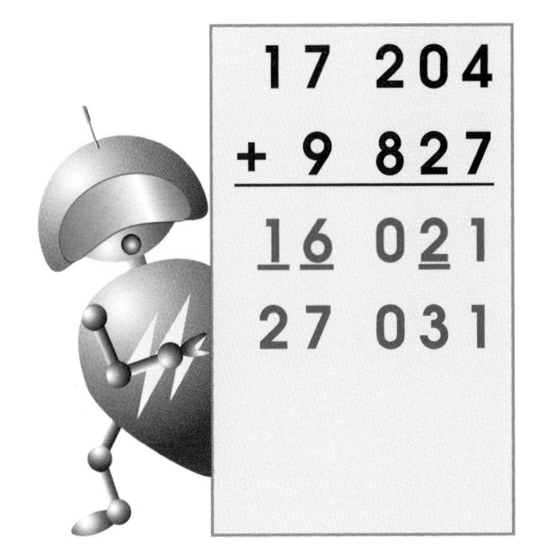

17 204
+ 9 827
1 (16) (10) 2 (11)
2 6
7 0 2
3 1

a) Avec une ou un camarade, trouve les ressemblances et les différences entre ces deux techniques.

b) Dans les traces laissées par TRUX-12, où retrouves-tu le 11 encerclé par Troublefête ?

c) Associe le tiret sous le 6, dans le calcul de TRUX-12, au chiffre correspondant du calcul de Troublefête.

Sur du papier brouillon, effectue les additions suivantes à ta façon. Laisse des traces claires de ta démarche.

a) 785 + 432

b) 679 + 825

c) 17 248 + 6 577

d) 24 567 + 9 483

e) 8 509 + 4 975

f) 9 787 + 15 609

g) 27 907 + 84 598

h) 37 428 + 57 940

i) 6 280 + 974 + 13 948

j) 9 421 + 692 + 11 459

k) 3 829 + 768 + 45 869

l) 5 947 + 3 916 + 52 849

À toi maintenant de devenir un mini-prof !

a) Invente un exercice d'addition. Note-le à l'aide de ton logiciel préféré.

b) Trouve les réponses et garde-les secrètes !

c) Échange ton exercice contre celui d'une ou d'un camarade pour le valider.

Chaque opération effectuée ci-dessous avec la technique des tirets comporte une erreur. Trouve chaque erreur et corrige les calculs.

a)

	2 5 6 7
+	8 0 4
	2 3 6 1
	3 4 7 1

b)

	4 7 6 9
+	3 2 7 5
	7 9 3 4
	7 0 4 4

c)

	2 9 5
	6 5 5 4
+	1 7 7 6
	7 4 1 5
	8 5 2 5

2 En équipe de deux, utilisez vos super-planches pour composer les nombres suivants.

a) 8u•m + 6d + 11d•m + 15u + 4c

b) 14d + 12u•m + 9c + 6u•m + 8c + 9d

c) 7u•m + 4c•m + 1c – 7d – 3d•m

d) 2d•m – 2u•m + 2c – 2d – 2u

e) 38d•m + 45u•m + 26c + 50d

f) 123d +123u•m + 123c + 123u

g) 23 503 – 4u•m – 2d – 45c – 78u

h) 4u•m – 5d

i) 2d•m – 4c – 1u

j) 13d•m – 13c – 13d

k) 1c•m – 1c – 1d – 1u

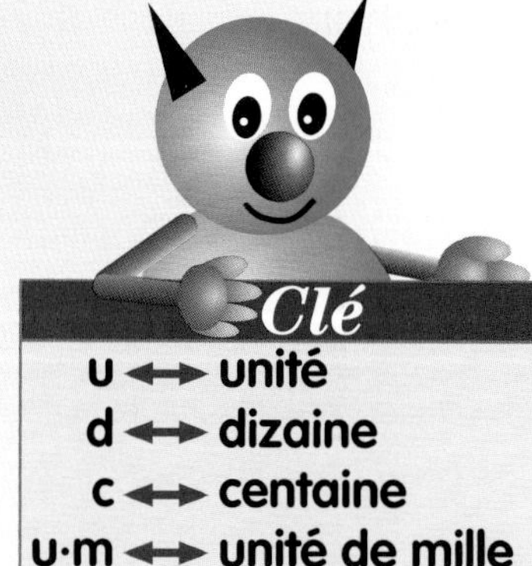

3 Voici quelques décompositions du nombre 364 502.
Forme une équipe avec une ou un camarade. Chaque membre de l'équipe devra trouver un des nombres manquants.

a) 364 502 = 2c•m + 13d•m + ▭ u•m + 4c + 8d + ▭ u

b) 364 502 = 0c•m + ▭ d•m + 64u•m + 0c + ▭ d + 102u

c) 364 502 = 1c•m + ▭ d•m + 24u•m + 3c + ▭ d + 42u

d) 364 502 = 1c•m + 20d•m + ▭ u•m + 1c + 10d + ▭ u

e) 364 502 = 2c•m + ▭ d•m + 103u•m + ▭ c + 10d + 102u

Dans le portefeuille de Troublefête, il y a une somme de 568 $. Ce montant est déjà indiqué sur la super-planche.

Un échange de billets est aussi décrit.

a) Quels billets sont enlevés ou ajoutés ?

b) Quel effet cet échange a-t-il sur le montant contenu dans le portefeuille ?

c) Complète la phrase mathématique qui décrit globalement cette transaction.

568 $ + ▭ = ▭

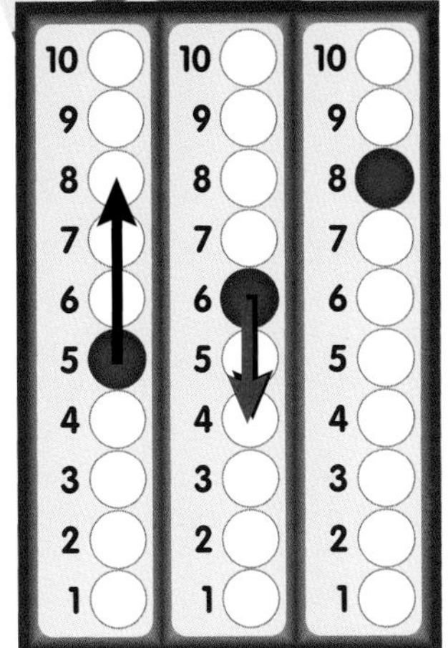

2 Pour chacun des cas suivants, décris à l'aide d'une phrase mathématique l'effet de l'échange illustré avec des flèches.

a)

b)

c)

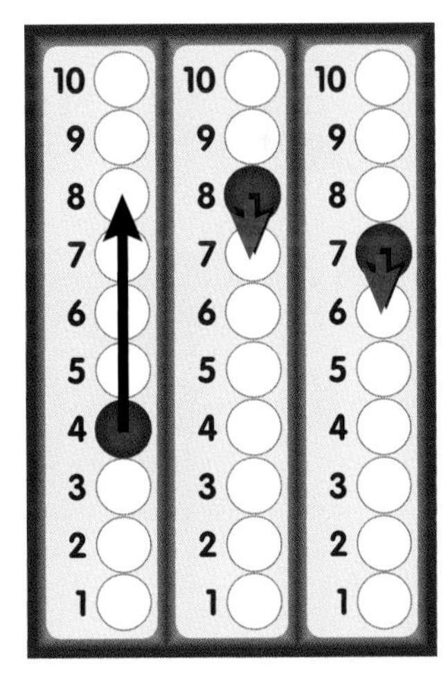

Sur ta super-planche, trouve les échanges qui permettent d'effectuer le plus rapidement possible les opérations suivantes.

a) 768 + 490

b) 489 + 197

c) 436 + 279

d) 617 + 895

POUR LES AS

e) 3 994 + 4 659

f) 2 457 + 1 980

Voici le film montrant une soustraction effectuée par un Ovnien.

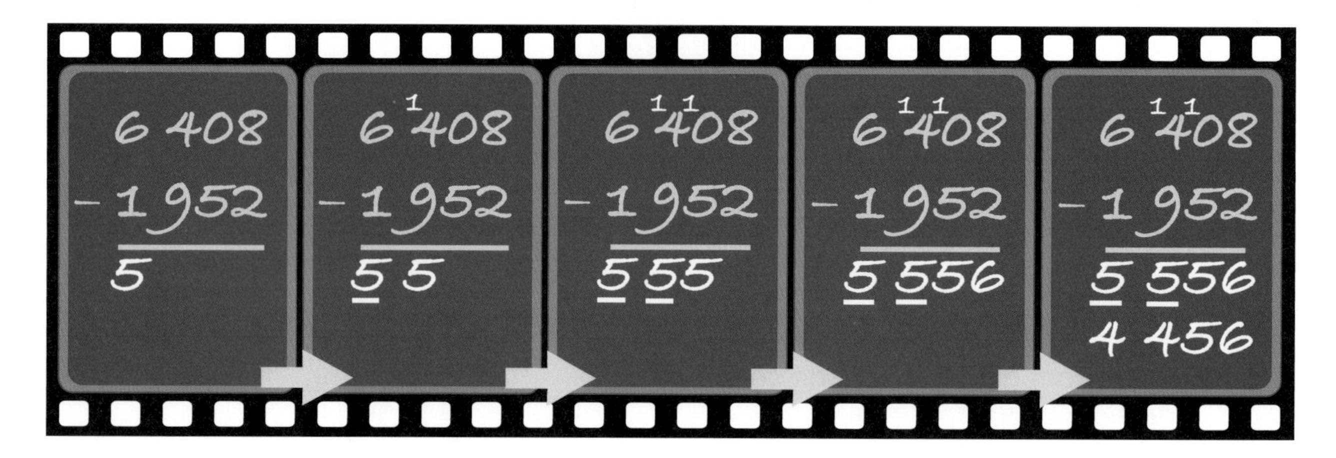

1 À ton tour maintenant de soustraire selon la technique des tirets.

a) 831 − 260

b) 5 624 − 708

c) 4 139 − 2 756

d) 7 123 − 6 257

2 Voici des cas un peu plus difficiles. Résous-les.

a) 9 506 − 3 581

b) 21 340 − 16 356

c) 10 200 − 4 279

Tirets ?

3 Partant de la soustraction suivante, réalisée à la manière des Ovniens, indique la valeur

```
 1   1 1
 50 903
−  7 694
 53 319
 43 209
```

a) du tiret sous le 3 ;

b) du tiret sous le 5 ;

c) du tiret sous le 1.

À deux, expliquez les réponses à l'aide de vos super-planches.

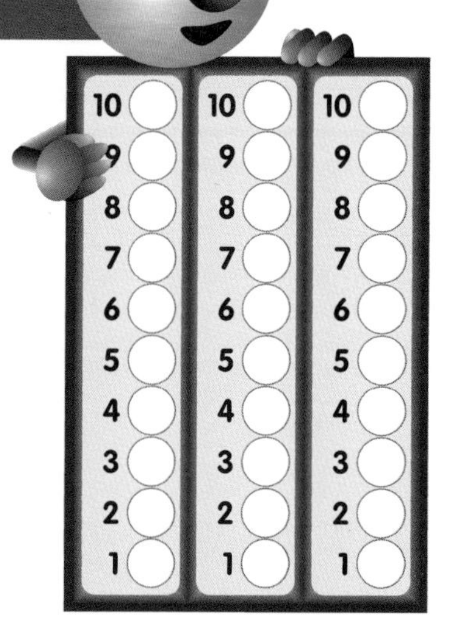

TRUX-16 et Troublefête viennent d'effectuer une soustraction, chacun à sa façon. Essaie de comprendre chaque étape.

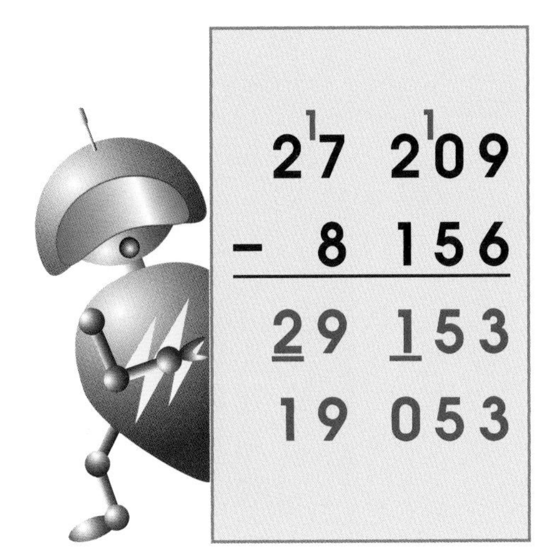

1 (17) 1 (10) 9
1 (17) 2 0 9
2 7 2 0 9
– 8 1 5 6
1 9 0 5 3

a) Avec une ou un camarade, trouve les ressemblances et les différences entre ces deux techniques.

b) Dans l'encadré de TRUX-16, où retrouves-tu le 17 encerclé par Troublefête ?

c) Associe le tiret sous le 1, dans le calcul de TRUX-16, au chiffre correspondant dans le calcul de Troublefête.

Sur du papier brouillon, effectue les soustractions suivantes à ta façon. Laisse des traces claires de ta démarche.

a) 841 – 184

b) 709 – 195

c) 3 822 – 915

d) 4 120 – 786

e) 5 602 – 1 740

f) 8 412 – 2 885

g) 34 563 – 2 998

h) 27 052 – 3 879

i) 4 000 – 189

j) 5 050 – 909

k) 50 382 – 17 486

l) 47 208 – 39 453

À toi maintenant de devenir un mini-prof !

a) Invente un exercice de soustraction. Note-le à l'aide de ton logiciel préféré.

b) Trouve les réponses et garde-les secrètes !

c) Échange ton exercice contre celui d'une ou d'un camarade pour le valider.

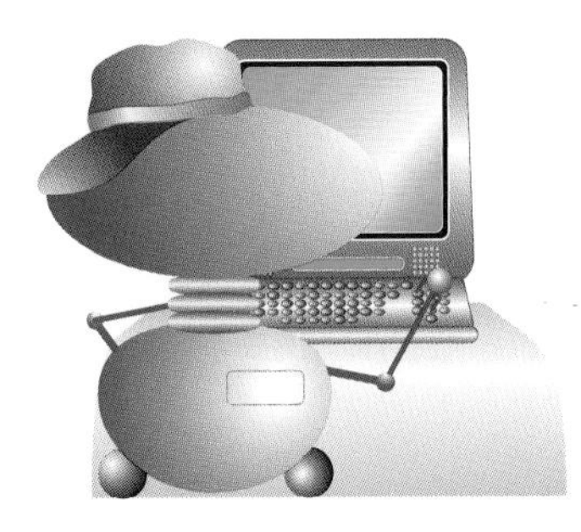

Dans le portefeuille de Troublefête, il y a une somme de 612 $. Ce montant est déjà indiqué sur la super-planche.

Un échange de billets est aussi décrit.

a) Quels billets sont enlevés ou ajoutés ?

b) Quel effet cet échange a-t-il sur le montant contenu dans le portefeuille ?

c) Complète la phrase mathématique qui décrit globalement cette transaction.

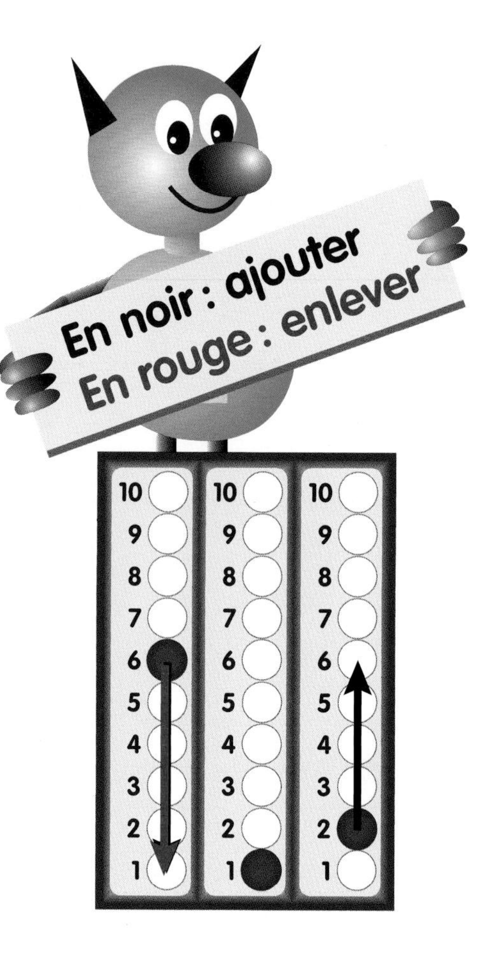

612 $ – ▭ = ▭

Pour chacun des cas suivants, décris à l'aide d'une phrase mathématique l'effet de l'échange illustré avec des flèches.

a)

b)

c)

Sur ta super-planche, trouve les échanges qui permettent d'effectuer le plus rapidement possible les opérations suivantes.

a) 513 – 290

b) 702 – 396

c) 930 – 488

d) 634 – 179

POUR LES AS

e) 7 302 – 2 995

f) 4 231 – 2 987

Sur la super-planche illustrée à droite, on a représenté le nombre 468 en ne déposant que des piles de 2 jetons. Le résultat peut être noté de ces deux façons :

468 = (2c + 3d + 4u) x 2

468 ÷ 2 = 234

10	10	10
9	9	9
8	8	8
7	7	7
6	6	6
5	5	5
4	4	4 (2)
3	3 (2)	3
2 (2)	2	2
1	1	1

Le nombre 468

Sur ta super-planche, représente le même nombre en utilisant uniquement les piles demandées. Note la description de ce que tu obtiens.

a) *Piles de 3* : 468 = (**?** c + **?** d + **?** u) × 3

468 ÷ 3 = **?**

b) *Piles de 4* : 468 = (**?** c + **?** d + **?** u) × **?**

468 ÷ **?** = **?**

c) *Piles de 6* : 468 = (**?** c + **?** d + **?** u) × **?**

468 ÷ **?** = **?**

Représente d'abord chaque nombre demandé ci-dessous sur ta super-planche. N'utilise que les piles de jetons demandées. Note le résultat de la manière suggérée.

a) *762 en piles de 3* : 762 ÷ 3 = **?** c + **?** d + **?** u

b) *980 en piles de 4* : 980 ÷ 4 = **?** c + **?** d + **?** u

c) *865 en piles de 5* : 865 ÷ 5 = **?** c + **?** d + **?** u

3

Chaque opération effectuée ci-dessous selon la technique des tirets comporte une erreur. Trouve chaque erreur et corrige les calculs.

a)

```
  5 ¹3 ¹2 ¹7
- 2  7  3  9
  3  6  9  8
  2  5  9  8
```

b)

```
  7 ¹8  5 ¹3
- 4  9  4  8
  3  9  1  5
  2  8  0  5
```

c)

```
  3  9 ¹4 ¹2 ¹3
- 1  9  7  6  5
  2  0  7  6  8
  1  0  6  5  8
```

Voici le film montrant une multiplication effectuée par un Ovnien.

1 À ton tour maintenant de multiplier selon la technique en zigzag.

a) 263 x 3

b) 416 x 5

c) 1 924 x 4

d) 3 458 x 5

2 Voici des cas un peu plus difficiles. Résous-les.

a) 352 x 9

b) 2 874 x 7

c) 123 x 10

d) 9 876 x 10

3 À partir de la multiplication suivante, commencée à la manière des Ovniens, réponds aux questions :

```
  1 245
x     7
-------
  7 485
  1 23
  8 6
```

a) D'où vient le 2 sous le 4 ?

b) D'où vient le 6 ?

c) Complète le calcul.

À deux, expliquez les réponses à l'aide de vos super-planches.

TRUX-20 et Troublefête viennent d'effectuer une multiplication, chacun à sa façon. Essaie de comprendre chaque étape.

2 516
x 6
(12)(30)6(36)
1 2̸
5 0 6̸
9 6

a) Avec une ou un camarade, trouve les ressemblances et les différences entre ces deux techniques.

b) Dans les traces laissées par TRUX-20, où retrouves-tu le 30 encerclé par Troublefête ?

c) Dans la technique de Troublefête, explique ce qui lui a permis d'obtenir le 9.

Sur du papier brouillon, effectue les multiplications suivantes à ta façon. Laisse des traces claires de ta démarche, puis note tes réponses.

a) 254 × 3   **b)** 195 × 2

c) 794 × 4   **d)** 487 × 3

e) 6 × 2 837   **f)** 4 × 3 258

g) 5 × 13 462   **h)** 3 × 24 052

i) 123 456 × 9   **j)** 65 432 × 10

k) 11 × 55 555   **l)** 444 444 × 6

À toi maintenant de devenir un mini-prof !

a) Invente un exercice de multiplication. Note-le à l'aide de ton logiciel préféré.

b) Trouve les réponses et garde-les secrètes !

c) Échange ton exercice contre celui d'une ou d'un camarade pour le valider.

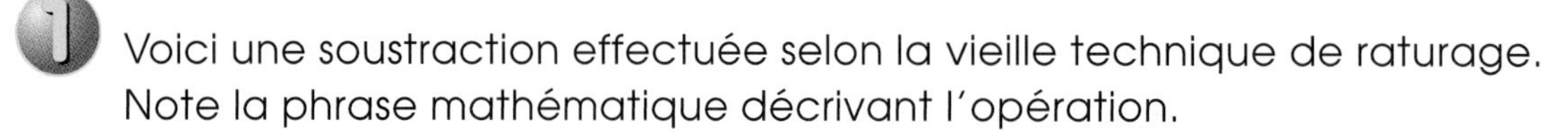

1 Voici une soustraction effectuée selon la vieille technique de raturage. Note la phrase mathématique décrivant l'opération.

▭ − ▭ = ▭

2 À ton tour de soustraire selon la technique de raturage.

a) 491
278

b) 713
456

c) 801
573

d) 3754
1928

3 En équipe de deux, utilisez vos super-planches pour composer les nombres suivants.

a) (3 × 4u•m) + (5 × 2d) + (6 × 3c)

b) (5 × 4u) + (7 × 2u•m) + (5 × 13c)

c) (2c + 4u•m + 6d + 3d•m) × 5

d) (8d + 7u•m + 4u + 51 203) × 6

e) (22d•m ÷ 4) + (17d ÷ 5)

f) (5d•m + 4u•m + 8c + 1d) ÷ 3

g) (1c•m + 3u•m + 4c + 58u) ÷ 6

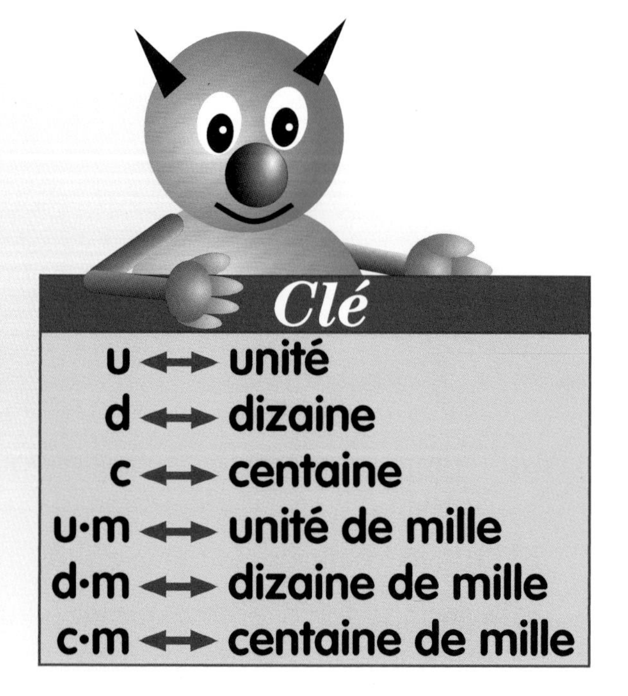

1 Sur la super-planche illustrée à droite, le jeton rouge représente une pièce de 1 $.

a) Que représente le jeton vert ?

b) Que représente le jeton jaune ?

c) Que représentent tous les jetons de couleur ?

Il y a deux façons de noter cette somme :

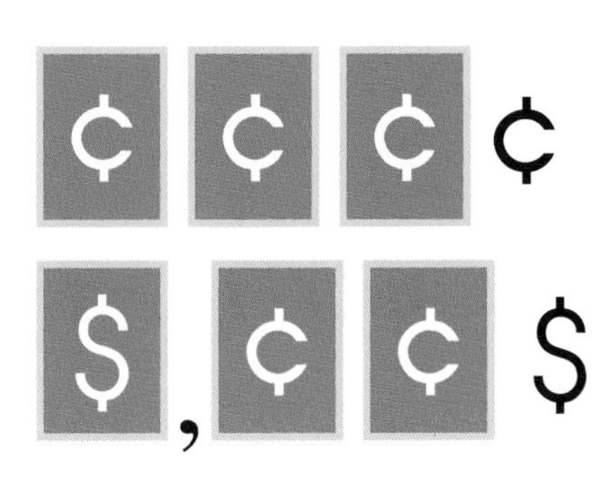

2 Sur ta super-planche, reproduis chacun des ensembles suivants. Utilise la même convention qu'au numéro 1. Note ensuite la somme obtenue de deux façons différentes.

a) **b)** **c)**

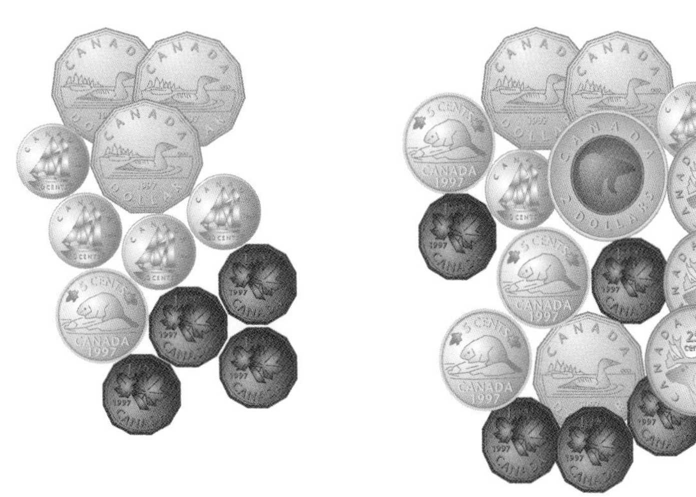

Ajoute à ces pièces un montant de 1,87 $.

Voici le film montrant une division effectuée par un Ovnien.

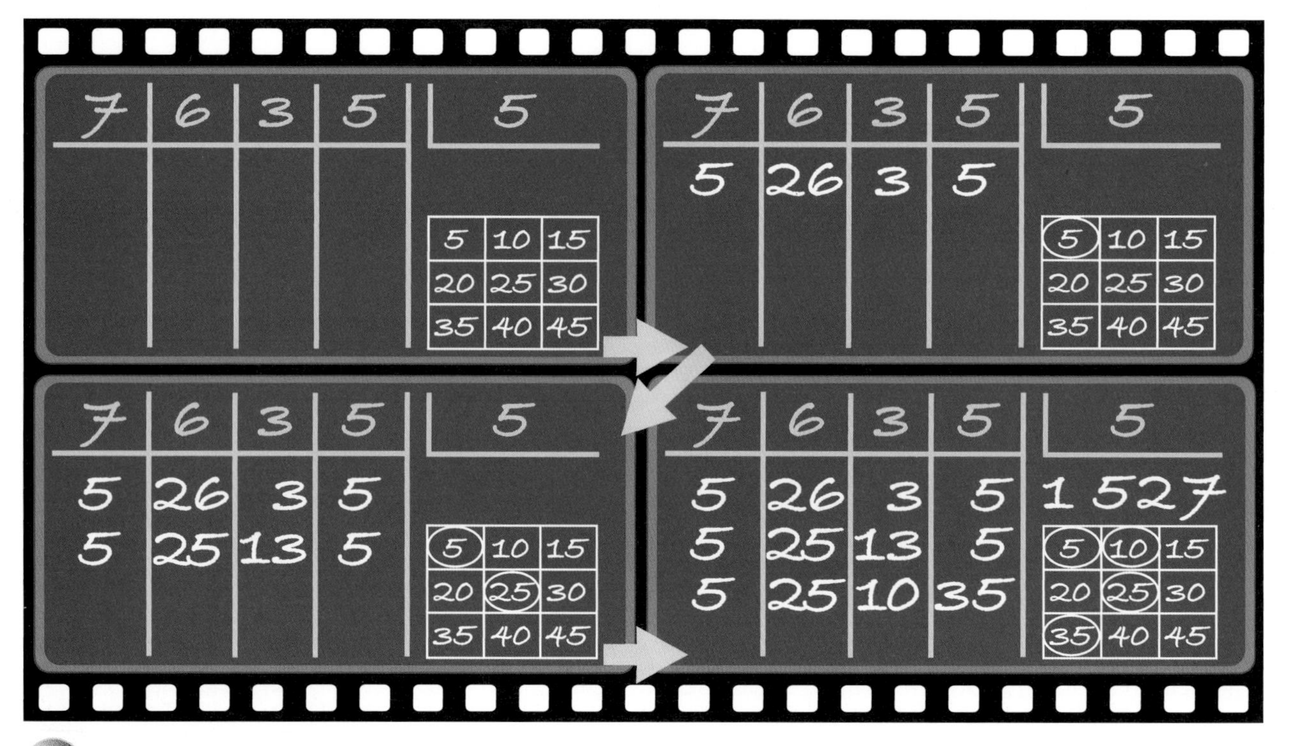

1 À ton tour maintenant de diviser selon la technique en colonnes. Note toutes tes étapes.

a)

8	0	8	5

Diviseur : 3

3	6	9
12	15	?
?	?	?

b)

5	2	7	1

Diviseur : 7

7	14	21
?	?	?
?	?	?

2 À partir de la division suivante, commencée à la manière des Ovniens, réponds aux questions.

7	1	3
4	31	3
4	28	33
4	28	32
		+1

Diviseur : 4

a) D'où vient le 31 ?

b) D'où vient le +1 ?

c) Quelle est la réponse ?

À deux, expliquez les réponses à l'aide de vos super-planches.

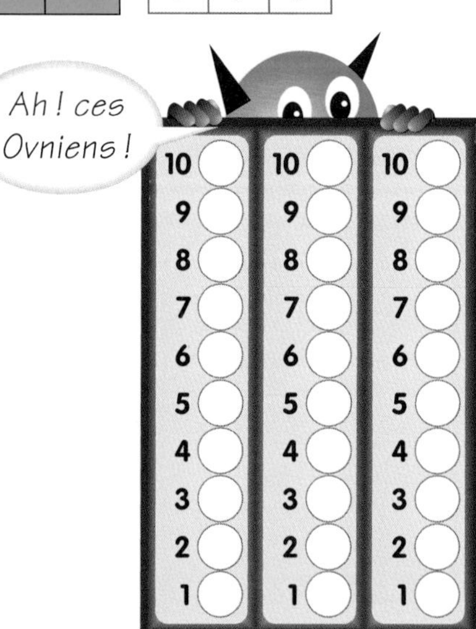

1 Troublefête propose à TRUX-24 d'améliorer sa technique de division. Essaie de comprendre ce qu'il propose.

9	1	6	8	6
6	31	6	8	1528
6	30	16	8	(6) (12) 18 24 (30) 36 42 (48) 54
6	30	12	48	

9	1	6	8	6
6	31			1528
	30	16		
		12	48	

a) Avec une ou un camarade, trouve les ressemblances et les différences entre ces deux techniques.

b) Qu'est-ce qui permet à Troublefête de simplifier le travail ?

c) D3D4 pense aussi qu'on pourrait simplifier la technique de Troublefête. Qu'a-t-il en tête, selon toi ?

2 Effectue les divisions suivantes à ta façon. Laisse des traces claires de ta démarche.

a) 731 ÷ 3 **b)** 640 ÷ 4

c) 915 ÷ 2 **d)** 725 ÷ 5

e) 8 472 ÷ 6 **f)** 9 436 ÷ 3

g) 3 709 ÷ 4 **h)** 5 730 ÷ 2

i) 94 213 ÷ 5 **j)** 83 942 ÷ 4

k) 15 380 ÷ 10 **l)** 23 685 ÷ 10

3 À toi maintenant de devenir un mini-prof !

a) Invente un exercice de division. Note-le à l'aide de ton logiciel préféré.

b) Trouve les réponses et garde-les secrètes !

c) Échange ton exercice contre celui d'une ou d'un camarade pour le valider.

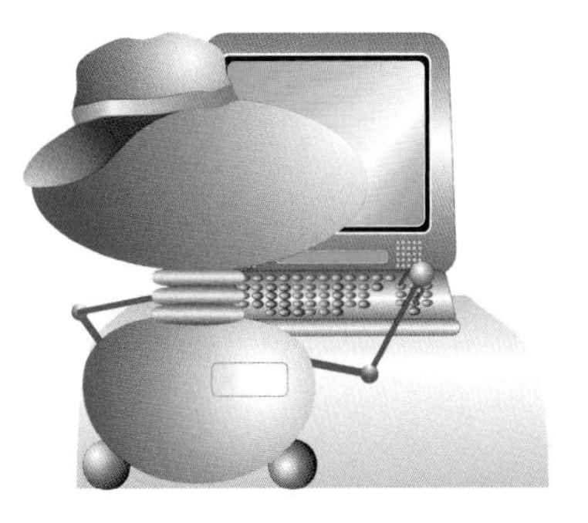

Fiches complémentaires *Numération* 17a, 17b et 18

Les écoles du monde...

CALCUL ÉCRIT

À peu près dans toutes les écoles du monde, une même technique d'addition est enseignée. Voici un exemple illustrant son déroulement.

 Explique chaque étape de ce procédé sur ta super-planche.

2 Effectue ces additions en utilisant cette même technique.

a) $547 + 372$

b) $466 + 319$

c) $759 + 178$

d) $569 + 635$

e) $3\,568 + 372$

f) $6\,297 + 1\,962$

g) $5\,748 + 3\,956$

h) $7\,194 + 3\,838$

La situation est cependant tout autre en soustraction. Les élèves d'ici apprennent une technique vraiment différente de celle que l'on trouve souvent ailleurs dans le monde.

Canada / États-Unis	Royaume-Uni / France
4 1 (5 barré) 538 − 146 = 392	1 538 − 146 (retenue 1 sous le 4) = 392

... et le calcul efficace

CALCUL MENTAL

Aujourd'hui, les calculettes et les ordinateurs ont envahi la planète. Le calcul écrit tend à disparaître. D'où l'importance grandissante du calcul mental !

Le calcul mental ressemble au calcul sur un abaque.

Règles du calcul mental

1. Bien observer les nombres.
2. Commencer à gauche.
3. Procéder par tranches de trois chiffres.
4. Lire la réponse au fur et à mesure.
5. Utiliser la compensation.

Au Japon, comme dans plusieurs pays d'Asie, les jeunes apprennent le calcul écrit ainsi que le calcul sur un abaque.

Grâce à leur travail sur le boulier, les élèves asiatiques réalisent d'excellentes performances en calcul mental.

Essaie d'écrire directement les résultats des opérations suivantes en pensant aux manipulations sur la super-planche.
Suis les règles du calcul mental.

a) 547 + 372 = ▬

b) 466 + 319 = ▬

c) 759 + 178 = ▬

d) 569 + 635 = ▬

e) 6 891 + 2 743 = ▬

f) 8 427 + 4 739 = ▬

g) 596 357 + 145 083 = ▬

1. Voici le film d'une addition effectuée selon la méthode conventionnelle utilisée à peu près partout dans le monde.

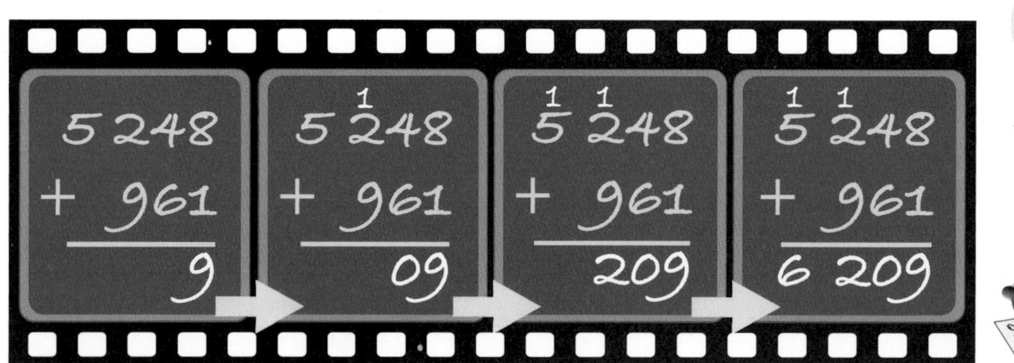

a) Compare cette méthode à la vieille technique de raturage ci-dessous. Vois-tu des ressemblances ? Et des différences ?

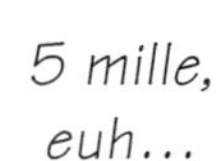

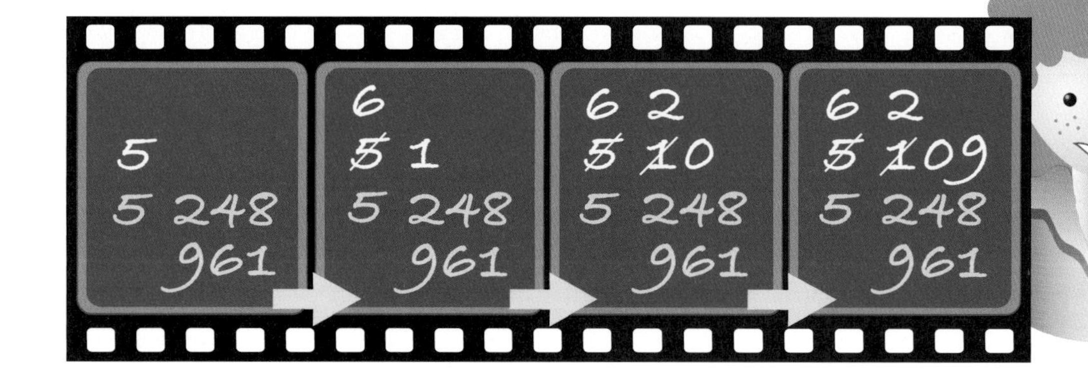

b) Dans la méthode conventionnelle, trouve ce qui correspond à la rature sur le 1. Prouve ta réponse au moyen de ta super-planche.

2. Résous d'abord mentalement chacune des additions suivantes. Vérifie ensuite ton calcul en utilisant la méthode conventionnelle du numéro 1.

a) 584 + 323

b) 251 + 439

c) 476 + 298

d) 368 + 534

e) 3 825 + 2 469

f) 7 385 + 4 736

g) 142 570 + 373 295

La super-planche illustrée à droite représente une tirelire contenant 5,47 $. Vois-tu comment ?

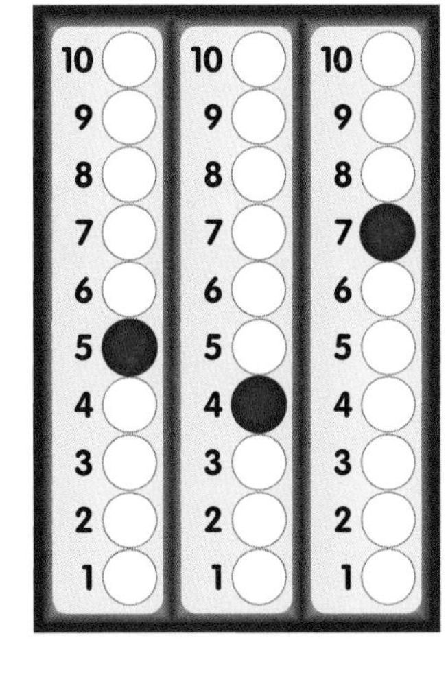

a) Sur ta super-planche, ajoute 81 ¢ à cette représentation.

b) Quel montant est maintenant contenu dans la tirelire ? Note-le de deux façons.

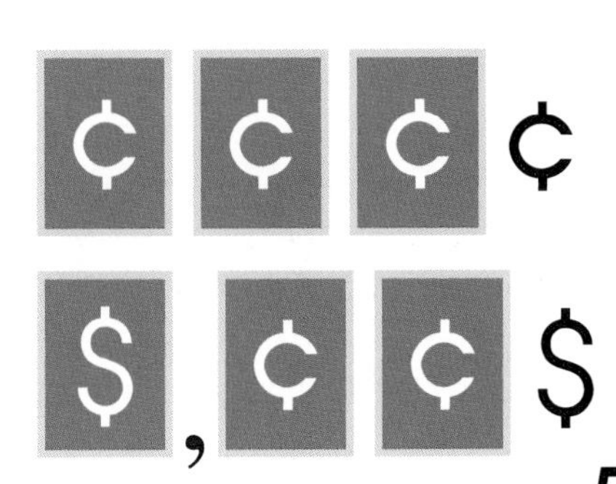

c) Effectue le calcul qui décrit ce qui s'est passé. Laisse les traces de ta démarche.

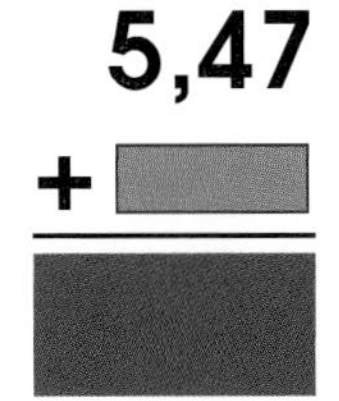

Voici des sommes à placer dans une tirelire imaginaire. Utilise ta super-planche et complète les égalités.

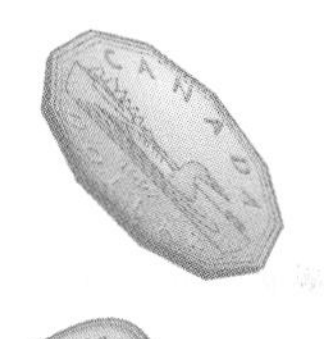

a) 25 ¢ + 10 ¢ + 2 $ + 1 $ + 5 ¢ + 1 ¢ = **?** ¢ = **?** $

b) (3 × 25 ¢) + (4 × 10 ¢) + (4 × 2 $) = **?** ¢ = **?** $

c) 4,23 $ + 5 ¢ + (5 × 25 ¢) + 184 ¢ = **?** ¢ = **?** $

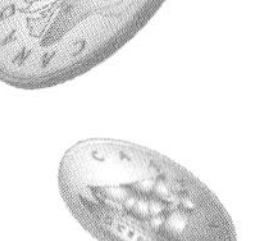

d) 0,67 $ + 7 $ + (3 × 5 ¢) + 46 ¢ = **?** ¢ = **?** $

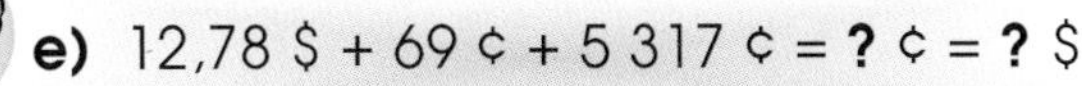

e) 12,78 $ + 69 ¢ + 5 317 ¢ = **?** ¢ = **?** $

Effectue d'abord les additions suivantes sur ta super-planche. Refais ensuite le calcul écrit en laissant les traces de ta démarche.

a) 5,64 + 3,19

b) 4,37 + 0,89

c) 24,96 + 8,59

d) 37,85 + 68,49

Voici le film d'une soustraction effectuée selon la méthode conventionnelle la plus utilisée en Amérique.

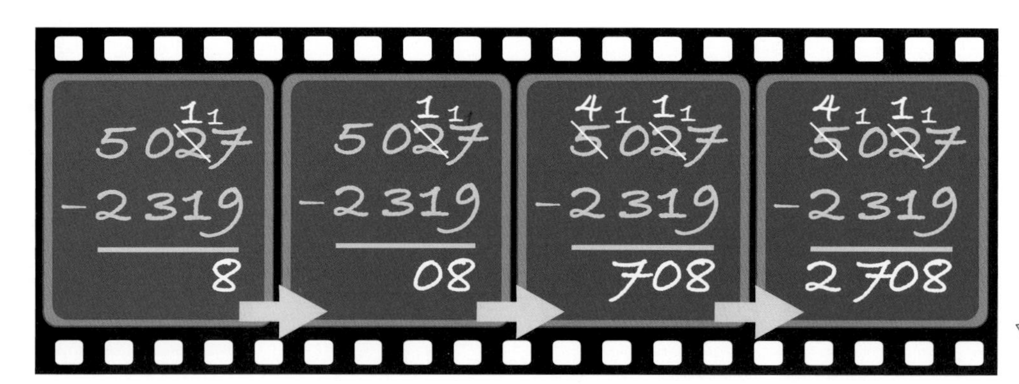

a) Compare cette méthode à la vieille technique de raturage ci-dessous. Vois-tu des ressemblances ? Et des différences ?

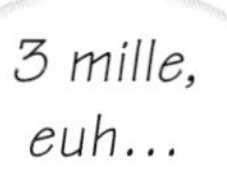

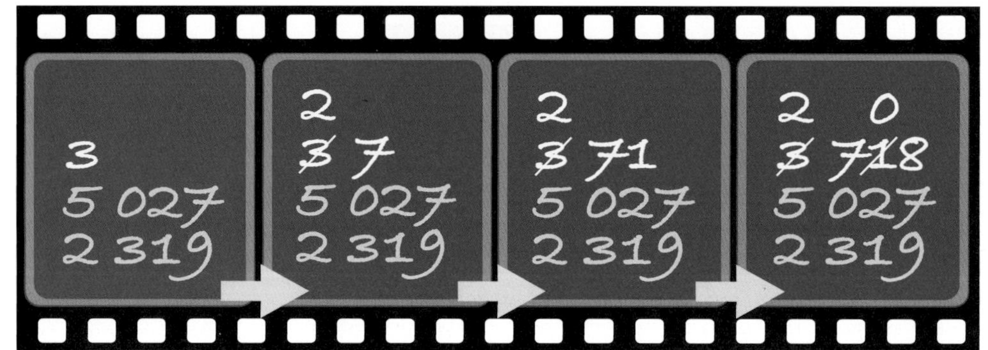

b) Dans la méthode conventionnelle, trouve ce qui correspond à la rature sur le 3. Prouve ta réponse au moyen de ta super-planche.

2 Résous d'abord mentalement chacune des soustractions suivantes. Vérifie ensuite ton calcul en utilisant la méthode conventionnelle du numéro 1.

a) $670 - 325$

b) $815 - 462$

c) $476 - 299$

d) $501 - 278$

e) $5\,834 - 2\,927$

f) $8\,124 - 4\,537$

g) POUR LES AS $315\,560 - 144\,282$

1 La super-planche illustrée à droite représente une tirelire contenant 7,13 $.

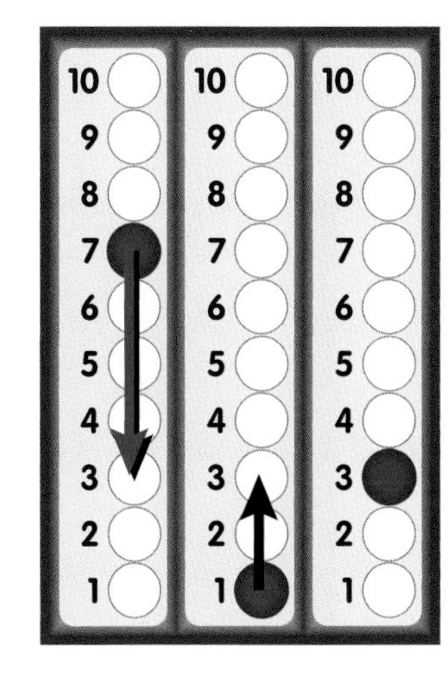

a) Deux flèches indiquent une transaction. Quel montant vient d'être ainsi enlevé de la tirelire ? Note-le de deux façons.

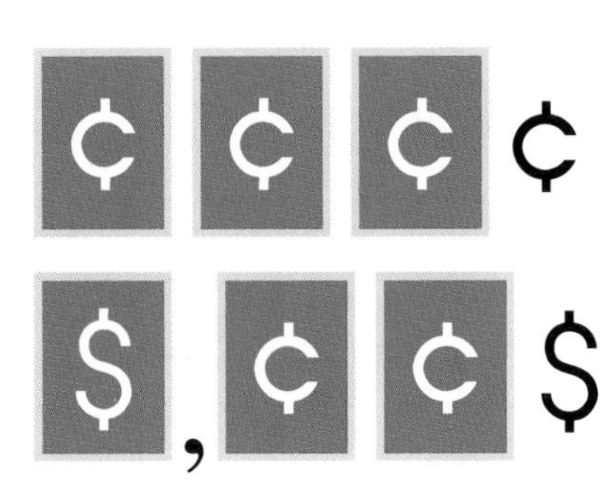

b) Effectue le calcul qui décrit ce qui s'est passé. Laisse les traces de ta démarche.

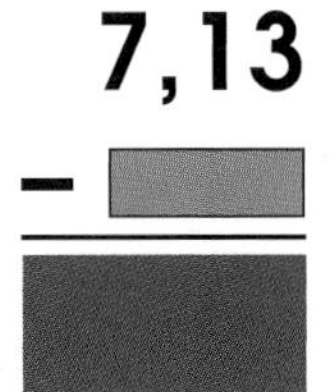

Complète les égalités suivantes en utilisant ta super-planche.

a) 2 $ – 25 ¢ + 1 $ – 10 ¢ + 5 ¢ – 2 ¢ = **?** ¢ = **?** $

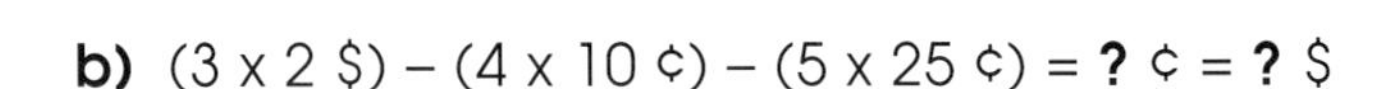

b) (3 x 2 $) – (4 x 10 ¢) – (5 x 25 ¢) = **?** ¢ = **?** $

c) 7,02 $ – 25 ¢ + (2 x 5 ¢) – 396 ¢ = **?** ¢ = **?** $

d) 4,90 $ – (3 x 5 ¢) + 53 ¢ – 1,79 $ = **?** ¢ = **?** $

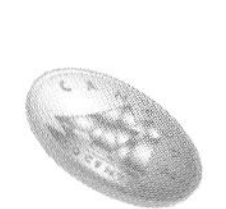

e) 20,41 $ – 89 ¢ – 9,64 $ = **?** ¢ = **?** $

Effectue d'abord les soustractions suivantes sur ta super-planche. Refais ensuite le calcul écrit en laissant les traces de ta démarche.

a) 6,82 − 3,47

b) 9,30 − 0,76

c) 15,46 − 7,58

d) 50,31 − 17,82

1 Voici le film d'une multiplication effectuée selon la méthode conventionnelle utilisée à peu près partout dans le monde.

a) Compare cette méthode à la technique en zigzag ci-dessous. Vois-tu des ressemblances ? Et des différences ?

b) Dans la technique en zigzag, trouve ce qui correspond au chiffre 2 encerclé dans l'autre technique. Prouve ta réponse.

2 Estime d'abord le résultat de chacune des multiplications suivantes. Vérifie ensuite ton calcul en utilisant la méthode conventionnelle du numéro 1.

a) 215×3

b) 251×4

c) 532×5

d) 654×6

e) 867×3

f) $3\,846 \times 2$

g) $7\,085 \times 3$

h) $15\,138 \times 5$

a) À l'aide de ta super-planche, complète le travail amorcé à droite. Le tout doit représenter une tirelire contenant les pièces suivantes :

b) Quel montant est maintenant contenu dans la tirelire ? Note-le de deux façons.

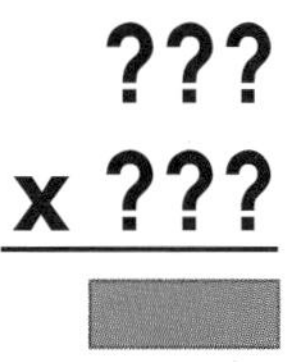

c) Effectue le calcul qui décrit ce qui s'est passé. Laisse les traces de ta démarche.

En équipe de deux, utilisez vos super-planches pour composer les nombres suivants.

a) 2 × (8d•m + 5u•m + 7c + 6d + 9u)

b) 3 × (2c•m + 7d•m + 8c + 5d + 6u)

c) (8u•m + 4d + 5c + 3d•m + 7u) × 4

d) (3c + 4u•m + 6d + 24 702) × 5

e) (11c•m ÷ 2) + (18d ÷ 4)

f) (3d•m + 11u•m + 9c + 25d) ÷ 3

Écris les nombres suivants en chiffres.

a) Six mille deux cent quarante-sept

b) Vingt mille quatre-vingt-dix-sept

c) Trois cent dix mille six cent trois

d) Neuf cent cinq mille trente et un

e) Quatre millions quarante mille quatre

f) Cent deux millions deux cent deux

Au Moyen Âge, le calcul intéressait surtout les marchands. Seuls les plus riches d'entre eux pouvaient étudier les quatre opérations.

Il fallait alors voyager aux quatre coins de l'Europe pour fréquenter les universités où ces connaissances étaient enseignées.

À cette époque, l'étude des quatre opérations se comparait à l'obtention d'un doctorat, de nos jours...

Dans un cahier de classe datant de l'an 1450, une division ressemblait à ce véritable charabia (ici, 1 728 ÷ 12).

Dans un livre publié en 1491, Filippo Calandri introduit une nouvelle technique de division.

La méthode ci-dessous est encore utilisée de nos jours par les francophones d'Amérique et par les Russes.

Des modifications ont ensuite été apportées à la technique de division dans le monde protestant.

La méthode ci-dessous est aujourd'hui la plus utilisée en Amérique du Nord.

1 Voici le film d'une division effectuée selon la méthode la plus utilisée par les francophones d'Amérique.

Compare cette méthode à la technique en colonnes ci-contre. Vois-tu des ressemblances ? Et des différences ?

7	4	6	5
5	24		$149\frac{1}{5}$
	20	46	
		45	
		+1	

2 Estime d'abord le résultat de chacune des divisions suivantes. Vérifie ensuite ton calcul en utilisant la méthode conventionnelle du numéro 1.

a) 5 4 2 | 2
b) 7 5 9 | 3
c) 6 3 2 | 3
d) 1 2 5 0 | 5
e) 2 3 4 8 | 4
f) 4 7 2 6 | 3

Certaines personnes réussissent des calculs très complexes en quelques secondes. Ces prodiges ne cessent d'intriguer les scientifiques.

Vers la fin du XIXe siècle, à l'âge de 11 ans, Jacques Inaudi offre des spectacles de calcul rapide. Il peut additionner ou soustraire deux nombres de vingt chiffres en moins de dix secondes !

Vers 1950, l'Indienne Koumari Shakuntala Devi, dont le nom signifie « la fillette portée par les oiseaux », peut en faire autant. Sa mémoire des nombres est phénoménale.

1 Pour réussir leurs exploits, ces deux prodiges opéraient directement de la gauche vers la droite, tout en récitant la réponse. Essaie d'écrire directement la réponse en la récitant.

a) $2\,586 + 6\,759$

b) $42\,370 + 35\,869$

c) $162\,386 + 356\,759$

d) $5\,284 - 2\,375$

e) $9\,031 - 5\,793$

f) $50\,363 - 9\,794$

Dans un carré magique, la somme des nombres de chaque rangée, de chaque colonne et de chacune des deux diagonales est toujours la même.

2	7	6
9	5	1
4	3	8

Quelle est la somme du carré magique déjà complété ?

2 Reproduis les deux carrés magiques ci-contre et complète-les.

a)

?	?	20
30	50	70
80	?	?

b)

-2	3	?
5	1	-3
?	-1	?

3 Voici d'autres carrés magiques à compléter.

a)

183	?	?
?	345	?
?	129	507

b)

?	1559	?
?	179	?
?	−1201	1214

c)

?	?	?
866	390	−86
?	?	1104

d)

?	?	?
7916	3098	−1720
5507	?	?

e)

−0,24	?	0,74
2,21	?	?
1,72	?	?

f)

−0,54	6,18	1,38
4,26	?	?
?	?	?

g)

1,57	?	3,34	−0,56
−2,38	2,16	−1,30	?
0,32	?	?	?
1,96	−2,18	3,19	?

h) POUR LES AS

17 ¢	?	?	−98 ¢
−12,02 $	23,44 $	?	?
?	−3 ¢	−118 ¢	12,60 $
?	?	11,01 $	−1,50 $

1 Additionne chaque colonne sur du papier brouillon.
La somme de ces résultats donne un nombre cible.
Refais le même travail avec les rangées.
Tu dois obtenir le même total dans les deux sens.

a)

245	3 975	96
390	549	1 804
477	946	5

b)

1 845	4 903	67
989	5 048	10 058
3 567	11 435	7 865

c)

2,34	0,76	4,98
0,40	9,65	24,45
5,47	35,86	0,09

d) POUR LES AS

3,5	7,62	18
4,01	0,65	3,2
9,14	42	7,09

e)

2 749	7 095	7 027	297
784	6 103	8 810	1 007
6 937	9 943	582	8 471

f) POUR LES AS

23,56 $	0,84 $	504 ¢	7 ¢
4,56 $	17,54 $	47 ¢	9,65 $
68 ¢	1,89 $	17,28 $	13,78 $
0,58 $	2 ¢	24,09 $	5 $

2 À toi maintenant de devenir un mini-prof !
Invente des cas semblables à ceux
du problème 1. Si possible, note le tout
à l'aide de ton logiciel préféré.

Voici des opérations à effectuer mentalement.
Des zéros te forcent à arrondir le résultat.
Trouve la réponse la plus proche possible.

VÉRIFIE

a) 439 + 317 = ▭0	b) 567 + 114 = ▭00	c) 359 + 278 = ▭00	d) 5,79 $ + 8,95 $ = ▭,00 $
e) 783 − 275 = ▭0	f) 534 − 186 = ▭00	g) 6,12 − 3,59 = ▭0	h) 6,03 $ − 1,97 $ = ▭,00 $
i) 5 645 + 3 619 = ▭00	j) 7 568 + 3 589 = ▭000	k) 8 295 + 5 107 = ▭0	l) 24 736 + 1 989 = ▭000
m) 7 902 − 2 589 = ▭00	n) 8 004 − 4 185 = ▭000	o) 9 136 − 5 462 = ▭0	p) 13 040 − 5 578 = ▭000

POUR LES AS

q) 67 272 + 345 981 = ▭000	r) 284 749 + 185 826 = ▭000	s) 27 902 − 45 589 = ▭0	t) 346 246 − 139 259 = ▭000

Reproduis le tableau. Classe les achats illustrés ci-dessous, du plus cher (1) au moins cher (8).

a) **79 ¢ chacun**

b) **2,99 $**

c) **1,89 $ chacun**

d) **86 ¢** **2,16 $**

e) **4,49 $ pour 3**

POUR LES AS

f) **5,50 $ pour 2**

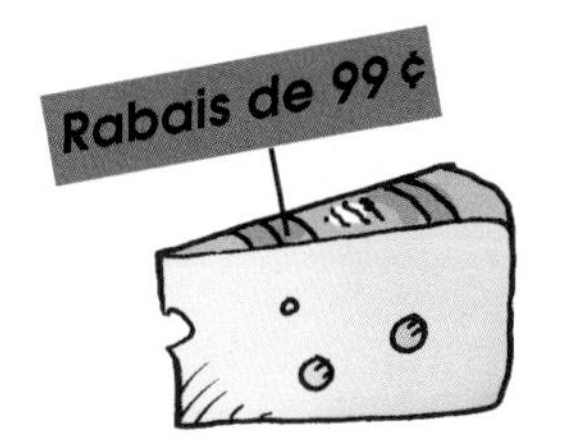

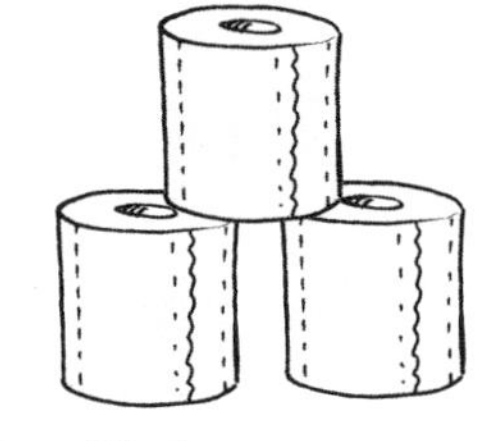

g) **Prix régulier : 3,88 $**

h) **49 ¢ chacun**

	Achat	Prix ($)
1		
2		
3		
4		
5		
6		
7		
8		

2 Lors d'un concours de beauté féline, cinq chats ont obtenu les notes indiquées ci-dessous. Donne le rang de chaque animal au classement final.

28 267

29 503

594 points de moins que le deuxième

30 090

1835 points de plus que le dernier

Dans chacun des cas suivants, choisis trois articles différents. Attention ! Il faut que le prix total se trouve dans l'intervalle indiqué. Fais tes calculs mentalement.

a) Entre 2,60 $ et 2,70 $

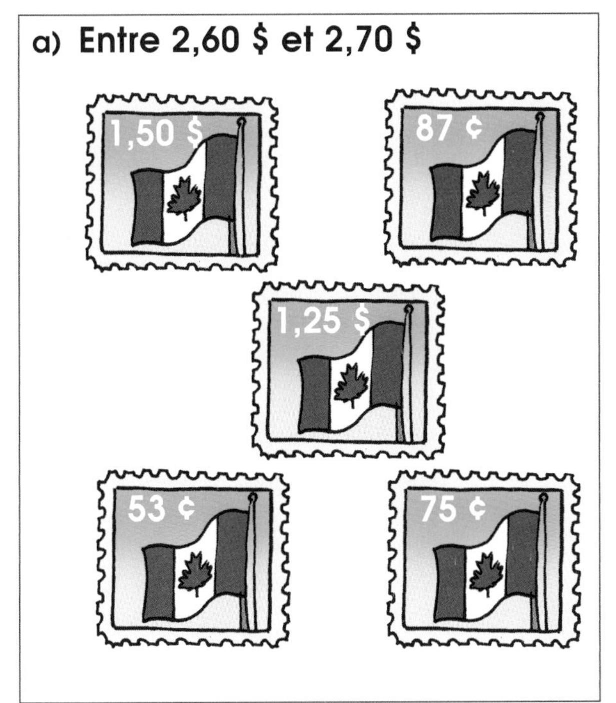

b) Entre 3,00 $ et 3,10 $

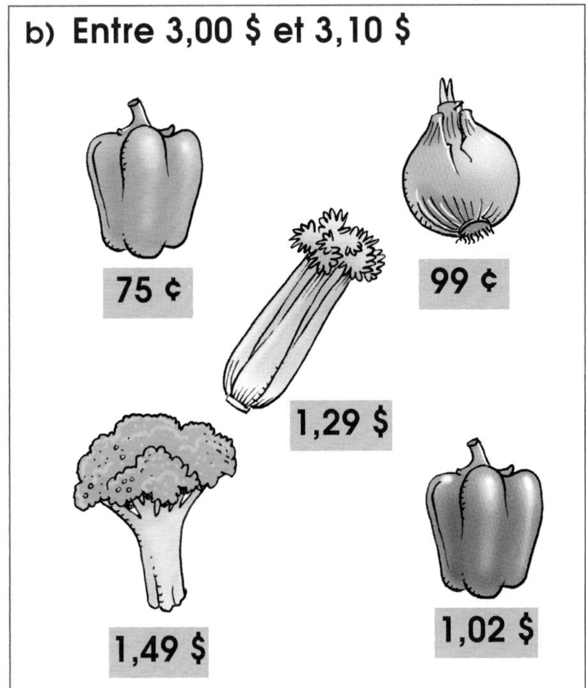

c) Entre 5,40 $ et 5,50 $

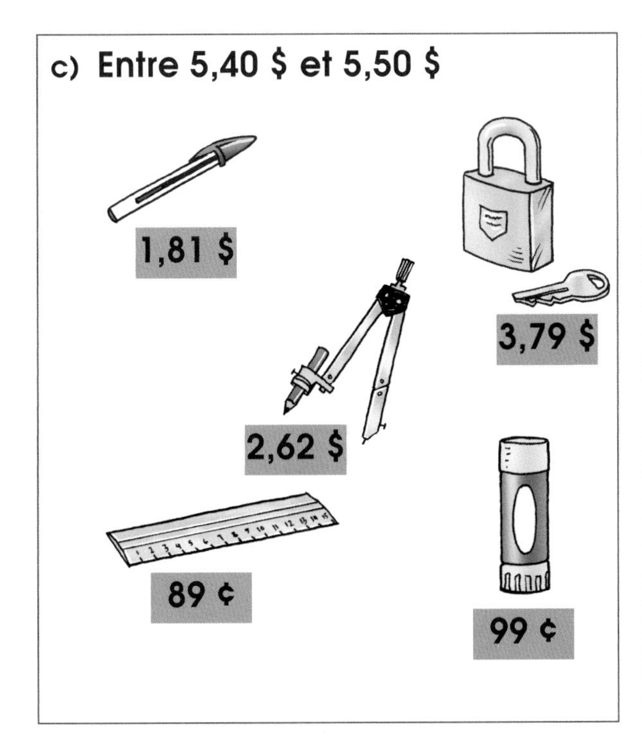

d) Entre 49 $ et 50 $

Refais le même travail en achetant, dans chaque cas, trois fois le même article. Note l'article choisi.

C 41

Fais tes calculs mentalement.

a) Quel est le prix total des deux articles les plus chers ?

b) Quelle est la différence de prix entre la colle et le taille-crayon ?

c) Combien coûtent trois cadenas ?

d) Deux articles coûtent, au total, 8,44 $. Lesquels ?

e) Deux articles coûtent, au total, 6,83 $. Lesquels ?

f) À un dollar près, quel est le coût des dix articles ?

2,95 $

3,92 $

12,89 $

2,79 $

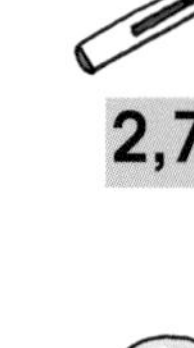

5,99 $

2,45 $

96 ¢

3,88 $

4,28 $

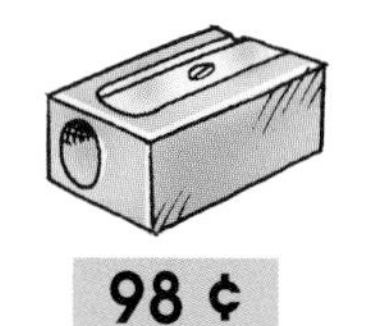

98 ¢

Retrouve les chiffres cachés qui rendent les calculs exacts.
Peux-tu y arriver uniquement par calcul mental ?

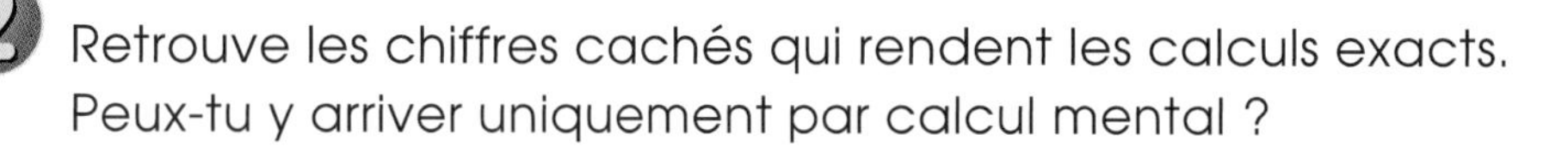

a) 5■9 + 34■ = ■29

b) ■6■ + 388 = 8■3

c) 49■5 + 77■ = ■■81

d) ■716 + 5■8■ = 90■0

e) ■2■ − 3■5 = 279

f) 8■1 − ■6■ = 533

g) ■■28 − 9■■ = 5483

h) 81■0 − ■27■ = 4■81

i) ■86 x ■ = 9■0

j) ■3■ x 7 = 30■6

k) ■57■ x 4 = 63■4

l) 36■3 x ■ = 2■824

m) $\frac{5■■}{3}$ = ■77

n) $\frac{7■2}{6}$ = 13■

o) $\frac{■8■6}{4}$ = 19■4

Fractions

Faire des maths, c'est d'abord faire comme si...

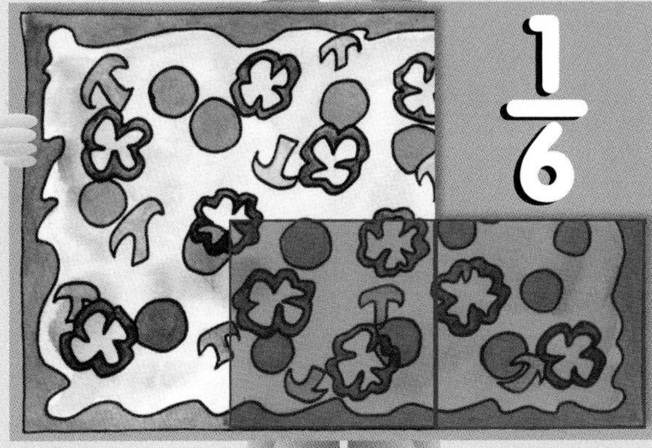

Faire des maths, c'est ensuite déduire.

Faire des maths, c'est aussi noter efficacement sa pensée.

Un langage universel...

C'est aujourd'hui l'ouverture d'une petite pizzeria au cœur d'une grande ville. Un problème se pose...

Les clientes et les clients parlent souvent une langue étrangère.

Chez Fractioné, les pizzas sont toutes rectangulaires et de grand format. Chacune coûte 12 dollars.

Dans chacun des cas suivants, trouve un moyen de communiquer la commande désirée. Trouve aussi le prix de chaque achat.

a) La cliente espagnole veut trois pizzas complètes pour sa famille.

Quel est le prix de cet achat ?

b) Le client anglophone désire la moitié d'une pizza pour son repas.

Quel est le prix de cet achat ?

c) La cliente chinoise a sorti un bout de papier. Monsieur Fractioné coupe le morceau que la cliente chinoise désirait.

Qu'a fait la cliente pour que monsieur Fractioné comprenne sa commande ?

Quel est le prix de cet achat ?

... chez Fractioné !

Les membres de la famille Jaloux vont souvent dîner chez Fractioné. Dans chacun des cas suivants, dessine et sépare la pizza pour satisfaire les Jaloux qui sont à table. Complète ensuite les informations décrivant la part de chaque Jaloux.

a)

Division : 1 ÷ 3

Fraction : $\frac{1}{3}$

b)

Division : **? ÷ ?**

Fraction : **?**

c)

Division : **? ÷ ?**

Fraction : **?**

d)

Division : **? ÷ ?**

Fraction : **?**

POUR LES AS e)

Division : **? ÷ ?**

Fraction : **?**

À l'heure du dessert, chez Fractioné, le gâteau à la noisette est très populaire. Voici les commandes écrites par cinq personnes.

Anton	Boris	Chloé	Daphné	Élaine
$\frac{1}{4}$	$\frac{1}{12}$	$\frac{1}{8}$	$\frac{1}{2}$	$\frac{1}{6}$

1 Vrai ou faux ?

a) Le morceau d'Élaine est plus gros que celui d'Anton.

b) C'est Boris qui mange le plus petit morceau.

c) Trois personnes ont un plus gros morceau que Chloé.

d) Le morceau d'Anton est le double d'un autre morceau.

2 Compare les cinq commandes illustrées ci-dessus.

a) Écris l'initiale des clientes et des clients en commençant par le plus petit morceau commandé et en terminant par le plus gros.

b) Exprime cette comparaison à l'aide d'une seule phrase mathématique.

3 Frédéric commande un morceau plus gros que celui de Boris, mais plus petit que celui de Chloé.

Qu'a-t-il bien pu écrire ?

4 Zoya désire un morceau de gâteau plus petit que celui de Boris.

Écris deux fractions possibles.

Chaque morceau manquant est associé à une fraction.
Ajoute les informations qui ont été oubliées.

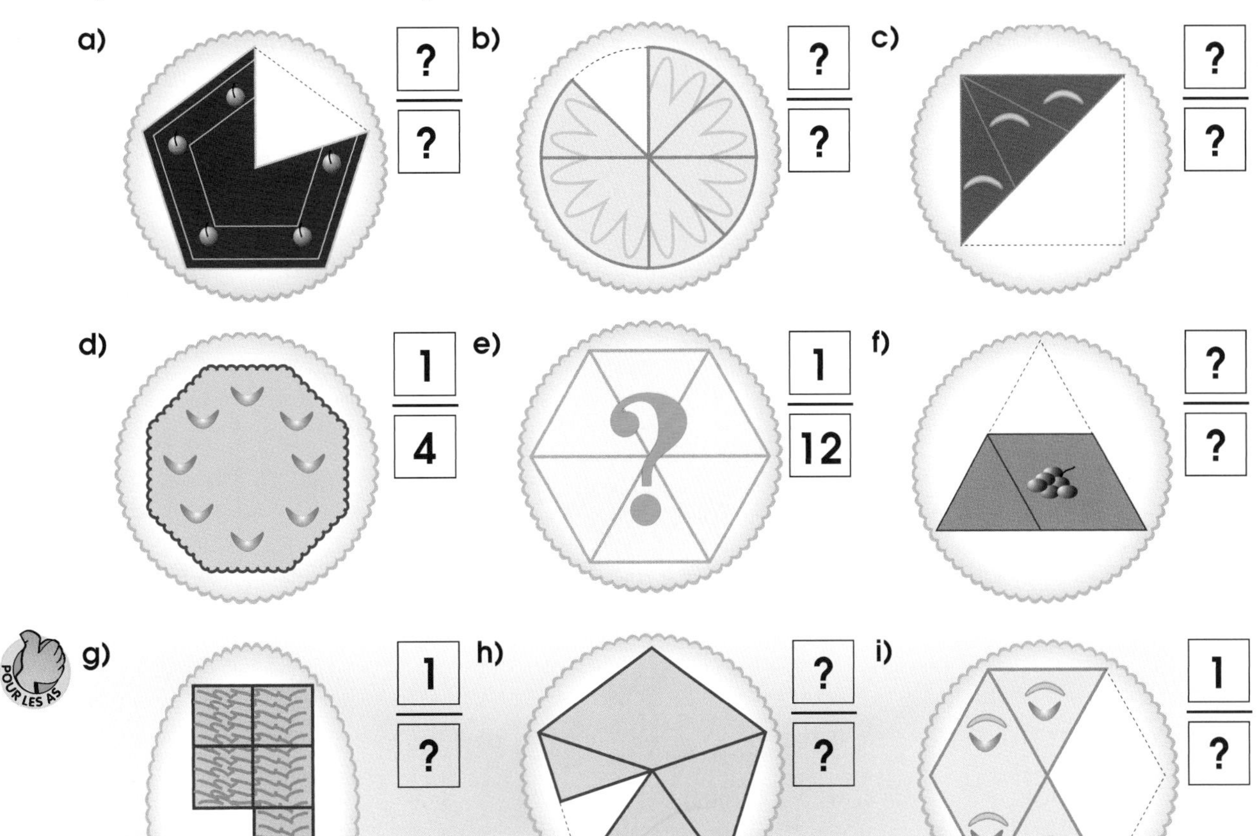

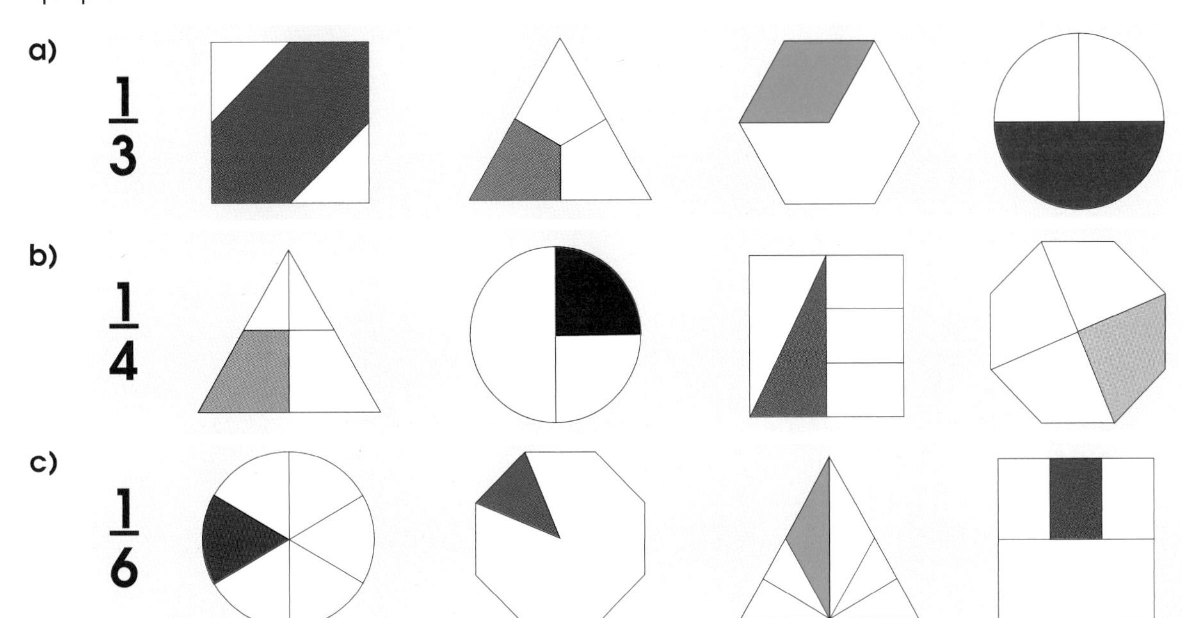

Pour chaque fraction ci-dessous, note le nom des figures qui pourraient lui être associées.

Illustre chacun des cas ci-dessous selon les indications fournies. Réponds aussi aux questions.

a) Le drapeau italien est composé de trois rectangles placés debout, de gauche à droite, dans l'ordre suivant : un vert, un blanc et un rouge. Chacun occupe le tiers de la surface. Dessine ce drapeau.

b) Dessine cette tablette de chocolat.

Tu peux en prendre le quart. Colorie la partie que tu prends.

Combien de morceaux cela fait-il ?

c) Reproduis cette roulette hexagonale. Colorie-la selon les indications.

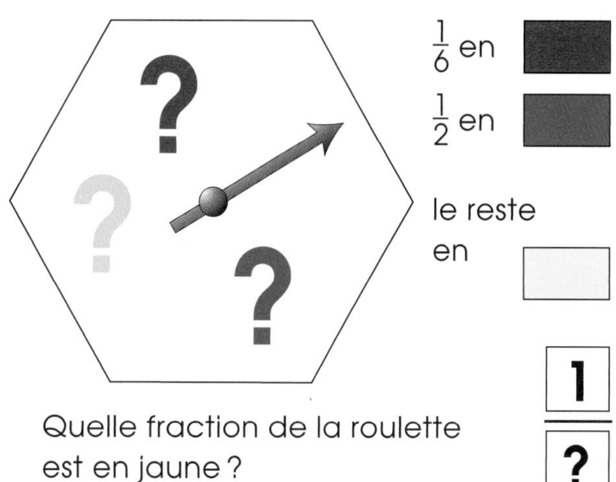

$\frac{1}{6}$ en

$\frac{1}{2}$ en

le reste en

Quelle fraction de la roulette est en jaune ? $\frac{1}{?}$

d) Des pions occupent $\frac{1}{16}$ des cases d'un échiquier.
Combien cela fait-il de pions ?

Complète les inégalités suivantes.

a) $\frac{1}{7}$ ⬤ $\frac{1}{9}$

b) $\frac{1}{3}$ ⬤ $\frac{1}{1}$

c) $\frac{1}{6} < \frac{?}{?} < \frac{1}{3}$

d) $\frac{1}{5}$ ⬤ $\frac{5}{1}$

e) Utilise les chiffres 1, 2 et 5.

$\frac{1}{?} < \frac{?}{3} < \frac{1}{?}$

Chaque tableau ci-dessous montre plusieurs façons de représenter la même fraction.
Trouve les informations qui manquent.

a

Dessin	Produit	Autres
....	$? \times \frac{1}{6}$ $\frac{1}{6} \times ?$	$\frac{2}{6} + ? - ?$ $1 - ?$ $\frac{11}{6} - ?$
Somme	**Fraction**	POUR LES AS **Facture**
$\frac{1}{6} + \frac{1}{6} + \frac{1}{6} + \frac{1}{6}$	?	1 tourtière : 9 \$ Partie illustrée : ? \$

b

Dessin	Produit	Autres
? 1 mètre	$4 \times \frac{1}{5}$ $\frac{1}{5} \times ?$	$\frac{7}{5} - ?$ $3 \times ? - ?$ Invente une autre forme équivalente.
Somme	**Fraction**	POUR LES AS **Facture**
?	?	1 m de tissu : 20 \$ Partie achetée : ? \$

Voici les drapeaux de quelques pays. Trouve les informations demandées et dessine les drapeaux.

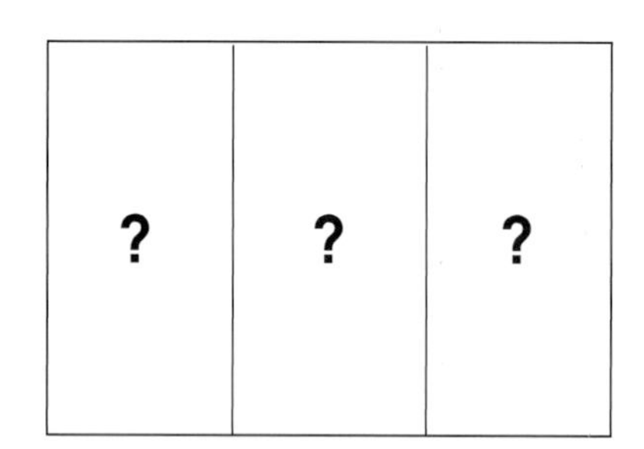

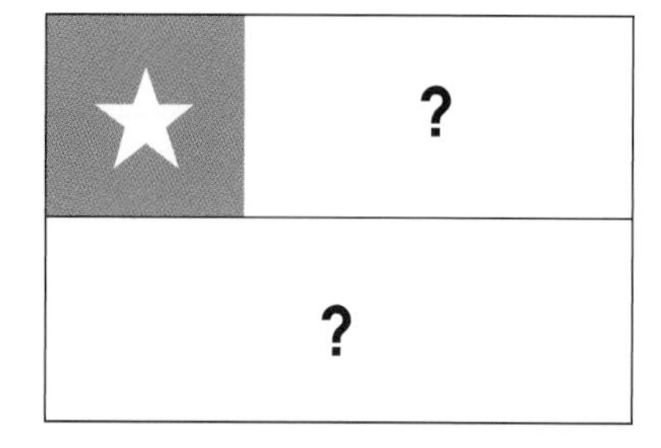

a) France :

$\frac{1}{3}$ en

$\frac{1}{3}$ en

et le centre en blanc.

b) Chili :

Que vaut ?

Que vaut ?

vaut $\frac{1}{2}$.

c) Panama :

Que vaut le rectangle ?

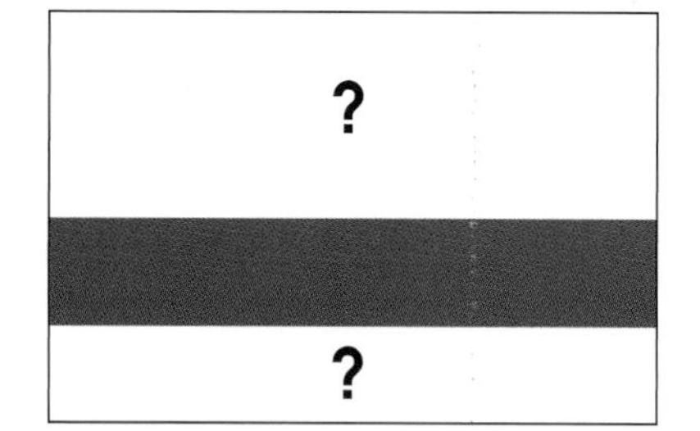

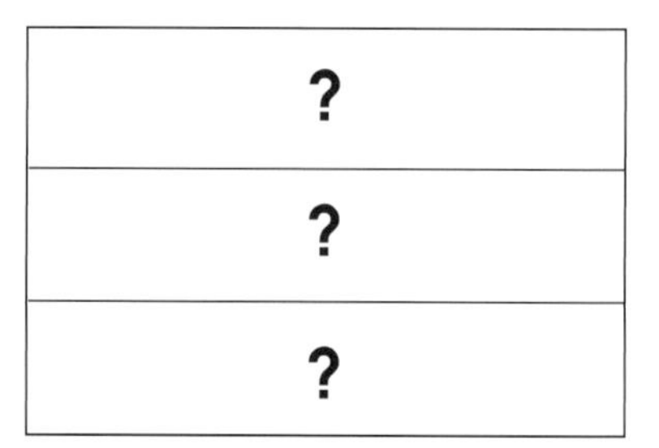

d) Colombie :

$\frac{1}{2}$ en

$\frac{1}{4}$ en

e) Togo :

Quelle fraction représente la bande verte au bas ?

f) Autriche :

$\frac{2}{3}$ en

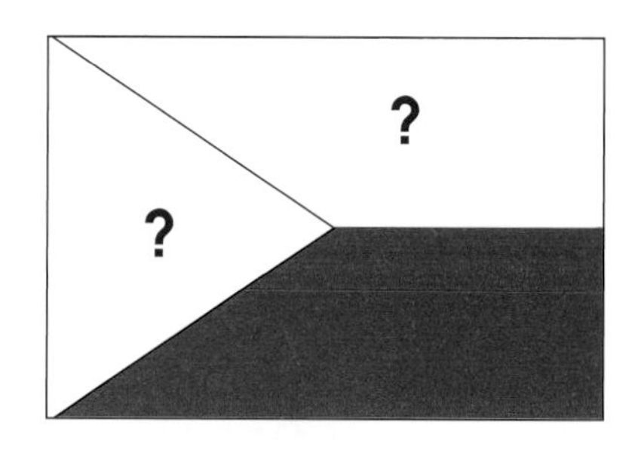

g) Pakistan :

Quelle fraction représente la partie où se trouvent le croissant et l'étoile ?

h) Guyane :

Quelle fraction est de couleur verte ?

i) République tchèque :

$\frac{1}{4}$ en

? en blanc.

Illustre les figures ci-dessous à partir des informations données.

a) Voici la moitié d'un dessin.
Dessine-le au complet.

b) Voici le quart d'une frise.
Dessine la frise entière.

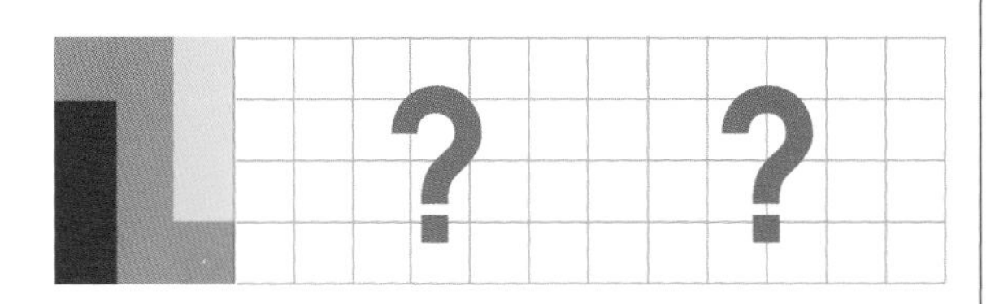

c) Voici un sixième d'une tablette
de chocolat.
Dessine la tablette entière.

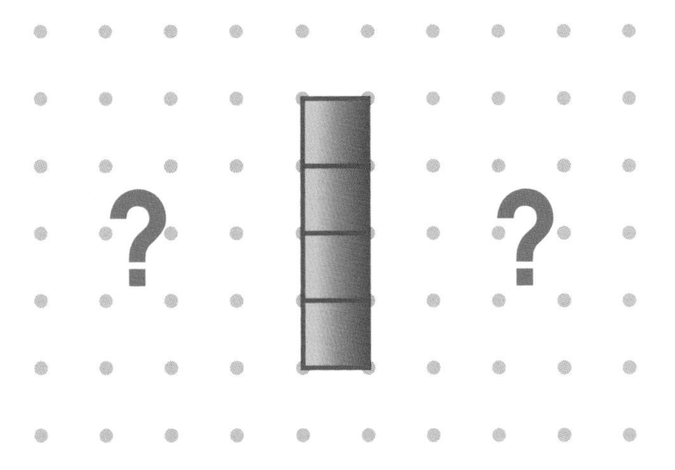

d) Ce carreau représente
un douzième d'une fenêtre.
Dessine la fenêtre entière.

e) Voici les deux tiers d'un pain
de savon. Dessine le pain
de savon entier.

f) Voici les trois cinquièmes
d'un gâteau aux fruits.
Dessine le gâteau entier.

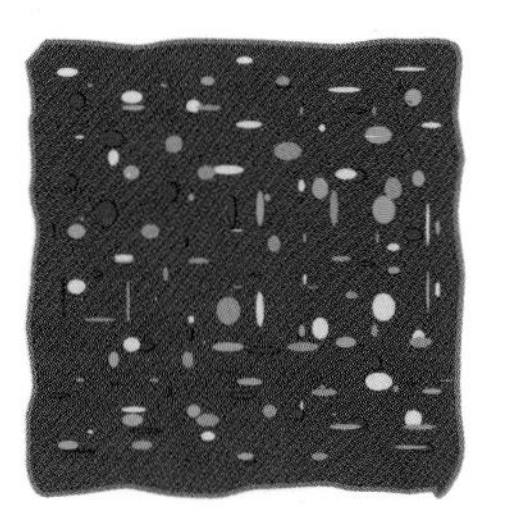

 Chaque tableau montre plusieurs façons de représenter la même fraction.
Complète les informations qui manquent.

a

Dessin	Produit	Autres
	?	$1 - \frac{?}{?} + \frac{?}{?}$? ?
Somme	**Fraction**	**POUR LES AS Facture**
?	?	1 tablette : 1 \$ Partie illustrée : ? \$

b

Dessin	Produit	Autres
?	?	?
Somme	**Fraction**	**POUR LES AS Facture**
$\frac{1}{2} + \frac{1}{2} + \frac{1}{2}$	?	1 tarte : 8 \$ Achat : ? \$

Pour chacune des illustrations suivantes, écris deux fractions différentes représentant la couleur indiquée. Ces deux fractions sont dites *équivalentes*.

a) Le rouge

b) Le bleu

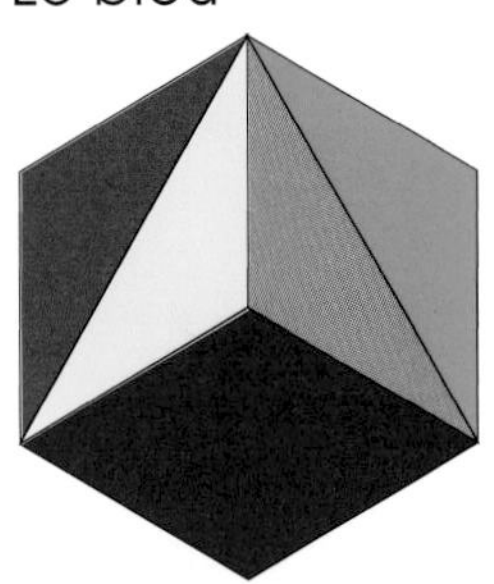

c) Le vert

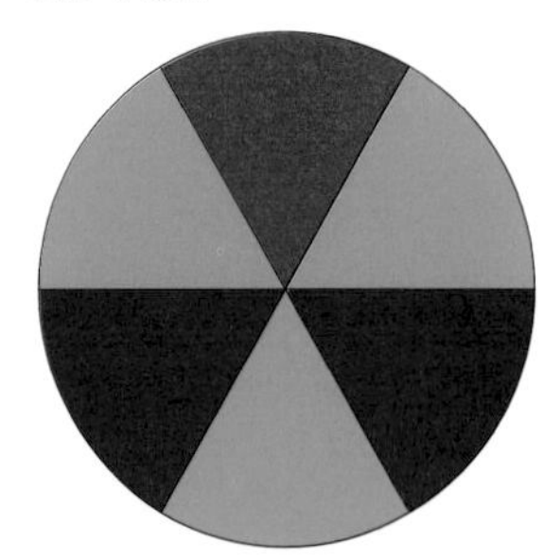

d) Le jaune

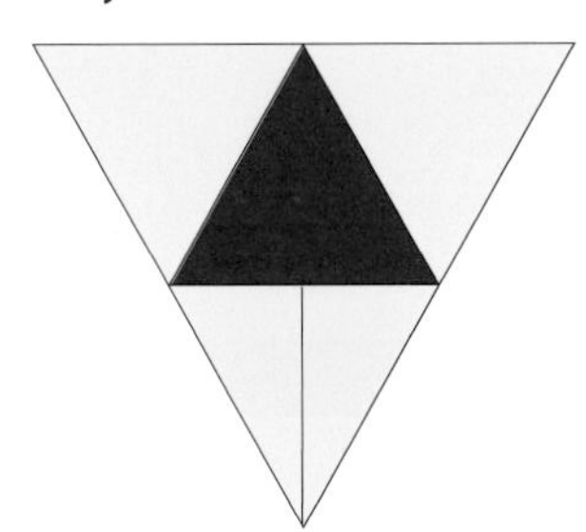

e) L'orange

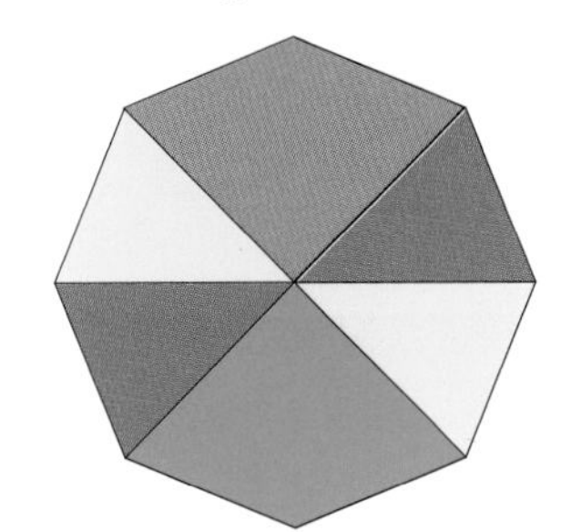

f) Le rose

Quelle fraction de chaque dessin ci-dessous occupe la couleur indiquée ?

a) Le rouge

b) Le rose

c) Le bleu

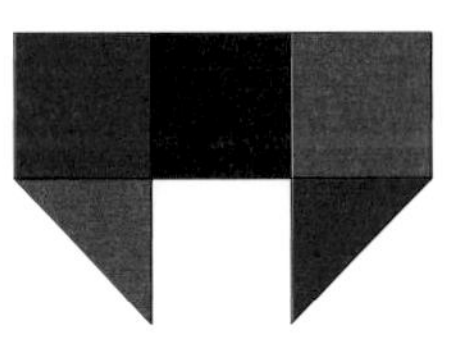

d) Le vert

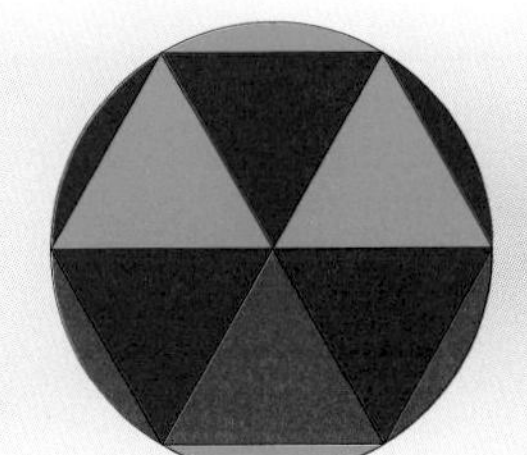

e) Le rouge

Voici les drapeaux de quelques pays. Trouve les informations demandées et colorie les parties manquantes.

a) Nigeria :
$\frac{2}{3}$ en 
et le reste en blanc.

b) Madagascar :
Quelle fraction est coloriée en ?

c) Espagne :
Quelle fraction occupe le rectangle qui est ?

d) Myanmar :
Que vaut la partie en ?

e) République centrafricaine : (POUR LES AS)
Quelle fraction représente la bande rouge ?

f) Thaïlande :
Quelle fraction est coloriée en ?

g) Seychelles : (POUR LES AS)
Quelle fraction est en ?

h) Koweït :
Quelle fraction est en ?

i) Géorgie :
Quelle fraction est en ?

Chaque tableau ci-dessous montre plusieurs façons de représenter la même fraction.
Trouve les informations qui manquent.

a

Dessin	Produit	Autres
	?	$3 - \frac{?}{?}$? ?
Somme	**Fraction**	**Facture** (POUR LES AS)
?	?	1 pâté au saumon : 6 \$ Partie illustrée : ? \$

b

Dessin	Produit	Autres
	?	$2 + \frac{1}{4}$? ?
Somme	**Fraction**	**Facture** (POUR LES AS)
?	?	1 pastèque : 6 \$ Achat : ? \$

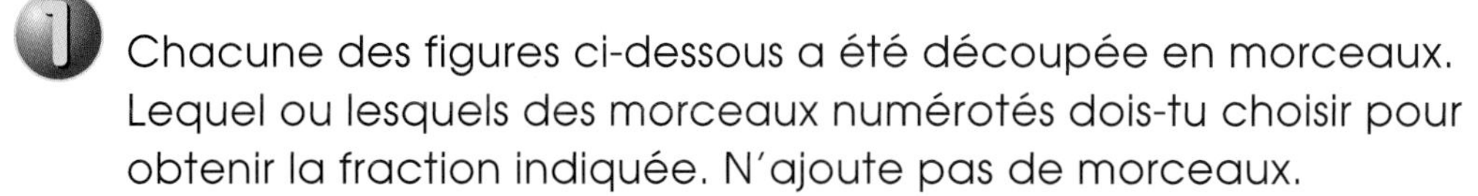

1 Chacune des figures ci-dessous a été découpée en morceaux. Lequel ou lesquels des morceaux numérotés dois-tu choisir pour obtenir la fraction indiquée. N'ajoute pas de morceaux.

a) $\frac{1}{8}$

b) $\frac{2}{6}$

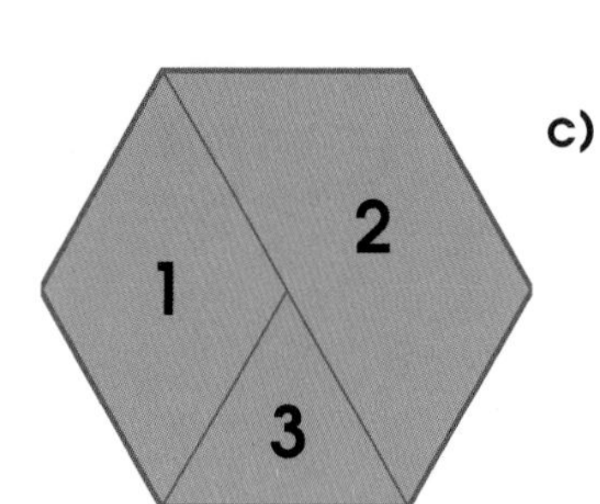

c) $\frac{1}{4}$

d) $\frac{3}{4}$

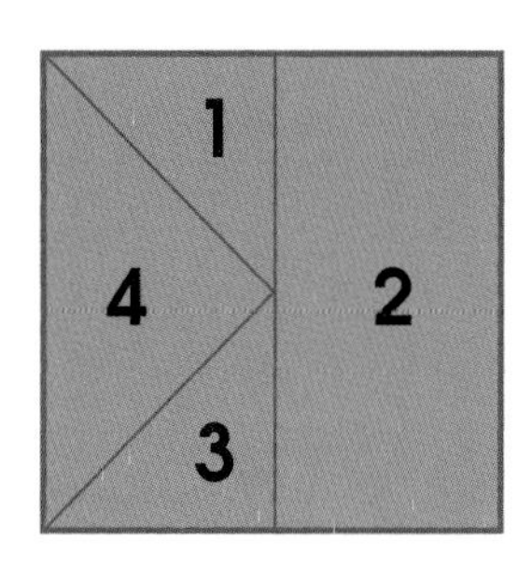

e) $\frac{1}{6}$

f) $\frac{7}{12}$

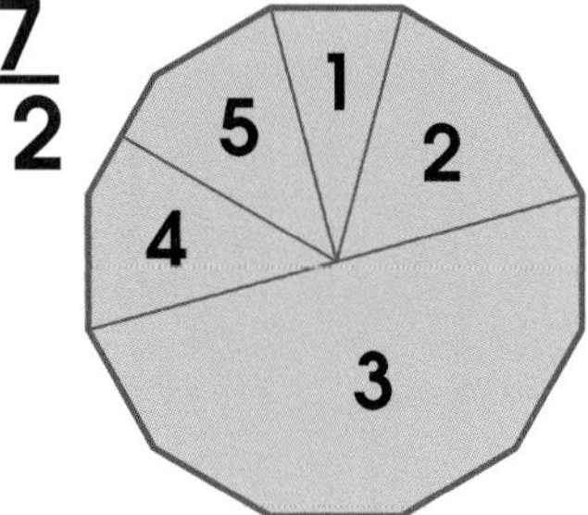

g) $\frac{2}{3}$

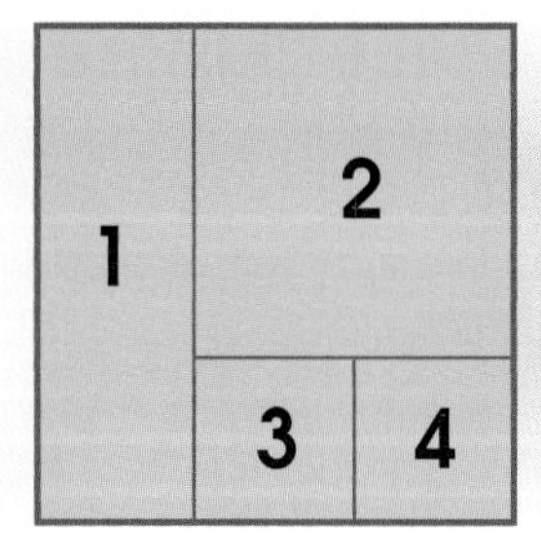

h) $\frac{3}{4}$

i) $\frac{5}{6}$

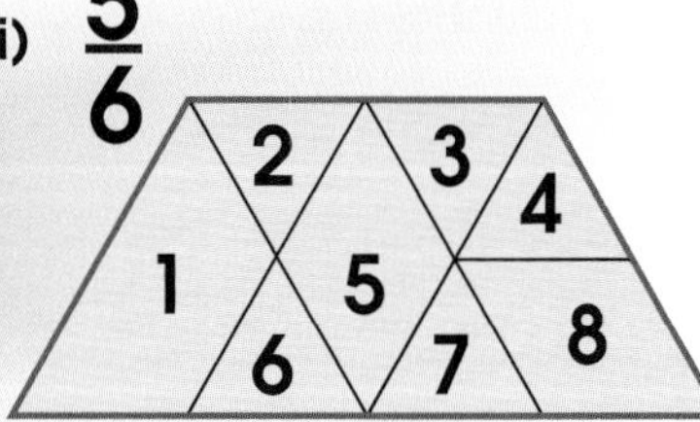

2 Voici des ensembles de fractions. Place chaque ensemble en ordre croissant. Donne ta réponse sous la forme d'une phrase mathématique.

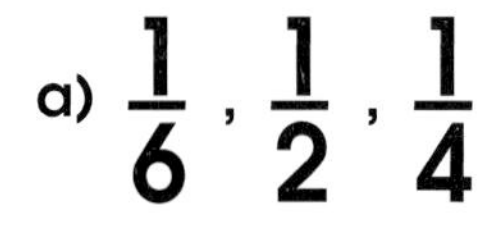

a) $\frac{1}{6}$, $\frac{1}{2}$, $\frac{1}{4}$

b) $\frac{8}{7}$, $\frac{1}{2}$, $\frac{3}{7}$, $\frac{1}{7}$

c) $\frac{5}{8}$, $\frac{1}{2}$, $\frac{3}{4}$, $\frac{1}{8}$, $\frac{3}{8}$, $\frac{1}{4}$

Voici quatre problèmes qui ont causé beaucoup de souci à monsieur Fractioné. Tente de les résoudre avec une ou un camarade.

1 Un jour, des farceurs viennent dîner à la pizzeria. Voici la portion de pizza qu'ils commandent :

a) $\frac{333}{666}$ b) $\frac{750}{1000}$

Qu'a fait monsieur Fractioné ?

2 Une cliente commande $\frac{3}{8}$ d'un gâteau. Son morceau lui est remis. Elle le coupe alors comme le montre l'illustration. Dessine le gâteau entier en respectant la grandeur des morceaux illustrés.

3 À son menu, monsieur Fractioné ajoute des beignets qu'il vend à la douzaine. Un client désire acheter seulement les $\frac{2}{3}$ d'une douzaine. Dessine les beignets qu'on lui a remis pour le satisfaire.

4 Ève Jaloux note la commande suivante : $\frac{1}{2} + \frac{1}{6}$. Elle reçoit alors le morceau de pâté qui est illustré ci-contre. Dessine le pâté complet.

B 15

Des pizzas...

Si tu prêtes attention, tu découvriras des fractions dans toutes sortes de contextes.

1 Comme Caboche, joue à faire comme si... Dans chaque cas, reproduis la pizza pour illustrer la fraction.

a) Au marché, un client achète une demi-douzaine d'œufs.
Complète le lien fait par Caboche.

b) Un magasin annonce une vente à prix réduits.
Illustre le lien fait par Caboche.

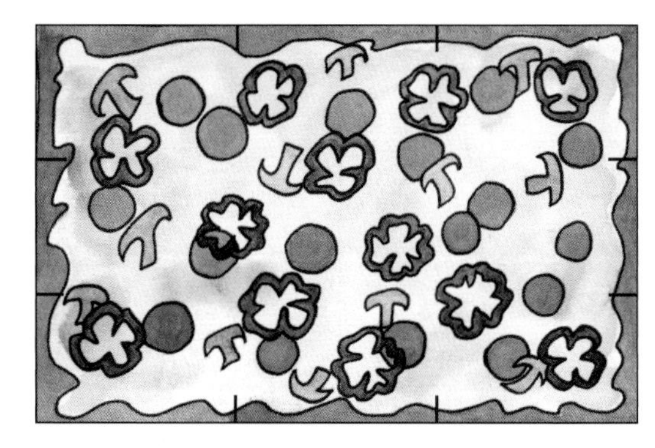

c) La dentiste sera absente pendant trois quarts d'heure.
Illustre le lien fait par Caboche.

d) Selon un sondage, les deux tiers des Canadiennes et des Canadiens aiment le sport.
Illustre le lien fait par Caboche.

POUR LES AS

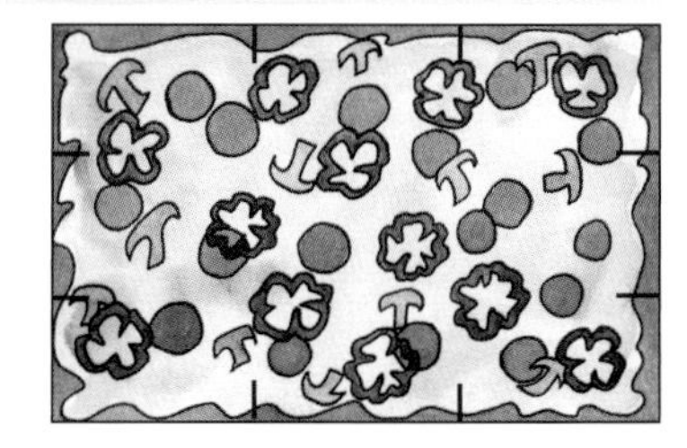

... à toutes les sauces !

Du groupe de personnes illustré ci-contre, les deux cinquièmes portent des lunettes.

a) Dessine le groupe et ajoute les lunettes. Explique ensuite le lien qui existe avec la fraction $\frac{2}{5}$.

b) Quelle fraction représentent les personnes portant un chapeau ?

c) Quelle fraction représentent les personnes ayant les cheveux blonds ?

d) Sur ton dessin, entoure $\frac{2}{3}$ des personnes de ce groupe.

Voici deux opinions différentes sur le sens à donner à la fraction trois quarts.

a) Reproduis chaque cas et illustre chaque interprétation.

D3D4 **Troublefête**

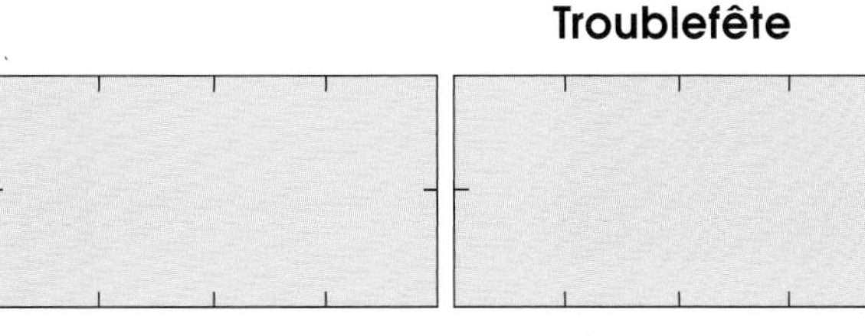

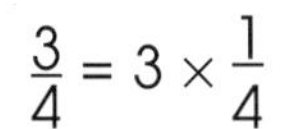

$\frac{3}{4} = 3 \times \frac{1}{4}$

$\frac{3}{4} = 3 \div 4$

b) Qui a raison ?

Chacune des situations suivantes est associée à deux fractions différentes et équivalentes. Ajoute les informations manquantes.

a) Les carreaux qui sont brisés.

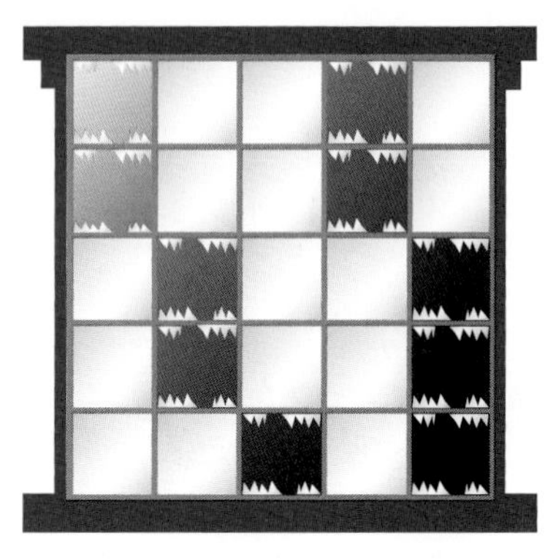

$\frac{?}{?} = \frac{?}{?}$

b) Les fruits qui ne sont pas verts.

$\frac{?}{?} = \frac{?}{?}$

c) L'espace de cette commode réservé aux tiroirs.

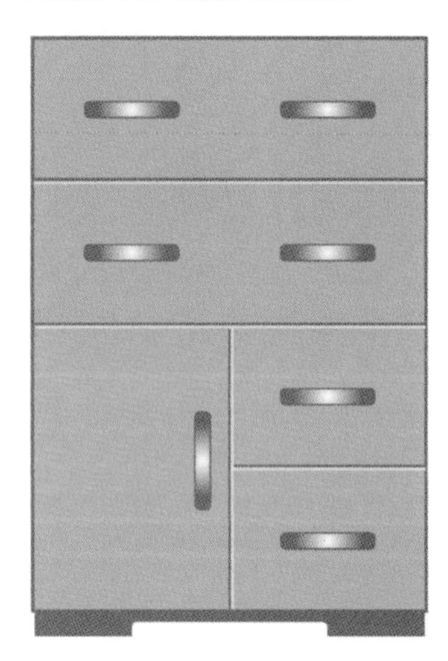

$\frac{?}{?} = \frac{?}{?}$

d) Les cases de l'échiquier où tu dois placer un jeton.

$\frac{3}{8} = \frac{?}{?}$

e) Il manque $\frac{1}{3}$ de la tablette. Dessine ce qui manque.

$\frac{1}{3} = \frac{?}{?}$

f) La partie du travail qui reste à faire pour laver ces tableaux.

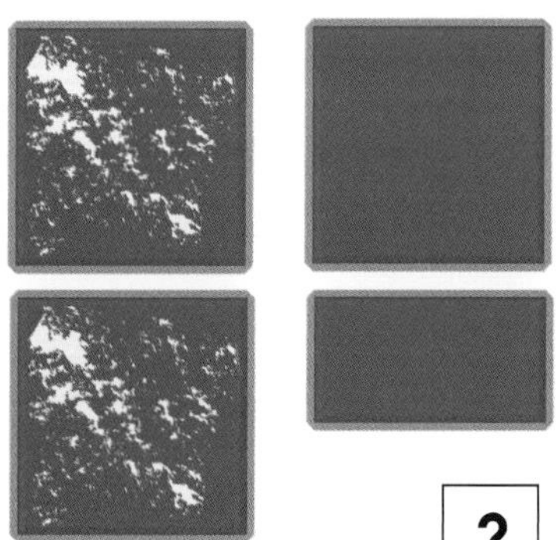

$\frac{?}{?} = \frac{?}{?}$

Chaque tableau ci-dessous montre plusieurs façons de représenter la même fraction.
Trouve les informations qui manquent.

a

Dessin	Produit	Autres
1 litre	?	$\frac{5}{8} + \frac{?}{?}$ (POUR LES AS) ? ?
Somme	**Fraction**	**Facture** (POUR LES AS)
?	$\frac{7}{4}$	Un litre de sirop : 6 \$ Partie achetée : ? \$

b

Dessin (POUR LES AS)	Produit	Autres
	$3 \times \frac{\square}{\square}$	? ? ?
Somme	**Fraction**	**Facture**
?	?	1 tarte au chocolat : 5 \$ Morceau montré : ? \$

1 Un marchand de fruits utilise des contenants de différents formats. Trouve combien de fruits peut contenir chaque type de contenant. Illustre cela de façon à prouver tes dires.

a) Les prunes ci-dessous remplissent $\frac{1}{3}$ d'un petit sac. Dessine les prunes qui manquent pour remplir ce sac.

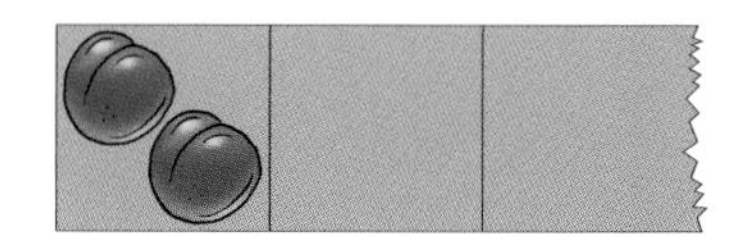

Contenu du petit sac : **?**

b) Les poires ci-dessous remplissent $\frac{3}{5}$ d'un sac moyen.

Contenu du sac moyen : **?**

c) Voici $\frac{1}{4}$ du grand sac d'oranges.

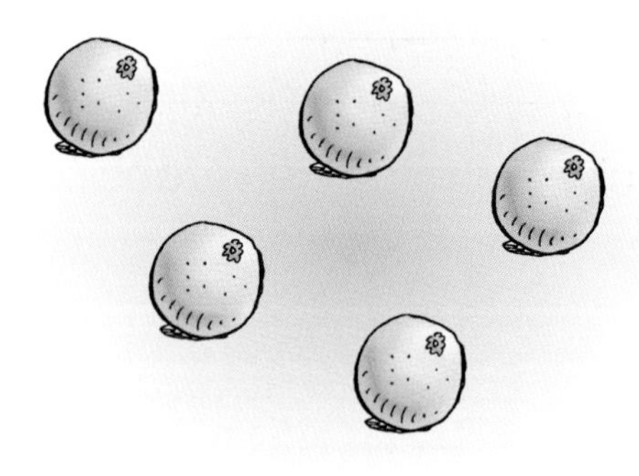

Contenu du grand sac : **?**

d) Voici $\frac{2}{3}$ d'un très grand sac d'ananas.

Contenu du très grand sac : **?**

e) Il y a 90 pommes dans $\frac{3}{4}$ d'une petite boîte.

Contenu de la petite boîte : **?**

f) Il y a 300 pommes dans $\frac{5}{4}$ d'une grande boîte de pommes.

Contenu de la grande boîte : **?**

Résous les problèmes suivants en illustrant le mieux possible le lien avec les fractions données.

a) Sacha achète une douzaine d'œufs. Il utilise ces œufs pour faire deux recettes :

$\frac{1}{6}$ de la douzaine pour un gâteau.

$\frac{2}{3}$ de la douzaine pour une omelette.

Combien d'œufs lui reste-t-il ?

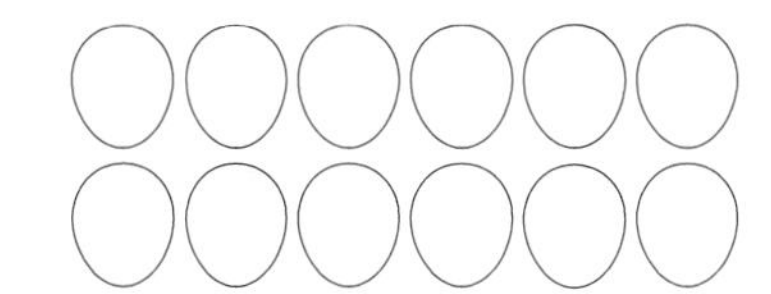

b) Voici des gâteaux.

$\frac{1}{3}$ sont au chocolat

$\frac{2}{5}$ sont à la fraise

et ceux qui restent sont au citron.

Quelle fraction représentent les gâteaux garnis au citron ?

c) Le rectangle ci-dessous représente une rue qu'il faut asphalter.

Dessine la situation au moment où les $\frac{5}{6}$ du travail auront été accomplis.

d) Il est 7 heures. Quelle heure sera-t-il dans 2 heures et $\frac{1}{4}$?
Reproduis l'horloge avec les deux aiguilles en position exacte.

e) Monsieur Dollard Généreux laisse sa fortune en héritage à ses trois enfants.

Noémie en recevra la moitié.

Jack aura droit aux trois quarts de l'autre moitié.

Irma gardera les 20 000 $ qui restent.

Fais comme si le carré dessiné à droite représentait la fortune que monsieur Généreux laisse en héritage. Illustre la situation en notant la part de chacun avec une fraction et en dollars.

Noémie

$\frac{1}{2}$

? $

Jack

$\frac{?}{?}$

? $

Irma

$\frac{?}{?}$

20 000 $

Chez Fractioné, les affaires roulent bien.
Les pizzas sont maintenant prédécoupées.

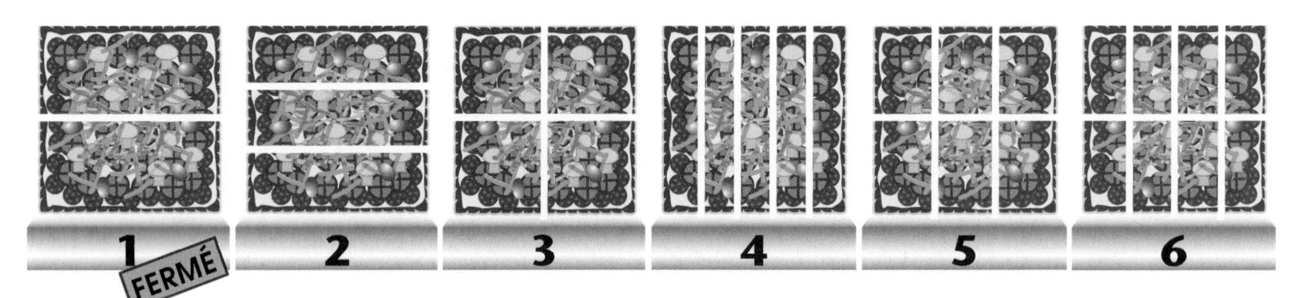

1 Amélie désire commander une demi-pizza.

a) Choisis un comptoir où elle peut commander son repas.

b) Note ce qu'elle peut écrire.

c) Quelle expression mathématique utiliserais-tu au comptoir numéro 4 pour cette même commande ?

2 Tu désires obtenir les deux morceaux suivants : $\frac{1}{3}$ et $\frac{1}{6}$. Tu pourrais écrire la commande ci-contre au comptoir n° 5 et obtenir ce que tu souhaites avec une seule fraction : $\frac{3}{6}$.

$$\frac{1}{3} + \frac{1}{6} = \frac{2}{6} + \frac{1}{6} = \frac{3}{6}$$

À quel comptoir et avec quelles phrases mathématiques du même type peux-tu obtenir les morceaux suivants ?

a) $\frac{3}{4}$ et $\frac{1}{8}$ **b)** $\frac{1}{2}$ et $\frac{1}{6}$ **c)** $\frac{1}{2}$ et $\frac{2}{3}$ **d)** $\frac{1}{4}$ et $\frac{2}{5}$

Dans l'Égypte des pharaons, les fractions font leur première apparition. Les comptables de cette époque utilisaient presque exclusivement des fractions unitaires : $\frac{1}{2}$, $\frac{1}{3}$, $\frac{1}{4}$..., $\frac{1}{9}$..., $\frac{1}{22}$...

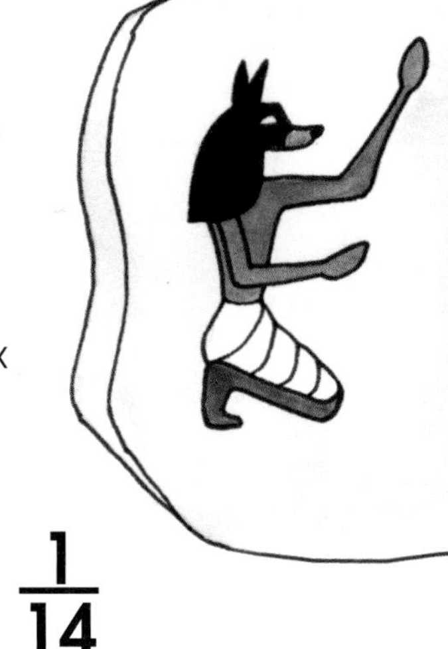

Des fractions ont été découvertes sur un vieux papyrus égyptien. Complète la traduction qui est commencée.

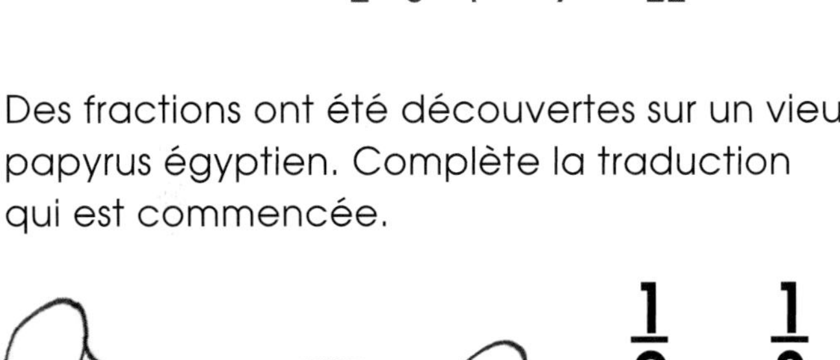

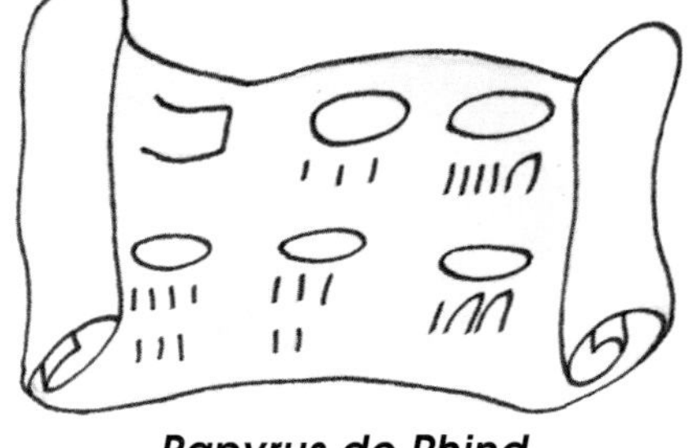

$\frac{1}{2}$	$\frac{1}{3}$	$\frac{1}{14}$
$\frac{?}{?}$	$\frac{?}{?}$	$\frac{?}{?}$

Papyrus de Rhind — *Traduction*

Pour écrire une fraction au numérateur différent de 1, les scribes d'Égypte utilisaient généralement une addition de fractions unitaires toutes différentes.

Prouve l'exemple ci-contre à l'aide d'un dessin.

Exemple : pour $\frac{7}{8}$

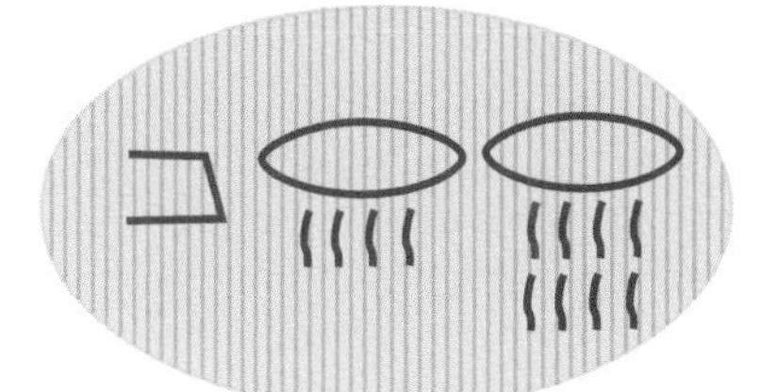

Car $\frac{1}{2} + \frac{1}{4} + \frac{1}{8} = \frac{7}{8}$

Quelle fraction est représentée par les additions suivantes ?

a) 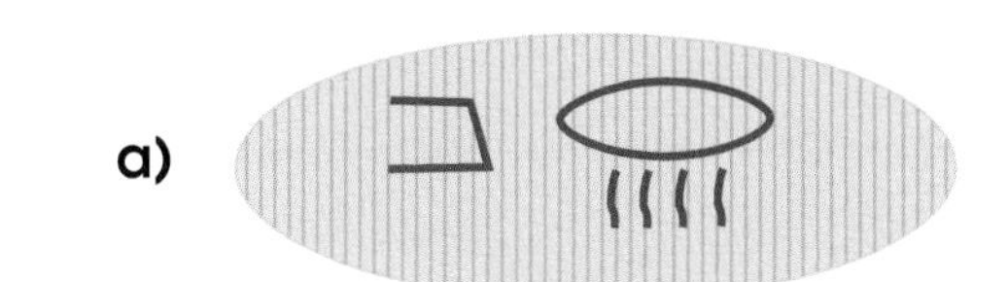

b) 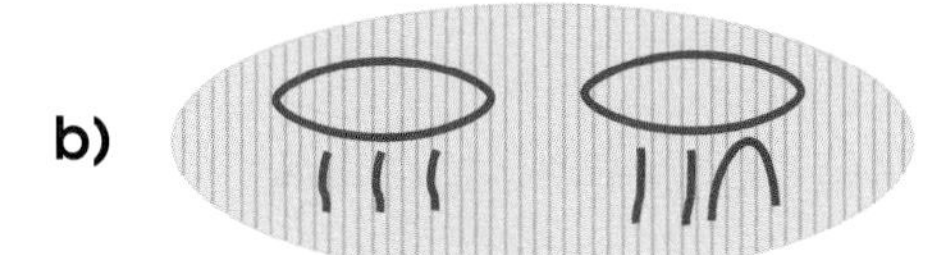

c) 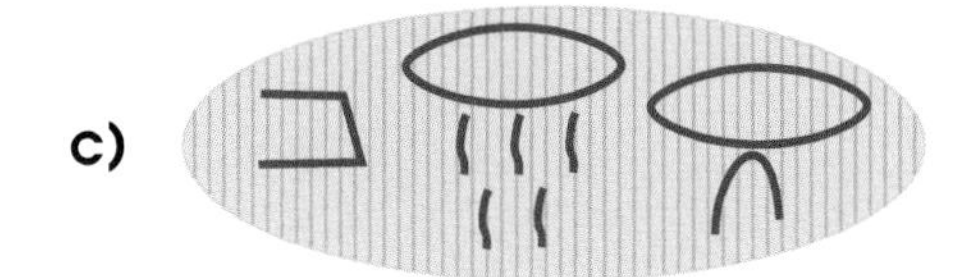

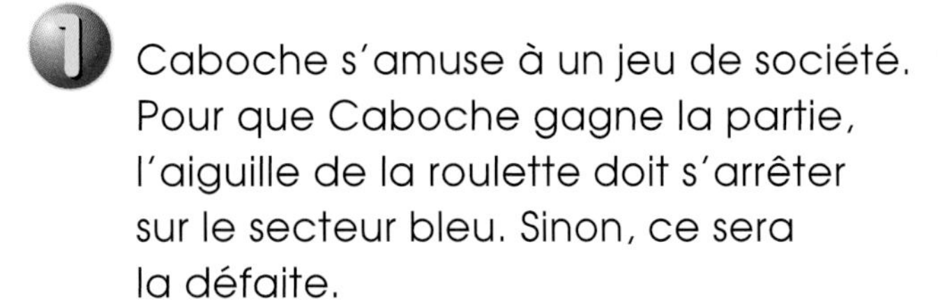

C 23 Chances et prédictions...

1 Caboche s'amuse à un jeu de société. Pour que Caboche gagne la partie, l'aiguille de la roulette doit s'arrêter sur le secteur bleu. Sinon, ce sera la défaite.

a) Est-ce que Caboche a plus de chances de gagner ou de perdre cette partie ?

b) Explique ta prédiction.

2 Caboche a vu un lien entre ses chances de gagner à un jeu de hasard et les pizzas de chez Fractioné.

a) Il faut lancer une pièce et obtenir face. Quel dessin imagine Caboche pour faire sa prédiction ?

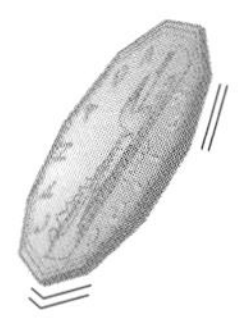

b) Il faut lancer un dé et obtenir 4. Dessine ce qui aide Caboche à prédire ses chances.

c) Il faut tirer un cube jaune parmi ceux qui sont illustrés. Représente les chances de réussir pour appuyer ta prédiction.

POUR LES AS

d) Il faut tirer un carreau ou une noire d'un jeu de cartes ordinaire. Illustre tes chances de réussir.

… à partir d'une pizza !

3 Pour gagner l'anneau de la Sagesse, tu dois surmonter trois épreuves. Tu auras besoin de la chance, mais tu peux améliorer ton sort…

À chaque épreuve, identifie le jeu de hasard qui t'offre les meilleures chances de succès. Essaie de réussir les trois épreuves.

a) En débarquant sur l'île aux Dangers, tu dois affronter le cyclope.

b) Dans la forêt, tu devras échapper au dragon.

Jeu 1 : Obtenir pile.

Jeu 2 : Tirer un pique.

c) Pour pénétrer dans le château, il te faudra déjouer le magicien.

POUR LES AS

Pour chaque roulette, identifie la couleur qui a les meilleures chances d'être tirée au hasard.

Note aussi une fraction qui décrit la probabilité d'obtenir la couleur encerclée.

a) 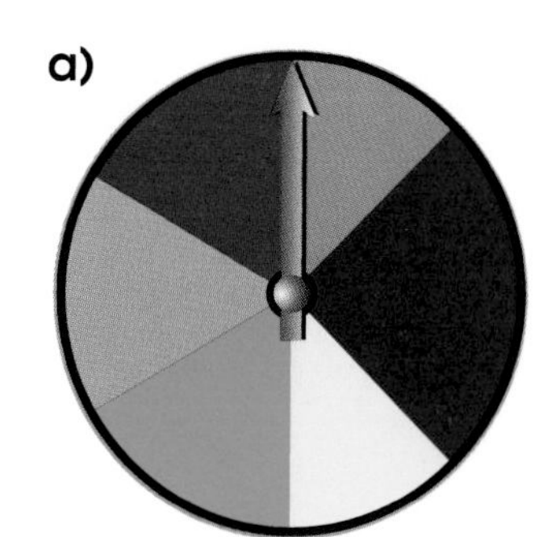

b) 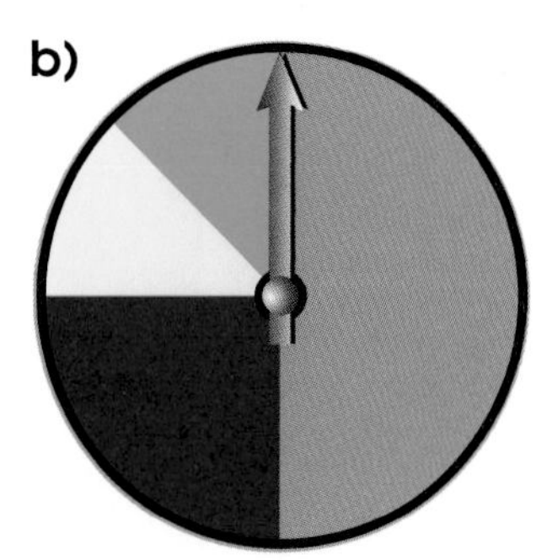

c) 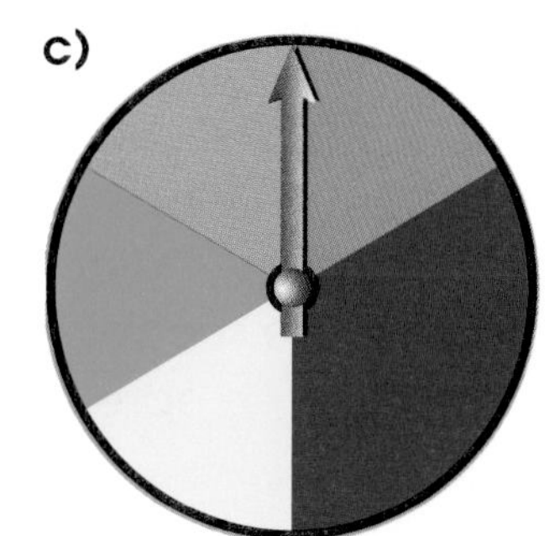

À partir du polygone illustré à droite, invente une roulette où tu aurais :

- deux fois plus de chances de tirer le rouge que le bleu ;
- moins de chances de tirer le jaune que le bleu ;
- les meilleures chances de tirer le vert ;
- aucune chance de tirer une autre couleur.

3 Trouve une fraction équivalente pour chaque expression. Utilise ton matériel.

a) $\frac{4}{8} + \frac{1}{8} - \frac{2}{8} + \frac{3}{8} - \frac{1}{8}$ **b)** $\frac{4}{6} + \frac{1}{6} - \frac{2}{3}$ **c)** $\frac{5}{4} + \frac{1}{8}$

d) $\frac{1}{2} + \frac{1}{4} + \frac{1}{8}$ **e)** $4 \times \frac{2}{3}$ **f)** $1 - \frac{1}{2} - \frac{1}{4} - \frac{1}{8}$

g) $\frac{1}{2} \div 3$ **h)** $1 + \frac{8}{2}$ **i)** $\frac{5}{6} + \frac{1}{4} + \frac{4}{6} + \frac{1}{4}$

j) $\frac{1}{6} + \frac{1}{2} - \frac{1}{3}$ **k)** $3 - \frac{7}{4} - \frac{1}{8}$ **l)** $\frac{1}{2} - \frac{5}{8}$

Jeux de nombres

Course au trésor...

Le trésor du château est dans l'une des pièces. Pour le trouver, tu dois suivre toutes les instructions et, surtout, économiser ton énergie !

Les clés du calcul mental ouvrent le coffre au trésor du château...

Porte : tu perds 1 point.

Trappe : tu perds 5 points

Escalier : tu perds 10 points.

1 Prépare-toi à la course en résolvant les problèmes suivants. Pars de la pièce numérotée 450. Avance de 180.

a) Essaie de le faire en dessinant quatre chemins différents.

b) Quel chemin te coûte le moins de points d'énergie ?

c) Et si tu reculais plutôt de 180, quel serait le meilleur chemin ?

2 Traduis chaque déplacement ci-dessous par une phrase mathématique.

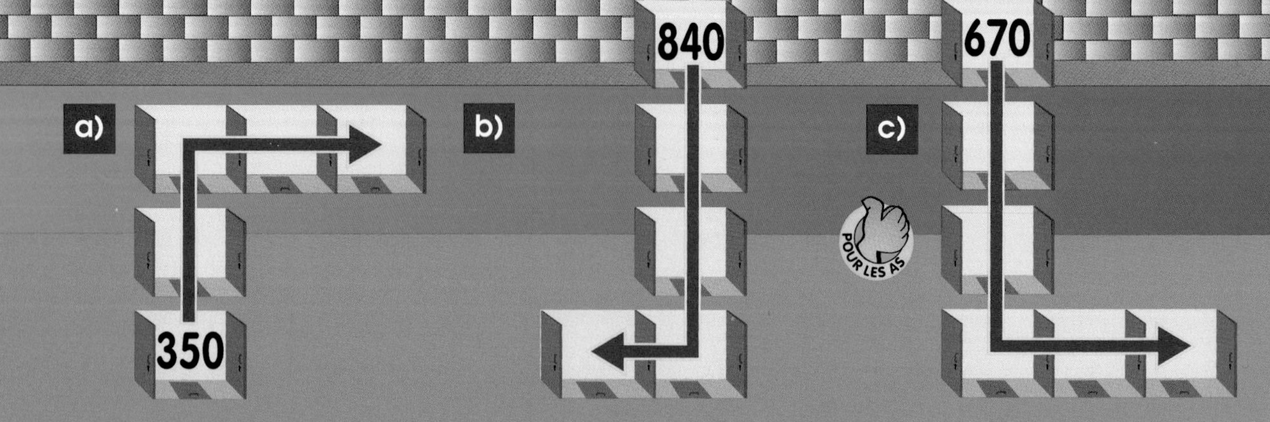

… au château

900 910 920 930 940 950 960 970 980 990
800 810 820 830 840 850 860 870 880 890
700 710 720 730 740 750 760 770 780 790
600 610 620 630 640 650 660 670 680 690
500 510 520 530 540 550 560 570 580 590
400 410 420 430 440 450 460 470 480 490
300 310 320 330 340 350 360 370 380 390
200 210 220 230 240 250 260 270 280 290
100 110 120 130 140 150 160 170 180 190
Entrée 000 010 020 030 040 050 060 070 080 090

1 Pour chacune des opérations suivantes, trouve une expression plus simple comme dans l'exemple. Vérifie tes réponses avec le château des nombres.

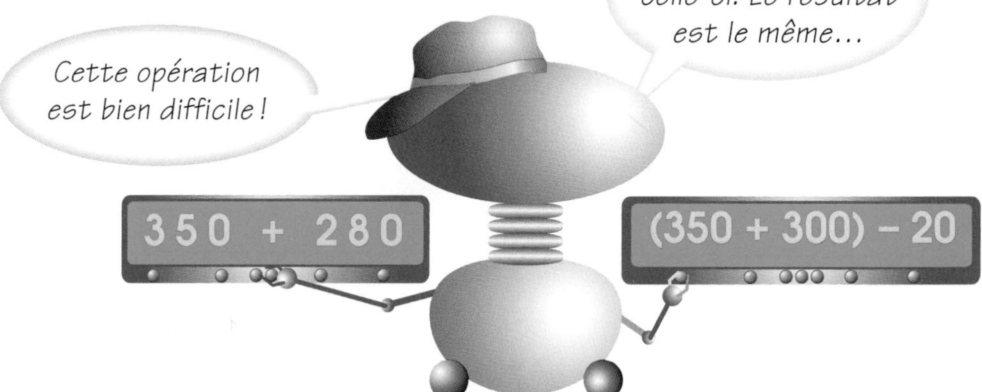

a) 240 + 380

b) 470 + 90

c) 350 + 170

d) 590 + 120

e) 630 + 280

f) 490 + 150

g) 180 + 230

h) 390 + 540

i) 560 + 270

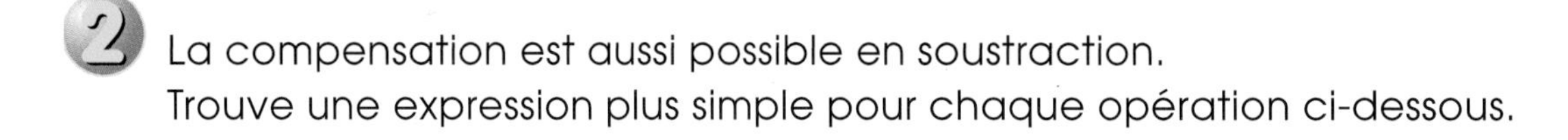

2 La compensation est aussi possible en soustraction. Trouve une expression plus simple pour chaque opération ci-dessous.

a) 310 – 290

b) 520 – 370

c) 600 – 180

d) 730 – 490

e) 680 – 250

f) 420 – 80

g) 700 – 370

h) 910 – 560

Voici un solitaire qui t'aidera à mémoriser les complémentaires de 10. On l'appelle LA PYRAMIDE.

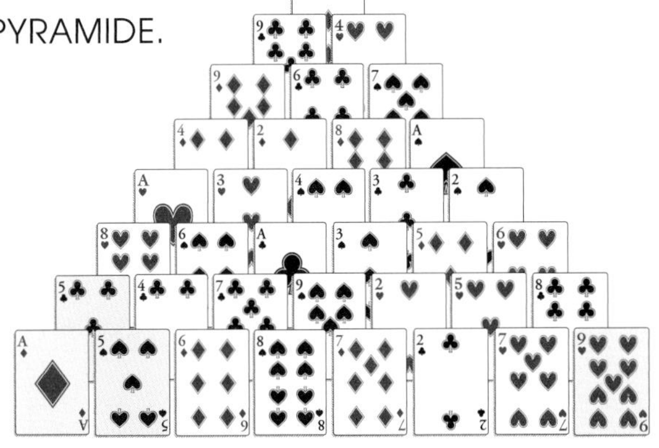

Cartes

Toutes les cartes de l'as au neuf (36 cartes d'un jeu ordinaire).

Disposition

Mêler les cartes et les placer, face ouverte, pour construire une pyramide comme dans l'illustration.

But

Retirer le plus de cartes possible de la pyramide.

Règles du jeu

Retirer les cartes deux à la fois. Ne retirer que des cartes « libres » dont la somme est égale à 10.

Exemple

Dans ce cas, il est possible de retirer d'abord l'as de carreau et le neuf de cœur. Au coup suivant, le cinq de pique et le cinq de trèfle peuvent être retirés à leur tour.

2 Voici le jeu du NOMBRE CACHÉ. Élimine toutes les combinaisons de deux cases qui font cent. Le nombre caché est celui qui demeure tout seul à la fin.

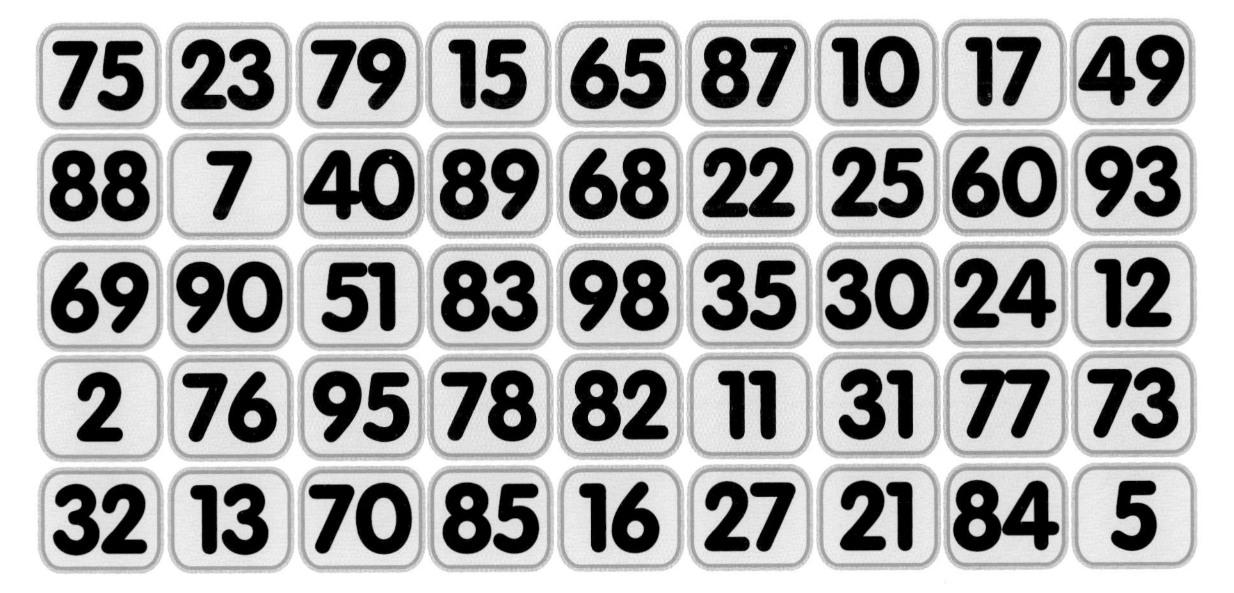

75	23	79	15	65	87	10	17	49
88	7	40	89	68	22	25	60	93
69	90	51	83	98	35	30	24	12
2	76	95	78	82	11	31	77	73
32	13	70	85	16	27	21	84	5

3 Deviens un mini-prof.

a) Invente une grille pour jouer au NOMBRE CACHÉ. Si possible, réalise ton œuvre à l'ordinateur. Garde ta réponse secrète.

b) Échange ton problème contre celui de quelques camarades.

A 5

En mathématiques comme en français, il est possible d'écrire des phrases.
L'écriture de ces phrases doit cependant respecter certaines règles élémentaires.

En français	En mathématiques
Expressions qui respectent les règles d'écriture	
Paul est le frère de Lison.	3 × 4 = 10 + 2
Il est le chien de Tintin.	■ + 6 = 10
Expressions qui ne suivent pas les règles d'écriture.	
Danika ❤ sa 🐢 .	♪ + ♪ = ♫
Jean read le zeitung.	2 chats = 8 pattes

Certaines des étiquettes suivantes montrent des phrases mathématiques.

a) Note les phrases mathématiques vraies.

b) Note les phrases mathématiques fausses.

6 = 6

1 nez + 1 nez = 2 nez

4 °C + 2 °C = 6 °C

1 dizaine + 11 unités = 21

9 − 6 = 3 + 2 = 5

4 − 6 = −2

3 cm + 2 dm = 5 m

9 ÷ 2 = 4 reste 1

8 − 7 = 7 − 8

10 $ = 5 $ × 2

1 main = 5 doigts

🚗 + 🚲 = 6 ⭘

2 × 6 = 12 œufs

7 > 3 + 5

Voici des phrases mathématiques fausses.
Corrige-les de deux façons différentes.
Ne change qu'un seul symbole chaque fois.

a) 2 × 4 = 6

b) 9 − 4 = 3 − 2

c) 3 × 2 > 7 − 1

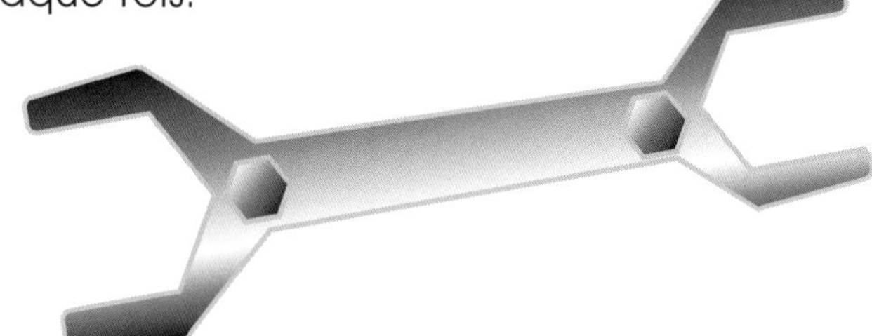

Une phrase mathématique peut parfois ressembler à une énigme du type *Qui suis-je ?*

- Kim est immédiatement à la droite de Katya.
- Karine n'est pas le loup.

Qui est déguisé en clown ?

2 Démasque les nombres qui ont été déguisés d'une manière un peu… inhabituelle.

a)  $+ 4 - 2 = 8$ **b)** $3 \times$ [masque] $= 21$ **c)** $2 <$ [masque] < 5

Voici des nombres qui ont été déguisés dans des phrases mathématiques ordinaires. Démasque-les.

a) $3 + 7 = 8 + ?$

b) $5 + 9 - ? = 8 + 4$

c) $12 \div 2 = 2 \times ?$

d) $4 \times ? = ? \times 3$

e) $a - 10 = 6 \times 4$

$a = ?$

f) $3 \times n = 20 - n$

$n = ?$

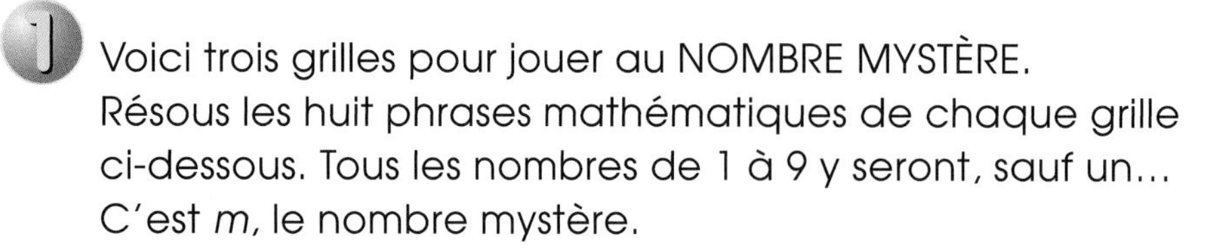

1 Voici trois grilles pour jouer au NOMBRE MYSTÈRE.
Résous les huit phrases mathématiques de chaque grille ci-dessous. Tous les nombres de 1 à 9 y seront, sauf un...
C'est *m*, le nombre mystère.

a)

$a \div g = g$ $a = ?$	$b \div f$ est pair $b = ?$	$3 \times d = c$ $c = ?$
$d + 2 = 6 - d$ $d = ?$	$m = ?$	e est premier $e = ?$
$3 < f < 7$ $f = ?$	$g < e$ $g = ?$	$h + 2 = 7$ $h = ?$

b)

$a + 7 = 2 \times h$ $a = ?$	$b \div 3 = 3$ $b = ?$	$c < 6$ $c = ?$
$4 - 6 = -d$ $d = ?$	$m = ?$	$e \times e = e \div e$ $e = ?$
$2 \times f = 12 - f$ $f = ?$	$g - 4 = c$ $g = ?$	h est pair $h = ?$

c)

$8 = a + 5$ $a = ?$	$b \times b = 4 \times b$ $b = ?$	$c > g - d$ $c = ?$
$d + 1$ est pair $d = ?$	$m = ?$	$e - f = 4$ $e = ?$
$f + 1 < 10$ $f = ?$	$g - 3 = 4 + 2$ $g = ?$	$12 \div h = c$ $h = ?$

2 Aimerais-tu devenir un mini-prof ?

a) Invente deux grilles pour jouer au NOMBRE MYSTÈRE. Garde tes réponses secrètes.

b) Échange tes grilles contre celles d'une ou d'un camarade pour les valider.

Soccer mathématique

Rien de tel qu'une partie de soccer mathématique pour égayer le calcul rapide ! Voici un exemple pour le soccer à sept.

Mise au jeu : Le centre des Jaunes (1) est le plus rapide.

Le numéro 1 des Jaunes a déjoué les six premiers adversaires. Mais la gardienne des Rouges a été plus rapide que lui.

La gardienne des Rouges est stoppée par la joueuse numéro 2 des Jaunes. Cette dernière passe à l'attaque ; elle va tenter de marquer contre la gardienne des Rouges revenue défendre son but.

Forces qui s'opposent...

Tout autour de toi, des forces sont en action. Quand deux forces s'opposent, celle qui est la plus grande l'emporte.

Comment s'assurer que deux personnes pourront s'amuser sur cette balançoire?

Quelle équipe est défavorisée? Pourquoi?

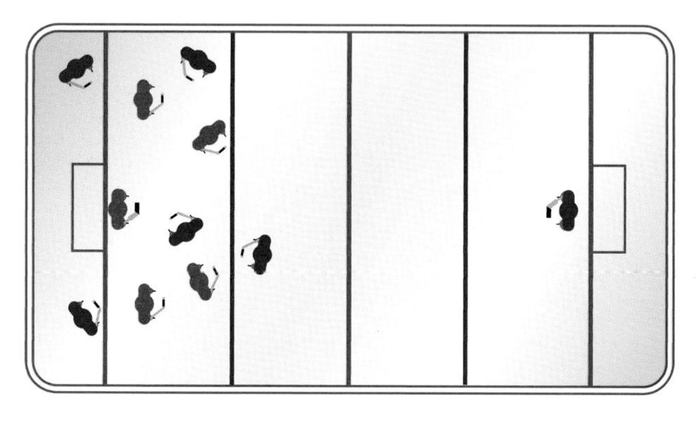

3. Quel camp est en position de force?

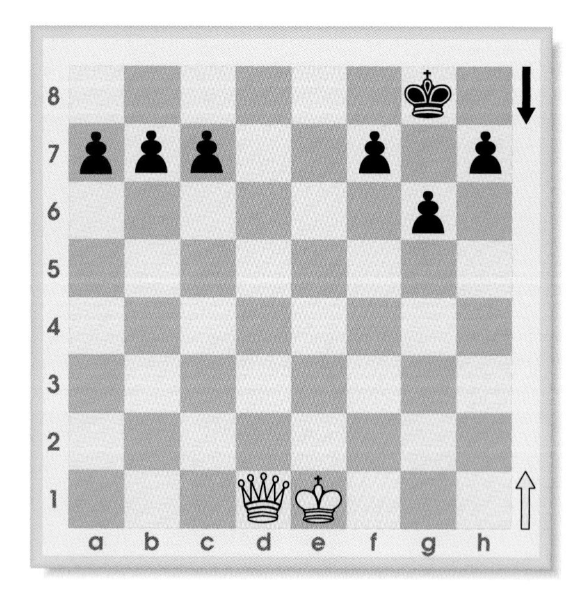

En haltérophilie, que doivent faire les athlètes pour réussir?

5. Imagine d'autres exemples où des forces s'opposent.

... quantités qui se comparent

Des quantités peuvent aussi s'opposer.
Tout comme pour les forces, la plus grande quantité est celle qui a l'avantage.

Est-il possible de placer tout ce sable dans le seau?

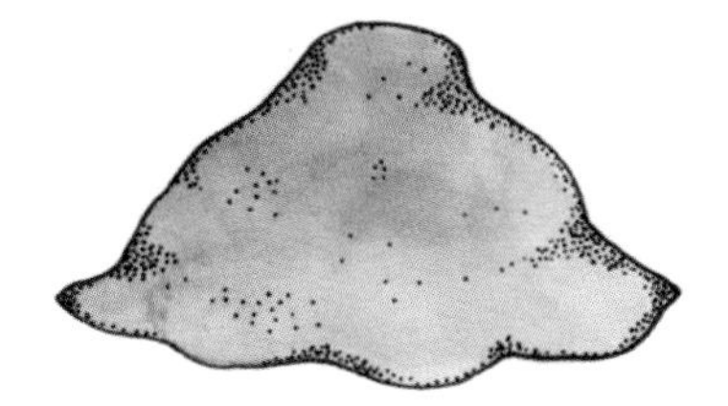

Tu désires payer ce repas avec un billet de 10 $.
Que va-t-il se passer?

8 Quels renseignements peux-tu tirer de ce tableau?

	1	2	3	4	5	6	7	SCORE
AIGLES	0	1	2	0	1	0	1	
LOUPS	1	1	0	3	0	0	0	

9 Les planches à calcul ci-contre affichent deux nombres entre lesquels il y a une différence.

a) Quel nombre affiché est le plus grand?

b) Quelle est la différence entre ces deux quantités?

c) Compare ces deux nombres à l'aide d'une phrase mathématique.

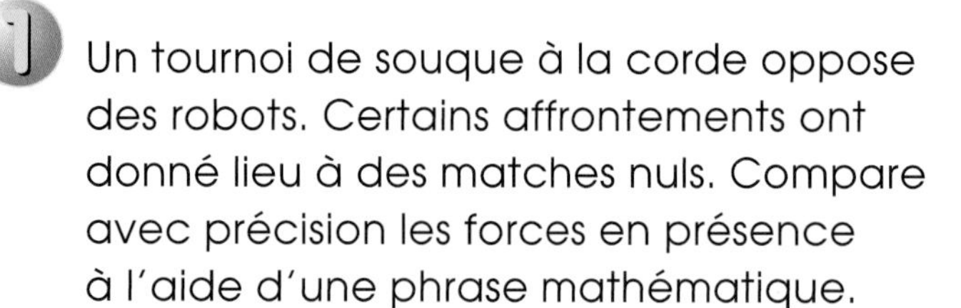

1 Un tournoi de souque à la corde oppose des robots. Certains affrontements ont donné lieu à des matches nuls. Compare avec précision les forces en présence à l'aide d'une phrase mathématique.

Pour chaque cas, les robots de même couleur exercent toujours exactement la même force.

a) Si 2r = 4b, alors...

b) Si 1r + 1b = 5r, alors...

c) Si 1r + 3j = 1r, alors...

d) Si 6r + 1b = 3b, alors...

e) Si...

f) Si...

POUR LES AS

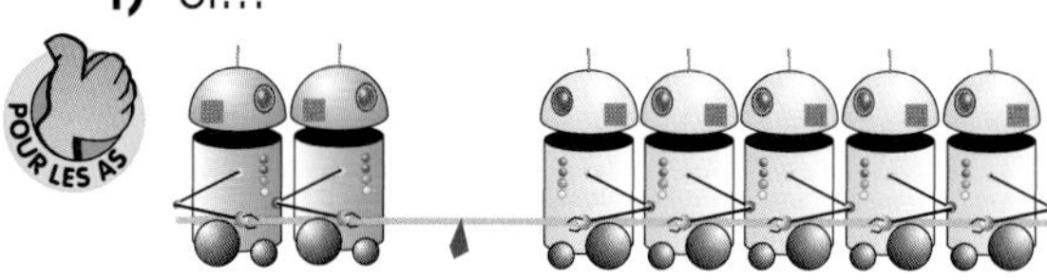

2 Dans chaque cas ci-dessous, on compare les forces de deux robots. Complète les énoncés et les tableaux où des valeurs possibles sont données à ces forces.

a) Si 4b = 2r, alors r = **?**

Si la force de (robot) est 3, quelle est celle de (robot) ?

Si la force de (robot) est 10, quelle est celle de (robot) ?

b) Si 2b = 6j, alors...

	?	?	12	18
	3	5	?	?

c) Si 6r + 3r − 1r = 5v − 3v, alors...

	?	8	?	20
	1	?	4	?

d) Si 12b = 4v, alors...

	?	?	9	18
	2	4	?	?

POUR LES AS

e) Si 1j + 2j +1r = 5r + 1j, alors...

	?	?	1	5
	6	9	?	?

Chaque tableau de calcul ci-dessous montre des quantités qui s'opposent. Les valeurs positives sont des gains, les valeurs négatives sont des dépenses. Écris la phrase mathématique qui décrit le résultat de chaque cas.

a)

+	2	0	5
–	0	3	0

(2 × 25 ¢) – (3 × 10 ¢) + (5 × 1 ¢) = **?**

b)

+	3	1	6
–	0	8	5

(3 × 10 ¢) – (7 × 5 ¢) + (1 × 1 ¢) = **?**

c)

+	5	7	1
–	3	7	6

d)

+	7	0	4
–	1	8	9

2 Imagine que les pièces de chaque cas ci-dessous sont celles d'un pays étranger. Trouve les expressions les plus simples pour décrire chaque situation.

a)

	x	y	z
+	4	0	5
–	1	3	8

b)

	c	d	u
+	5	1	2
–	2	9	7

Le problème 2b pourrait très bien représenter l'opération 512 – 297. Transforme tous les cas du numéro 1 en faisant comme si les tableaux de calcul représentaient une planche à calcul ordinaire (avec c, d et u).

Astuces et outils...

Jadis, la table de multiplication était utilisée comme un dictionnaire. On la consultait au besoin.

4 ? 5

1	2	3	4	5
2	4	6	8	10
3	6	9	12	15
4	8	12	16	20
5	10	15	20	25

Vraie table de Pythagore, VIe siècle av. J.C.

Sa traduction chiffrée au XVe siècle en Europe.

L'expression **4** × **5** est associée à un rectangle. L'aire donne la réponse.

1 D3D4 a inventé une machine à mesurer des rectangles. Elle permet de visualiser la table de multiplication.

a) Trouve l'aire d'un rectangle mesurant 3 unités sur 5 avec la table de D3D4.

$3 \times 5 = ?$

b) Un rectangle dont l'aire était de 24 cm^2 a été mesuré avec la table de D3D4. Quelles étaient ses dimensions ?

1	2	3	4	5	6	7	8	9	10
2	4	6	8	10	12	14	16	18	20
3	6	9	12	15	18	21	24	27	30
4	8	12	16	20	24	28	32	36	40
5	10	15	20	25	30	35	40	45	50
6	12	18	24	30	36	42	48	54	60
7	14	21	28	35	42	49	56	63	70
8	16	24	32	40	48	56	64	72	80
9	18	27	36	45	54	63	72	81	90
10	20	30	40	50	60	70	80	90	100

Table de D3D4 : une machine à mesurer des rectangles !

Mémorise la diagonale des nombres carrés.

2 La diagonale des carrés est très utile si tu as oublié un résultat. Ainsi, si, pour 8 × 7, tu te souviens que 7 × 7 = 49, tu n'as qu'à chercher le résultat de (7 × 7) + (1 × 7).

Avec cette même astuce, comment retrouver le résultat de 9 × 8 ?

... du calcul efficace

Tu connais déjà la puissance de la compensation. Pour t'en servir de façon encore plus efficace, tu dois savoir compléter toutes sortes de nombres jusqu'à un autre nombre arrondi supérieur.

Pour chaque achat payé avec une pièce de 1 $, indique le montant d'argent qui doit être remis.

a) 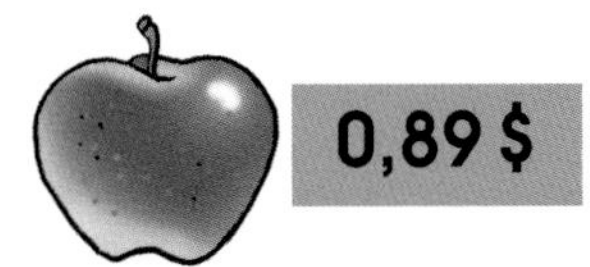 0,89 $

b) 

0,50 $

c)  0,47 $

d) 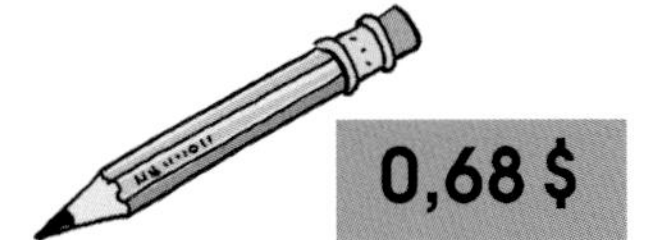 0,68 $

e) 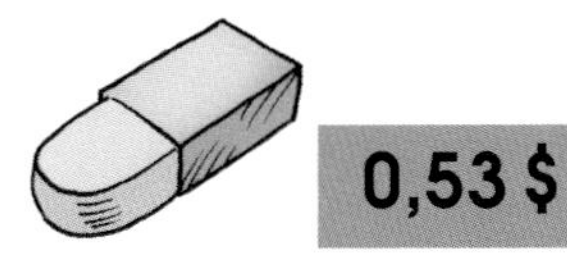 0,53 $

f)  0,76 $

Voici un calcul très difficile à effectuer. Deux astuces simples peuvent t'aider à contourner la difficulté.

$$\begin{array}{r} 4\,000 \\ -1\,256 \\ \hline \end{array}$$

a) Par addition, complète plutôt le calcul suivant :

1 256 + ? = 4 000

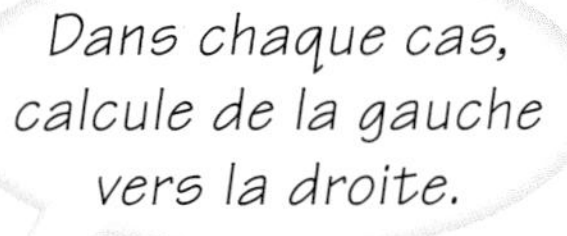

b) Effectue plutôt les calculs suivants :

$$\begin{array}{r} 3\,999 \\ \not{4\,000} \\ -\ 1\,256 \\ \hline \square \\ +\ \ \ \ 1 \\ \hline \square \end{array}$$

Explique l'astuce du cas b.

1 Pour chaque achat payé avec un billet de 10 $, indique le montant d'argent qui doit être remis.

a) 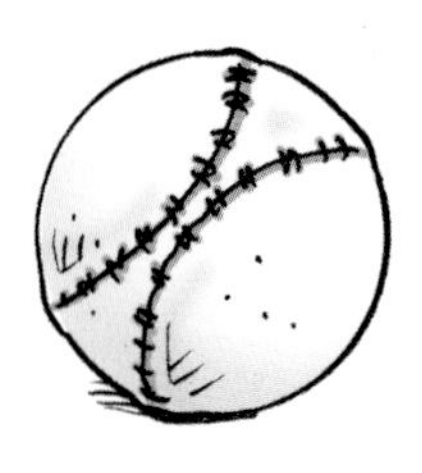

3,58 $

b) 5,87 $

c) 

8,31 $

d) 

6,19 $

e) 

4,95 $

f) 

7,09 $

2 Utilise la compensation pour simplifier chaque calcul. Inspire-toi du cas b du problème 4 à la page *Jeux de nombres* C-14.

a) 300 − 134

b) 500 − 319

c) 700 − 503

d) 2 000 − 1 457

e) 8 000 − 2 950

f) 5 000 − 2 346

POUR LES AS

g) 601 − 247

h) 903 − 385

i) 4 012 − 1 247

Les prix affichés dans les magasins sont souvent très proches d'un nombre arrondi.
La compensation peut te simplifier la tâche.

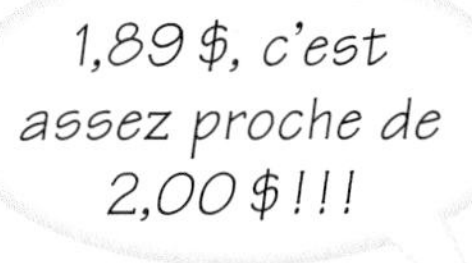

Sur la super-planche, le prix de la tasse est déjà inscrit. Utilise la compensation pour y ajouter celui de la soucoupe.

3,78 $ + 1,89 $ = ?

2 Trouve directement le résultat de chaque addition ci-dessous en utilisant la compensation.

a) **6,68 $ + 4,95 $**

b) **3,99 $ + 2,54 $**

c) **7,29 $ + 2,79 $**

d) **11,67 $ + 4,88 $**

e) **15,85 $ + 6,66 $**

f) **52,97 $ + 19,75 $**

3 Pour chaque prix ci-dessous, trouve le montant arrondi le plus proche. Note le résultat comme dans l'exemple.

Exemple : 14,99 $ = 15 $ – 0,01 $

a) 9,95 $ **b)** 6,98 $ **c)** 12,97 $

d) 14,87 $ **e)** 22,89 $ **f)** 59,88 $

g) 126,78 $ **h)** 249,79 $ **i)** 499,59 $

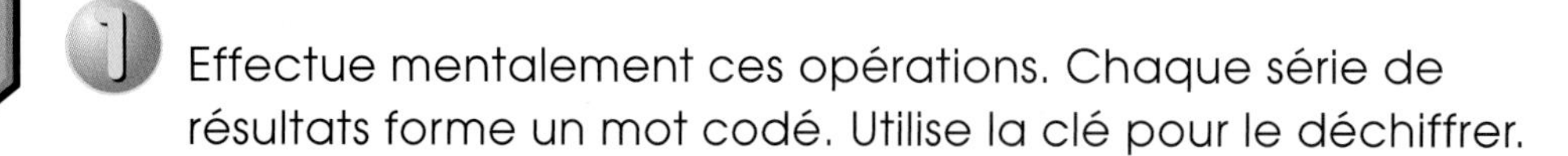

1. Effectue mentalement ces opérations. Chaque série de résultats forme un mot codé. Utilise la clé pour le déchiffrer.

a)

210 + 320	950 – 720	300 + 340	870 – 120	400 + 310

b)

890 – 640	510 + 220	790 – 430	410 + 410	970 – 740

c)

390 + 370	420 – 280	270 + 670	700 – 70	180 + 60

d)

900 – 390	280 + 570	700 – 420	130 + 490	810 – 260

e)

470 + 490	510 – 220	190 + 470	860 – 390	160 + 390

POUR LES AS

f)

740 – 350	170 + 560	900 – 590	250 + 260	720 – 490

Clé de décodage

200 Q 610	290 U 680	380 D 760	460 L 850	530 V 910
210 W 620	300 I 700	390 F 780	480 Z 860	540 B 930
230 E 630	320 O 710	400 G 800	490 X 880	550 N 940
240 R 640	330 P 720	420 H 820	510 C 900	560 M 960
250 T 660	340 A 730	430 J 830		
270 Y 670	370 S 750	450 K 840		

Si le nombre n'apparaît pas dans ce tableau, il s'agit alors d'une lettre mystère à découvrir.

2. À toi maintenant de jouer au mini-prof ! Invente trois cas semblables à ceux du problème 1, en utilisant la même clé.

Si possible, utilise un logiciel de traitement de texte ou de dessin.

1 Montrer à une calculette à compter par bonds est chose facile. Exécute cette suite de touches :

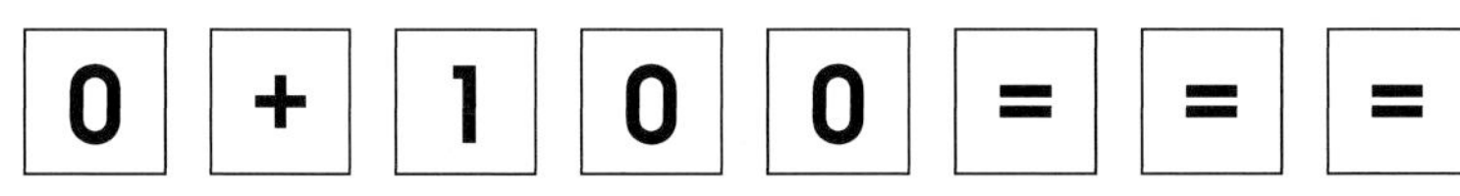

Ta calculette sait maintenant compter par bonds de 100 à partir de 0 ! Jusqu'à quel nombre pourrait-elle se rendre de cette manière ?

2 Écris ce qui sera affiché à l'écran de ta calculette après chaque suite de touches.

a) 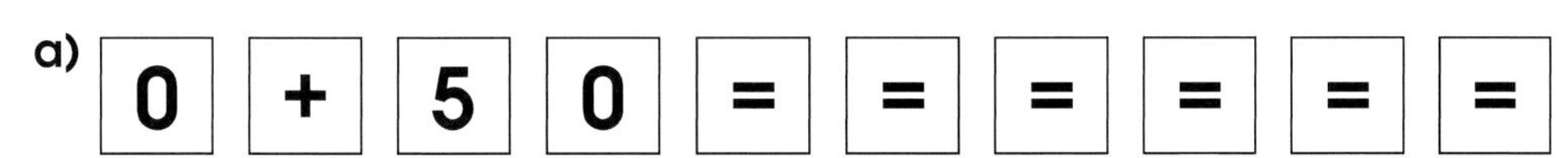

b) 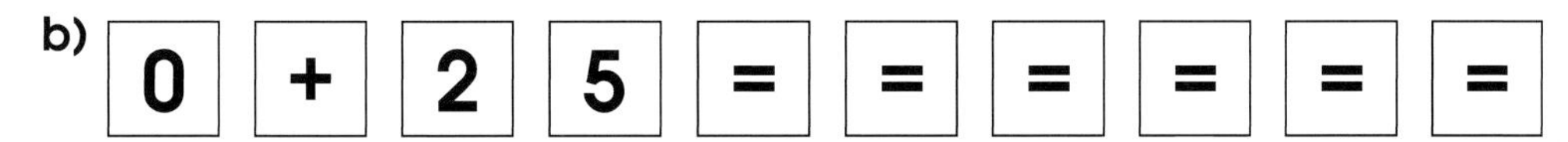

c) 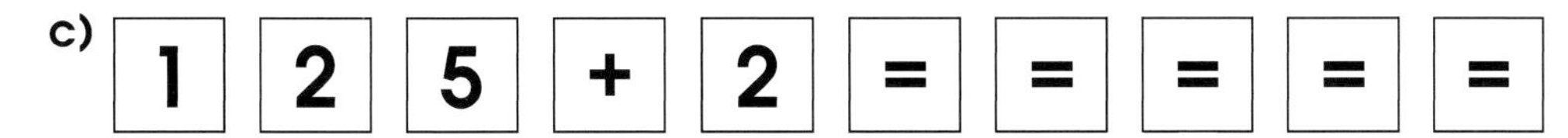

d) 

e) 

f) 8 0 0 + 1 5 0 = = =

g) 2 5 0 − 1 0 0 = = =

3 Prédis les cinq premiers résultats de la suite de touches qui permet à ta calculette de :

a) compter par bonds de 30 à partir de 400 ;

b) compter par bonds de 50 à partir de 425 ;

c) compter par bonds de 25, à reculons, à partir de 100.

Vérifie ensuite tes prédictions avec ta calculette.

Des arrangements rectangulaires comme ceux-ci aident à trouver les propriétés du nombre 16.

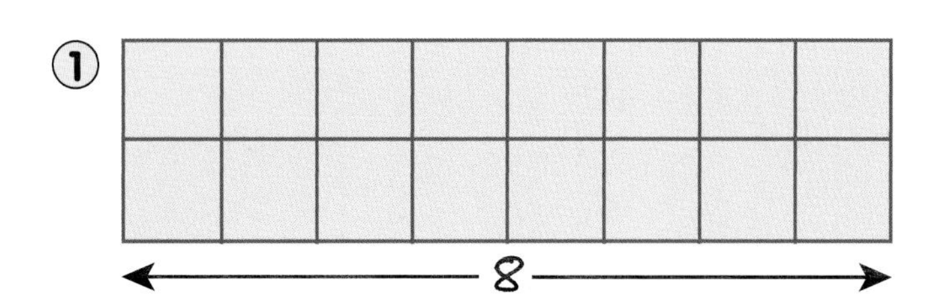

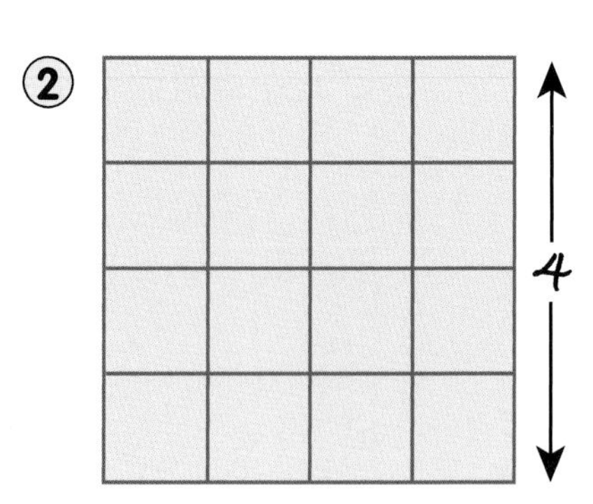

a) Quelles informations ont été enregistrées dans la fiche descriptive de 16 à partir de chacun de ces arrangements rectangulaires ?

b) Quelles phrases mathématiques décrivent symboliquement chacun de ces arrangements ?

c) Quel arrangement manque pour aider à illustrer les informations de la fiche descriptive de 16 ?

d) Quelles informations faut-il ajouter à la fiche descriptive ?

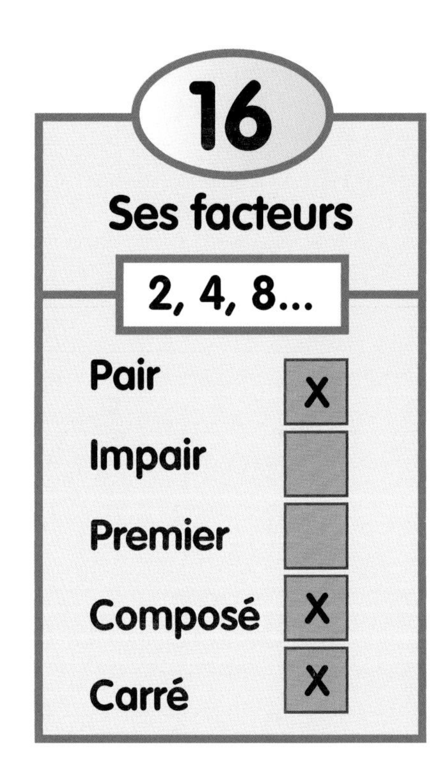

2 Utilise tes centicubes pour former des arrangements rectangulaires qui t'aideront à compléter la fiche descriptive de :

a) 24 **b)** 36 **c)** 31

Utilise une base de données pour créer tes fiches...

Fiches complémentaires *Jeux de nombres* 37 et 38

Chaque coupon de caisse dépasse le montant de 10 $ que tu as en poche. À quel article aurais-tu dû arrêter pour ne pas manquer d'argent ? Fais d'abord une estimation, puis vérifie en cherchant le total avec ta calculette.

a)

Marché Pop	
Fèves	0,65
Soupe	1,39
Viande	4,89
Oranges	1,07
Pâtes	2,57
Jus	0,99
Poisson	5,99
Maïs	1,88
TOTAL:	

b)

Marché Pop	
Carottes	1,69
Laitue	0,45
Lait	1,29
Pain	1,79
Viande	3,58
Yogourt	1,02
Jus	0,59
Savon	2,83
TOTAL:	

c)

Marché Pop	
Jus	0,55
Pâtes	2,39
Savon	2,47
Lait	1,13
Céleri	1,48
Yogourt	1,59
Jus	0,81
Café	2,09
TOTAL:	

2. Additionne chaque colonne mentalement. La somme de ces résultats donne un nombre cible *n*. Refais le même travail avec les rangées. Tu dois obtenir le même total dans les deux sens.

a)

3	6	8	? +
4	7	9	? +
5	8	6	?
? +	? +	?	*n*

b)

50	40	80	? +
70	60	30	? +
90	70	60	?
? +	? +	?	*n*

c)

16	24	13	? +
28	19	12	? +
21	29	16	?
? +	? +	?	*n*

d)

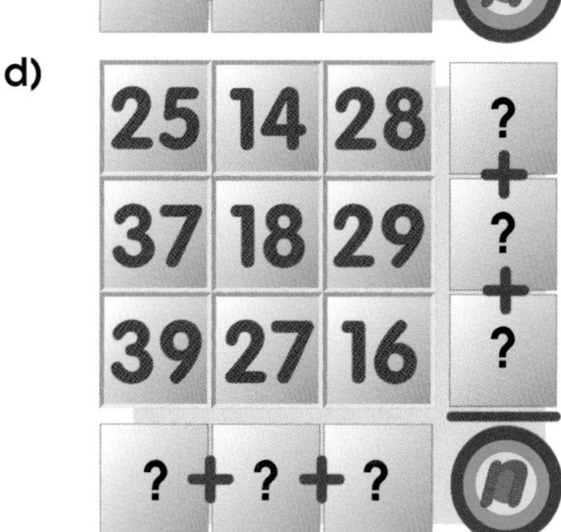

25	14	28	? +
37	18	29	? +
39	27	16	?
? +	? +	?	*n*

Dallages, recouvrements...

Depuis qu'il sait construire, l'être humain recouvre des surfaces avec des matériaux divers: pierres, briques, tuiles, dalles, carreaux...

Certains recouvrements se font en utilisant des pièces identiques. Comment décrirais-tu ces dallages de façon très précise?

a) Un mur solide

b) Un plafond antibruit

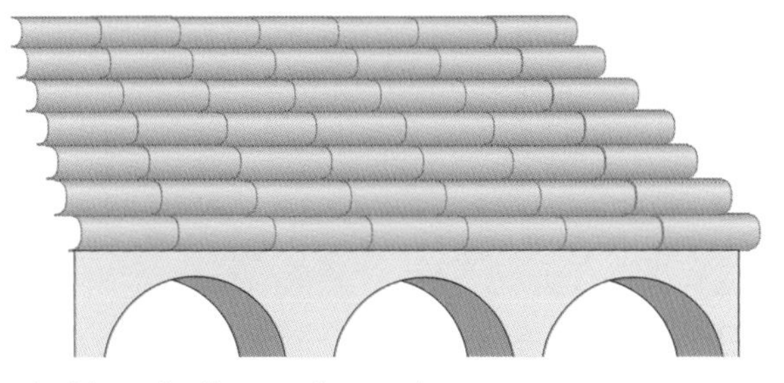

c) Une toiture rénovée

d) Un patio extérieur

2 Certains dallages se composent de pièces qui ne sont pas toutes identiques. Essaie de décrire ces recouvrements plus complexes.

a) Une couverture de laine

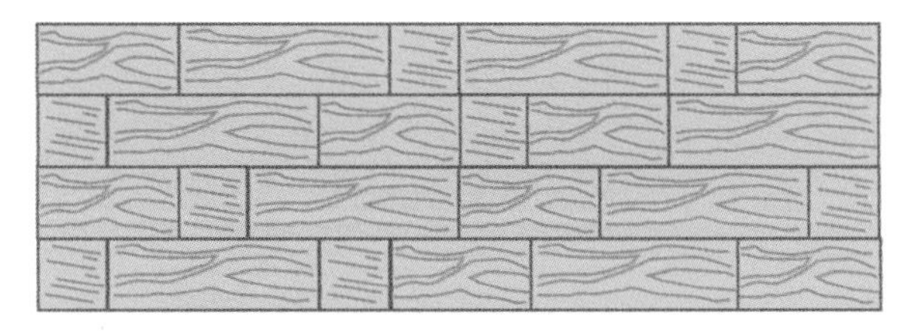

b) Un plancher de bois

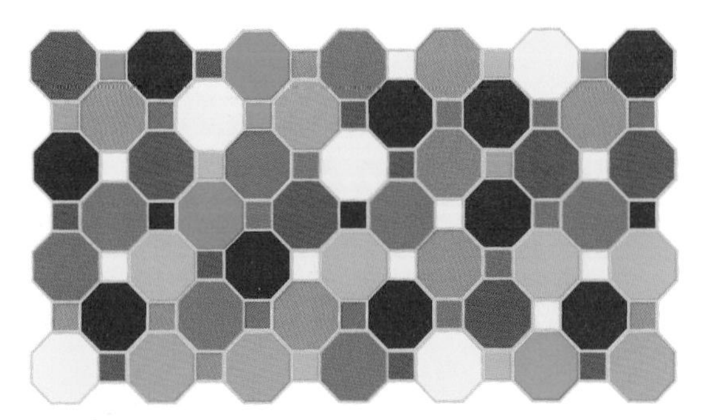

c) Une jolie mosaïque

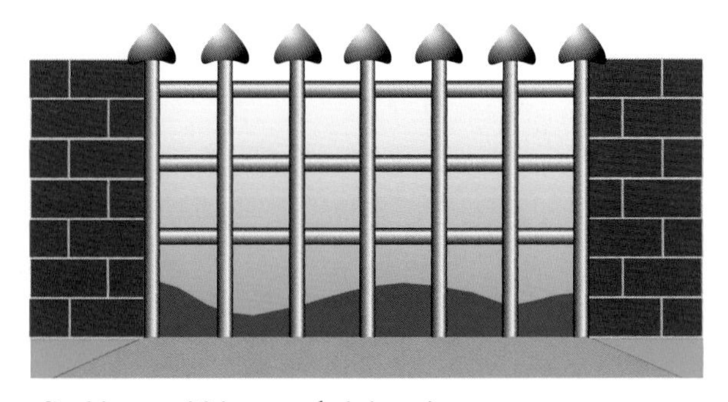

d) Une clôture résistante

... et description de rectangles

Voici un jeu de dallage. Il s'agit de recouvrir un rectangle à l'aide de blocs de base dix de format exact.

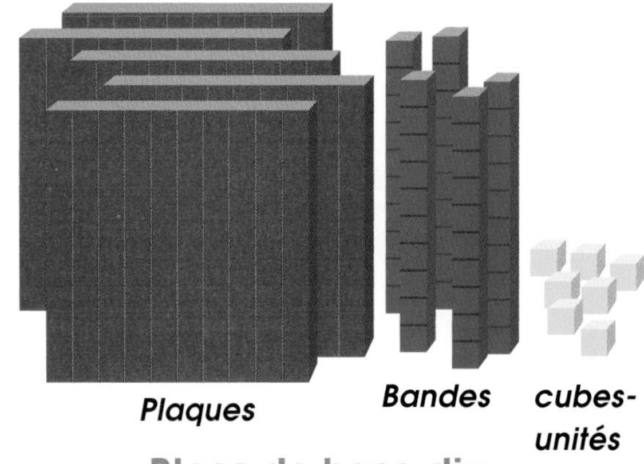

Blocs de base dix

Le tableau descriptif des pièces indique le nombre et la position des blocs utilisés pour couvrir le rectangle. En dessous, des phrases mathématiques décrivent le dallage de différentes façons. Ajoute les informations manquantes.

Exemple

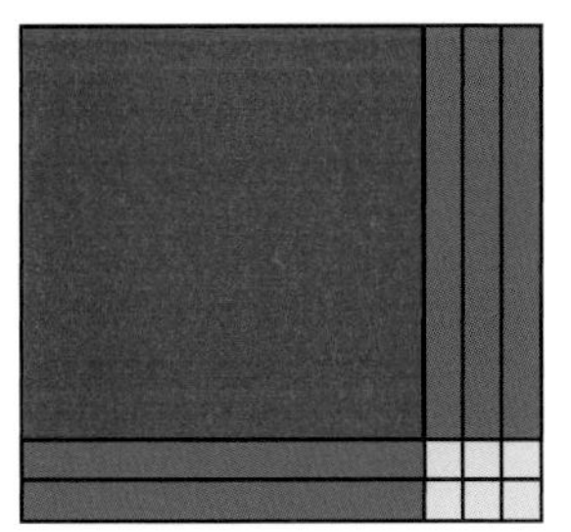

Pièces

1	3
2	6

$13 \times 12 = 156$ $156 = 12 \times 13$

$12 \times 13 = 156$ $156 = 13 \times 12$

a)

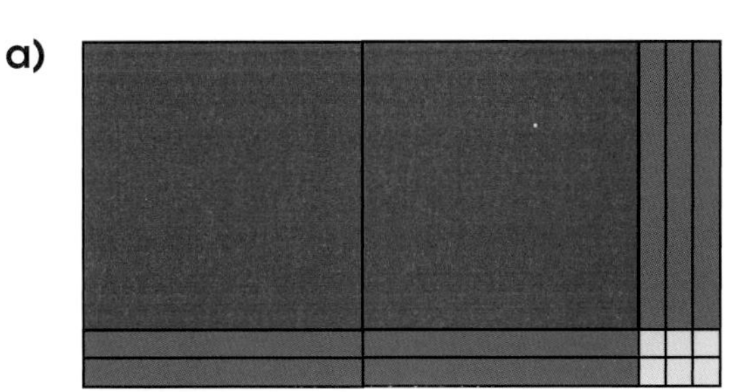

Pièces

2	3
?	6

$12 \times 23 = 276$ $276 = 23 \times 12$

? ?

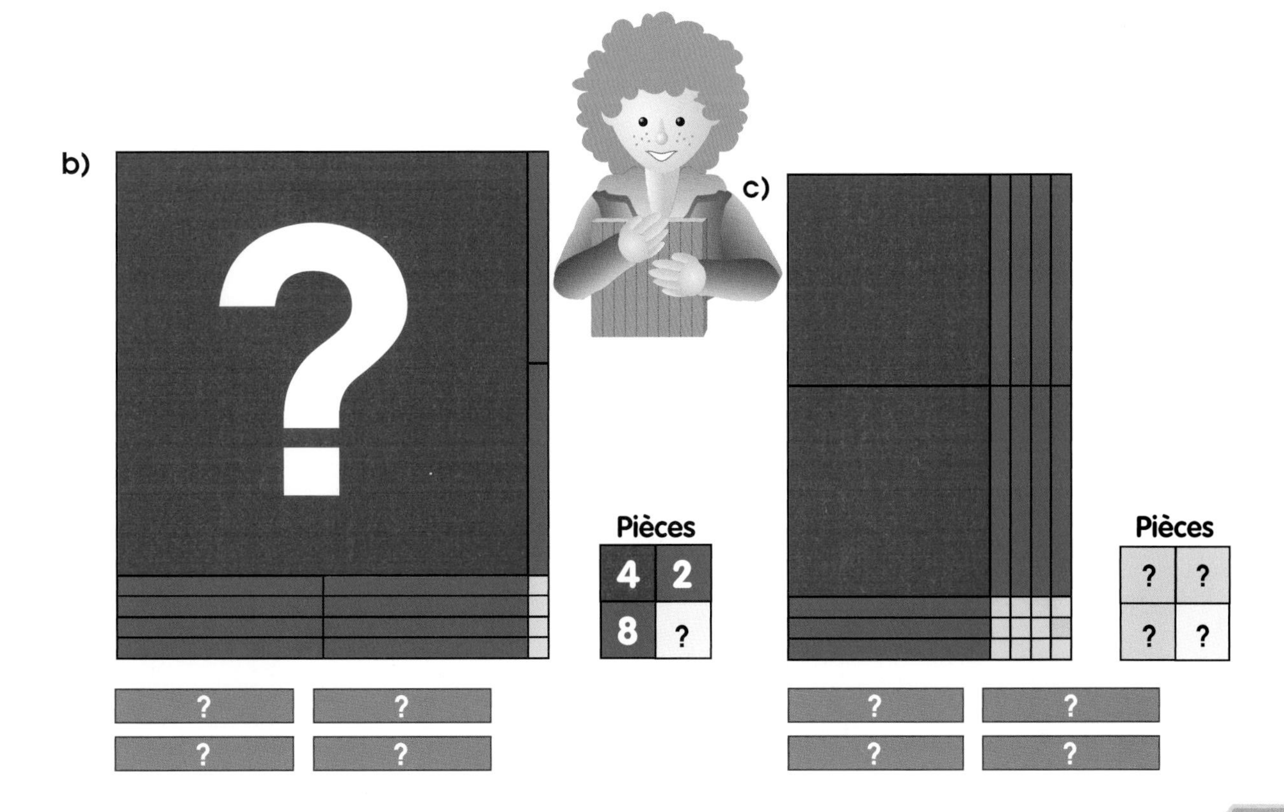

1 Voici des tableaux qui représentent des rectangles. Avec ton matériel de base dix, construis ces rectangles. Décris ensuite chaque dallage obtenu par une égalité où tu utiliseras une multiplication.

a) **Pièces**

4	2
2	1

b) **Pièces**

4	1
8	2

c) **Pièces**

3	6
2	4

2 Il arrive parfois qu'un même tableau représente deux rectangles différents. Trouve les dallages différents qui accompagnent les deux tableaux ci-dessous. Note chaque solution à l'aide d'une multiplication.

a) **Pièces**

6	6
2	2

b) **Pièces**

6	6
2	2

3 Construis un rectangle avec les pièces décrites dans chaque tableau ci-dessous. Quelques surprises t'attendent... Écris ta solution sous forme de multiplication.

a) **Pièces**

1	3
4	12

b) **Pièces**

3	6
4	8

c) **Pièces**

5	1
10	2

d) **Pièces**

2	8
4	16

e) **Pièces**

4	2
12	6

f) **Pièces**

1	2
4	8

Pour cacher un secret, on utilise souvent un code. Tu as déjà compris le code utilisé dans les tableaux décrivant les pièces qui recouvrent un rectangle.

Domino a décidé de rendre ce code encore plus mystérieux. Observe comment il s'y prend.

 est devenu  et 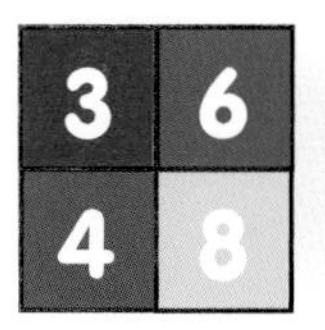 est devenu 

 À ton tour de transformer le tableau des pièces à la façon de Domino.

a) 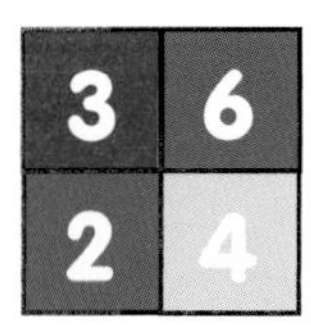 

b)  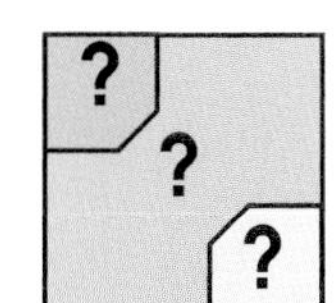

 Relève le défi de Domino en construisant des rectangles à partir des codes secrets suivants. N'oublie pas de noter ta solution à l'aide d'une égalité comportant une multiplication.

a) 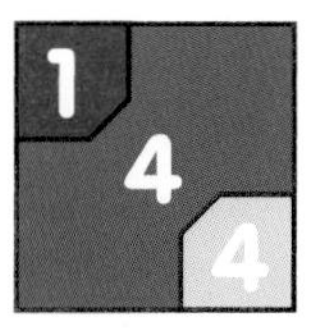

b) 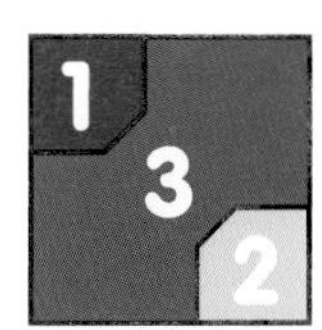

c) 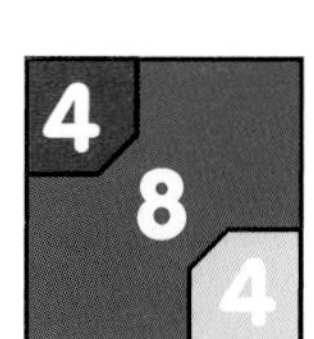

d) 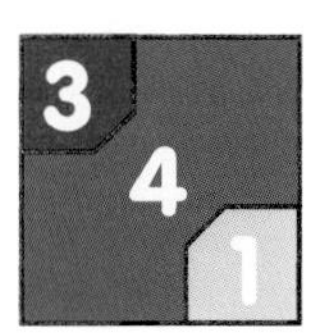

e) 

f) 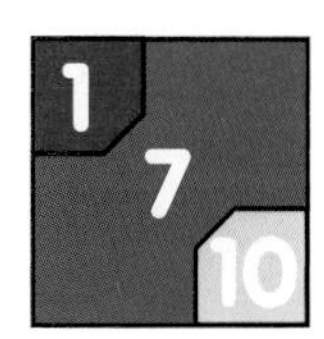

g) 

h) 

i) 

Les mathématiciennes et les mathématiciens sont de véritables Caboche : une solution ne leur suffit pas. Pour représenter des rectangles, ces Caboche utilisent aussi la division. Voici deux exemples.

Exemple 1

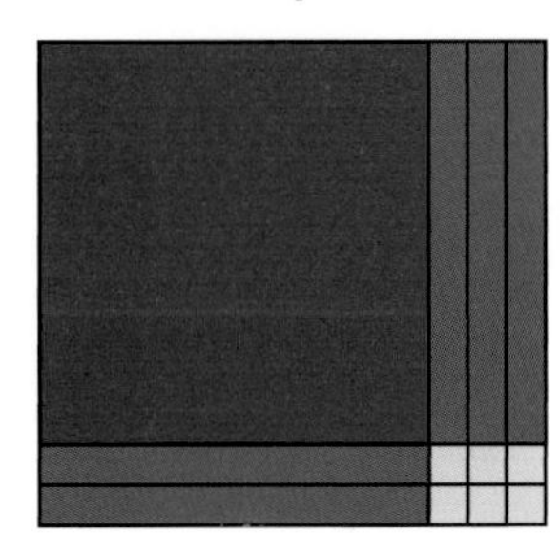

$156 \div 12 = 13$
$156 \div 13 = 12$
$13 = 156 \div 12$
$12 = 156 \div 13$

Exemple 2

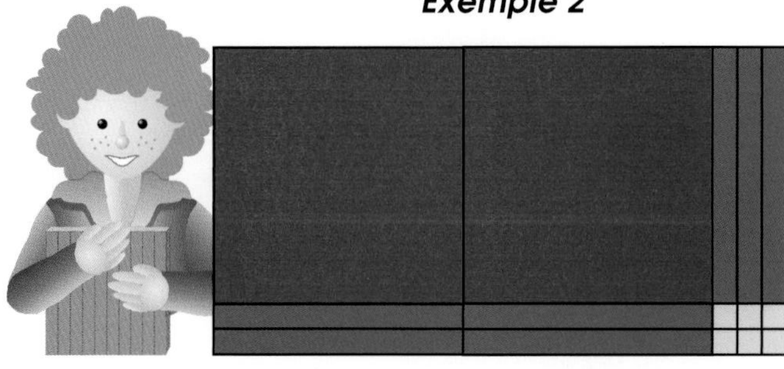

$276 \div 23 = 12$ $\quad 12 = 276 \div 23$
$276 \div 12 = 23$ $\quad 23 = 276 \div 12$

1 Comme Caboche, représente chaque rectangle avec quatre phrases mathématiques utilisant la division.

a)

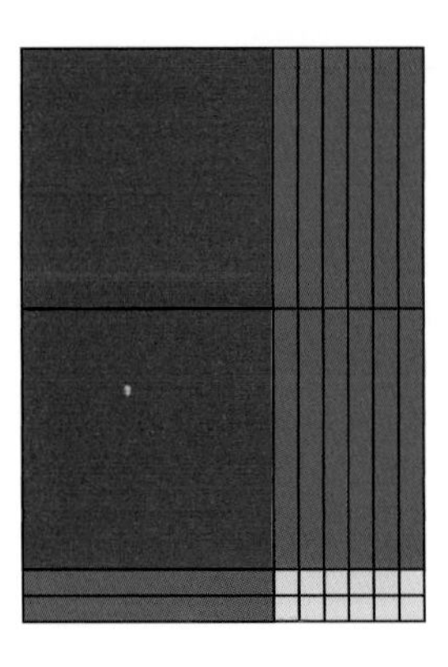

b)

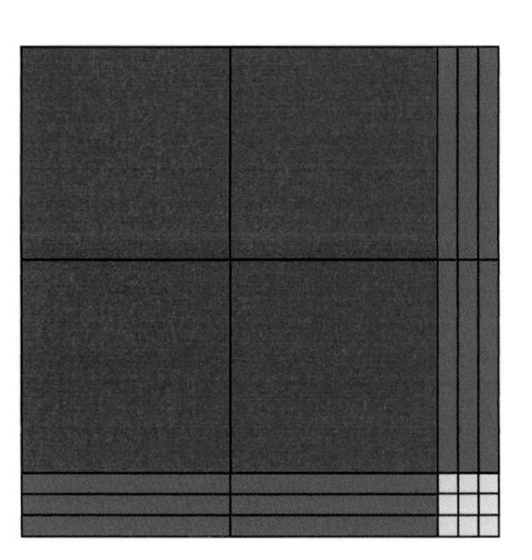

2 Voici de nouveaux tableaux décrivant des dallages rectangulaires. Construis les rectangles et accompagne-les d'une égalité utilisant la division.

a)

b)

c)

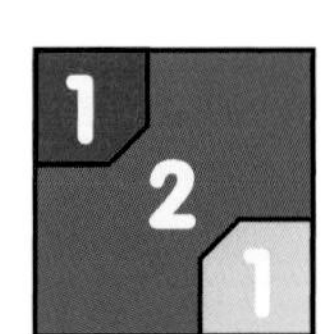

d)

e)

f)

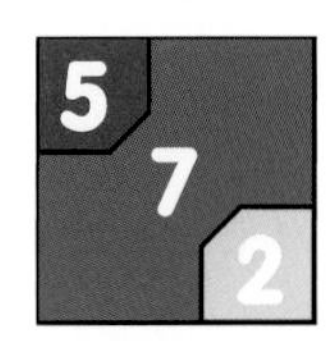

Les problèmes de cette page sont souvent destinés à des élèves beaucoup plus âgés que toi. Montre ce dont tu es capable.

À partir des tableaux codés ci-dessous, construis chaque rectangle représenté. Écris ta solution sous forme de division.

a) 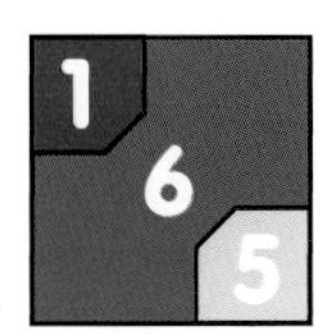

b) 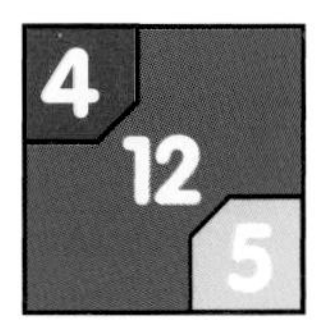

c) 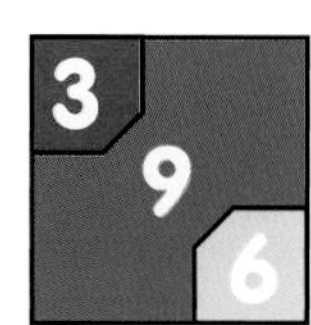

d) 

e) 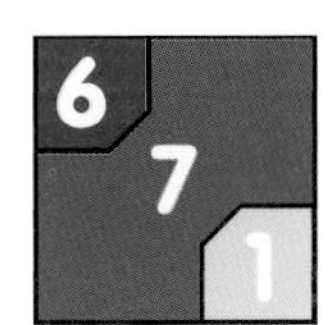

f) 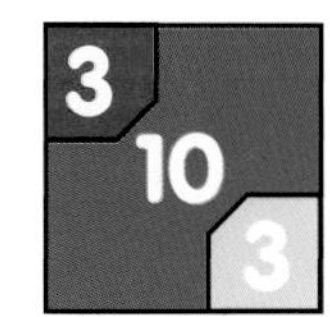

g) 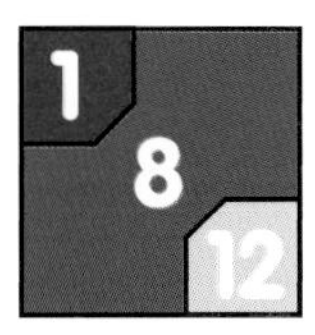

h) 

i) 

Chaque multiplication ci-dessous peut être résolue en dallant un rectangle aux dimensions appropriées. Construis ces rectangles et les tableaux descriptifs pour compléter ta réponse.

a) 14×14

b) 22×15

c) 35×12

À partir des tableaux codés ci-dessous, construis chaque rectangle. Représente par une multiplication et une division le dallage obtenu.

a) 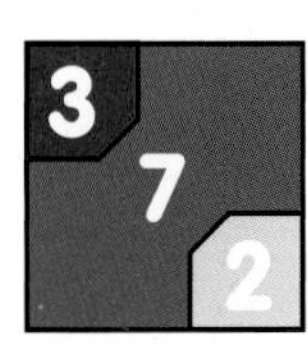

b) 

c) 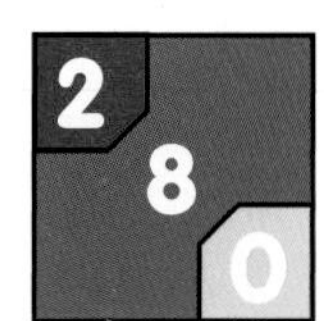

d) 

e) 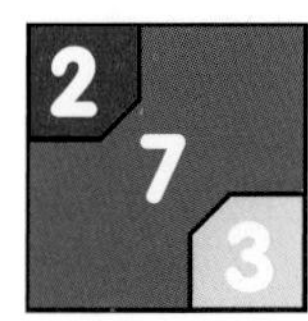

f) 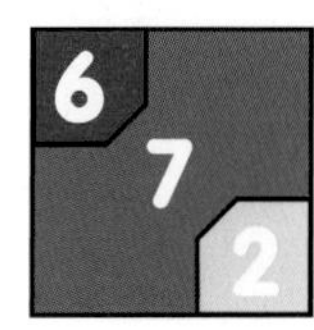

g) 

h) 

i) 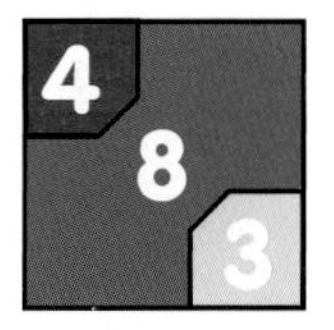

2 Chaque division ci-dessous peut être résolue en dallant un rectangle aux dimensions appropriées. Construis ces rectangles et remplis les tableaux descriptifs pour compléter ta réponse.

a) 225 ÷ 15 **b)** 300 ÷ 15 **c)** 312 ÷ 24

d) 143 ÷ 13 **e)** 210 ÷ 14 **f)** 572 ÷ 22

Géométrie

A 1

Ravissantes figures...

Les ouvrières et les ouvriers d'une petite bijouterie sont aveugles. Pourtant, grâce à leur remarquable sens du toucher, ils arrivent à classer les pierres précieuses.

1 Observe ce lot de pierres.

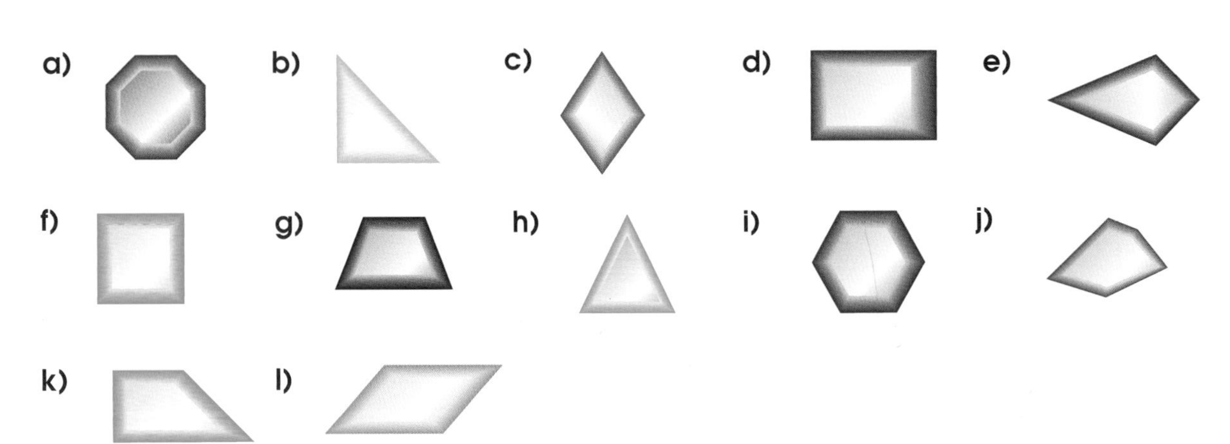

Quelles propriétés peuvent être reconnues uniquement au toucher ?

2 Dans le lot d'émeraudes du problème 1, quatre pierres ont été mises de côté. Dans chaque cas, il manque une pierre ayant la même propriété que les quatre autres. Dessine-la et note ce que les cinq pierres ont en commun.

3 Toutes les figures du numéro 1 ont une même propriété, sauf j. Quelle est cette propriété ?

... et jolis casse-tête

D3D4 a inventé quelques casse-tête.
Et Domino y a mis son grain de sel...

Cinq pièces parmi celles de D3D4 recouvraient le carré rose.

a) Reproduis le carré et dessine la position de chaque pièce.

- Le polygone 1 n'est pas un rectangle et il remplit entièrement le coin encerclé en rouge.
- Les polygones 2 et 3 remplissent entièrement le coin encerclé en vert.
- Les polygones 3 et 4 remplissent entièrement le coin encerclé en bleu. L'un des deux n'est pas un quadrilatère.
- Le polygone 5 remplit entièrement le coin entouré en jaune.

b) Nomme chaque pièce de D3D4.

Construis trois rectangles différents en utilisant exactement trois pièces du casse-tête de D3D4. Dessine tes solutions.

A 3

Le tangram est l'un des plus vieux casse-tête au monde. Le plus ancien livre à son sujet a été publié en 1813.

Réalise ton propre tangram en suivant les indications ci-dessous.

Les lignes pointillées sont obtenues par pliage seulement. Découpe les pièces quand toutes les frontières sont visibles.

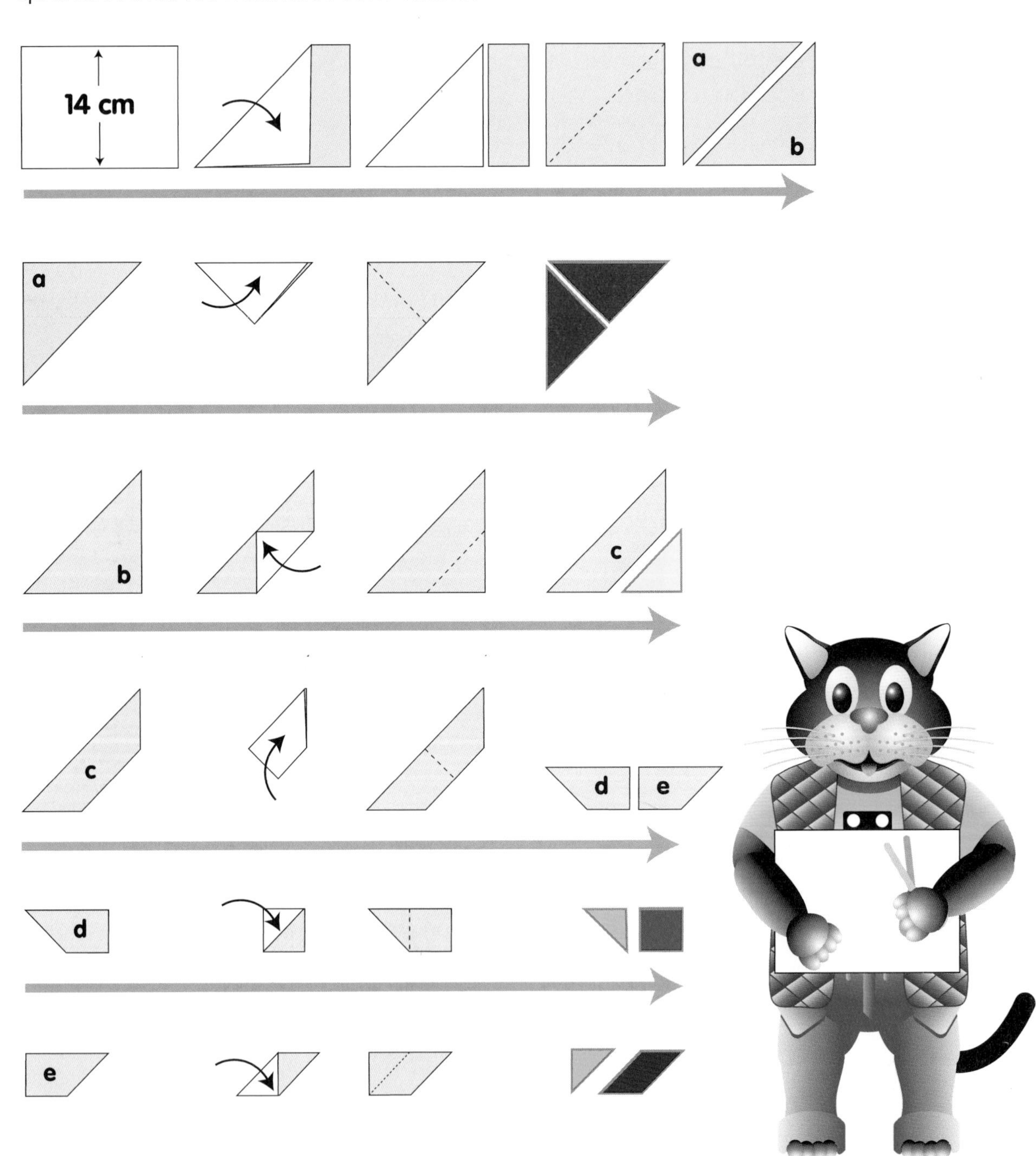

Un vitrail est un véritable casse-tête géométrique. Le tangram permet lui aussi de réaliser des dessins à partir de quelques formes géométriques simples.

Pour reproduire une image, tu dois essayer d'imaginer les formes qui la composent.

Utilise les sept pièces du tangram pour reproduire la pipe.

Trouve la position des pièces. Dessine ta solution.

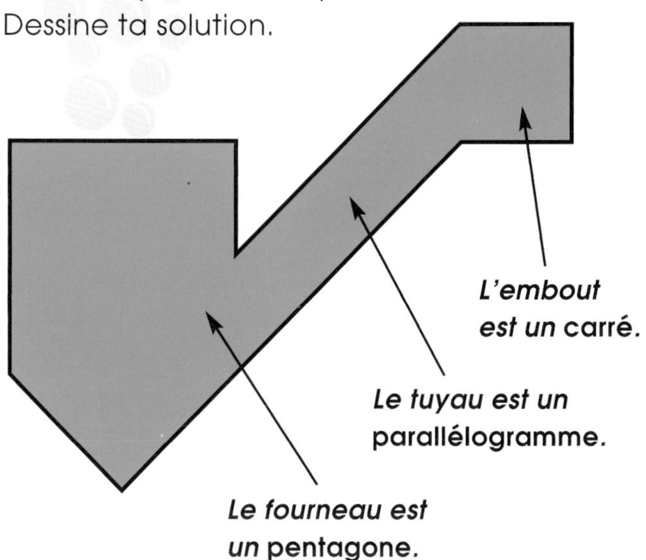

Un triangle forme le nœud de la cravate. Les six autres pièces sont regroupées pour recouvrir l'*hexagone*. Trouve la position des pièces. Dessine ta solution.

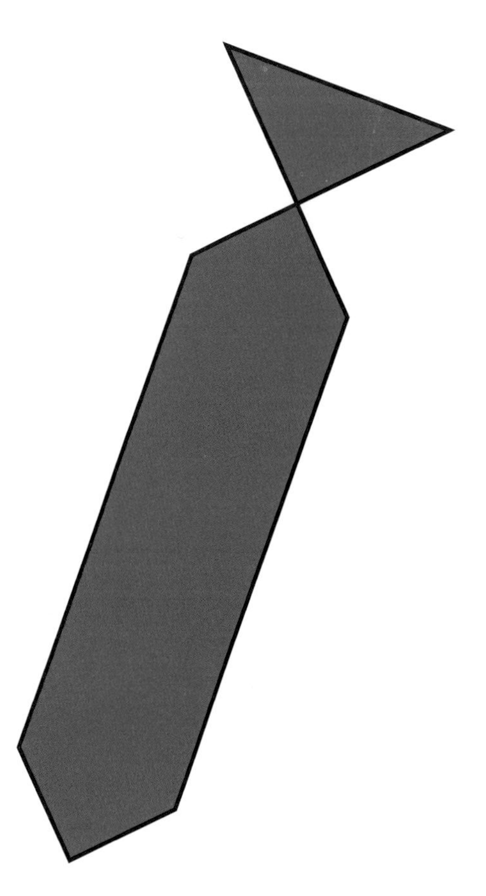

Les oreilles du renard sont deux triangles. Le reste de sa tête est un carré. Trouve la position occupée par les sept pièces du tangram. Dessine ta solution.

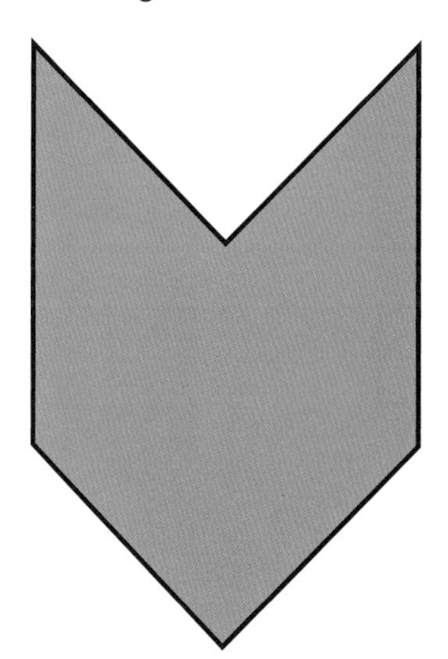

A 5

Voici deux polygones réduits que tu peux construire avec quelques pièces du tangram. Le carré est *convexe*, l'autre est *concave*. **Chacun peut au moins contenir un grand triangle**.

1 Trouve toutes les façons de construire le carré. Dessine tes plans sur du papier pointé.

Dans un polygone convexe, même une toute petite souris ne peut pas se cacher.

2 Construis le polygone concave. Dessine la position de chaque pièce du tangram.

Dans un polygone concave, une toute petite souris peut se cacher.

3 Dessine deux polygones concaves. Fais une croix là où une toute petite souris pourrait se cacher…

Pour chaque casse-tête de cette page, n'utilise pas plus d'un grand triangle de ton tangram. Les modèles à reproduire ont été réduits.

1. Utilise 5 pièces pour refaire le bateau de forme concave. Utilise moins de pièces pour celui qui est convexe.

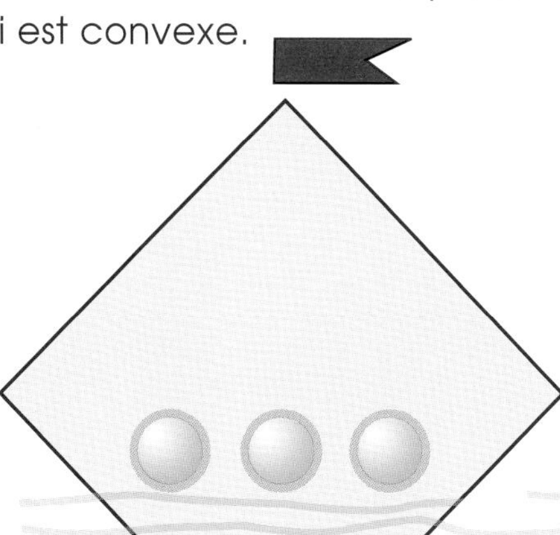

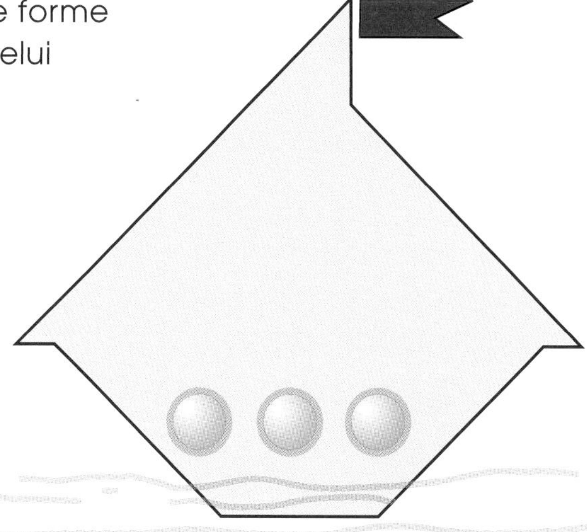

2. Avec 4 pièces, trouve trois façons différentes d'obtenir l'hexagone qui forme le corps du poisson.

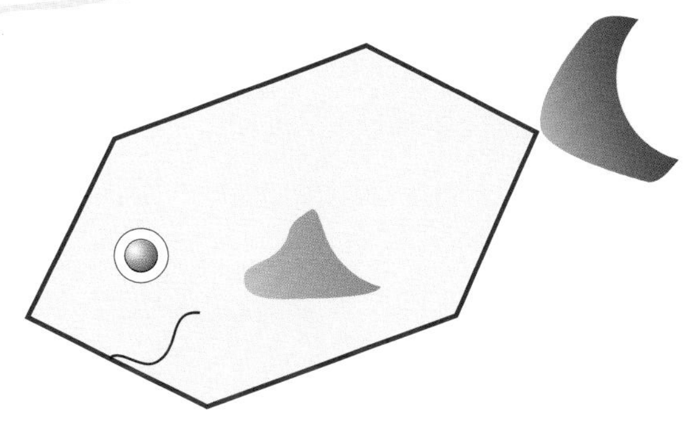

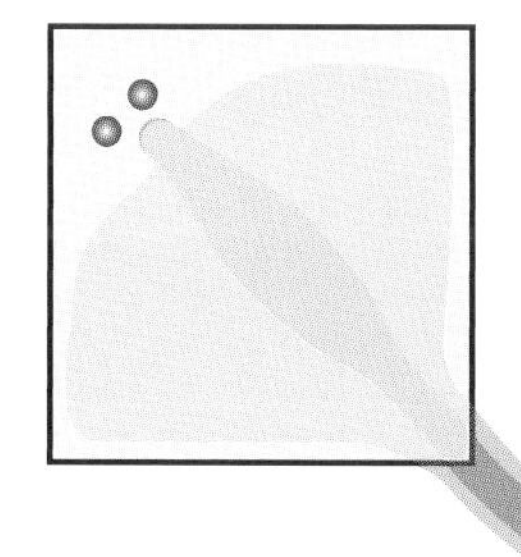

3. Le carré qui forme le corps de la raie compte exactement 3 pièces. Trouve-les.

4. Trouve toutes les façons d'obtenir le frigo rectangulaire avec 3 pièces.

5. Le monticule triangulaire est composé de trois pièces. Trouve toutes les solutions.

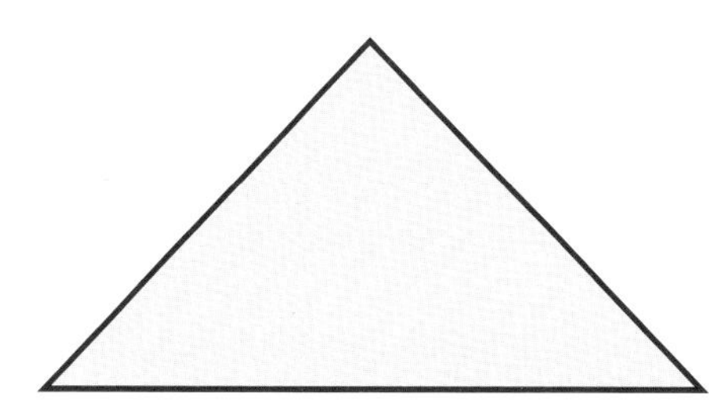

Bienvenue au camp des trapèzes !
Observe les contours des tentes illustrées ci-dessous. Tous rappellent une figure à quatre côtés ayant deux côtés parallèles et deux côtés obliques égaux. Cette figure est appelée trapèze isocèle.

1 Avec les pièces de ton tangram, tu peux obtenir des trapèzes semblables en utilisant le nombre de pièces indiqué.
Dessine ta solution.

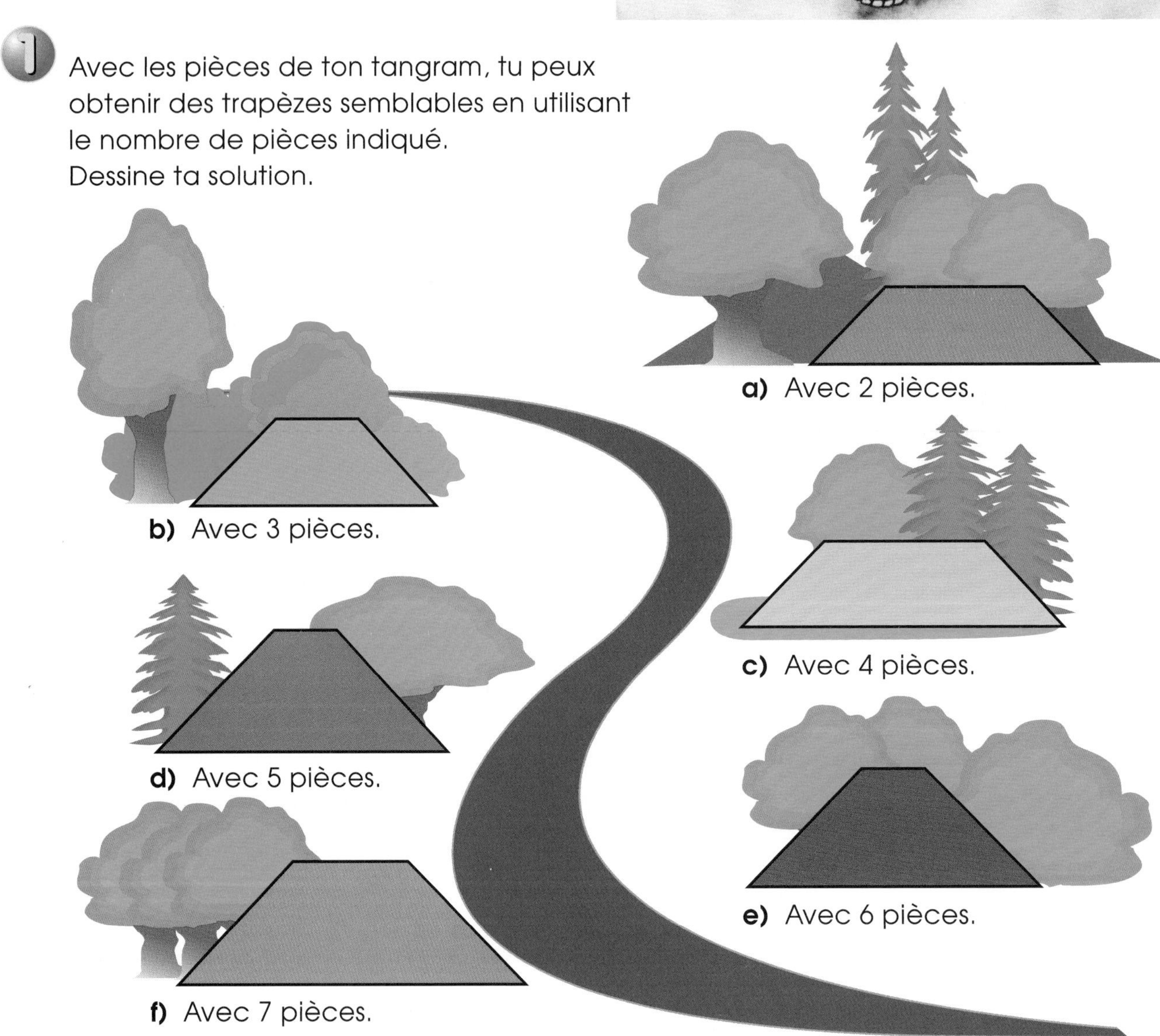

a) Avec 2 pièces.

b) Avec 3 pièces.

c) Avec 4 pièces.

d) Avec 5 pièces.

e) Avec 6 pièces.

f) Avec 7 pièces.

2 Le modèle c du problème 1 peut être obtenu de quatre façons différentes.

Trouve les trois autres solutions.

Voici un hexagone concave. Il a vraiment l'air ordinaire ! Utilise un miroir et tu y trouveras pourtant de très jolies formes géométriques...

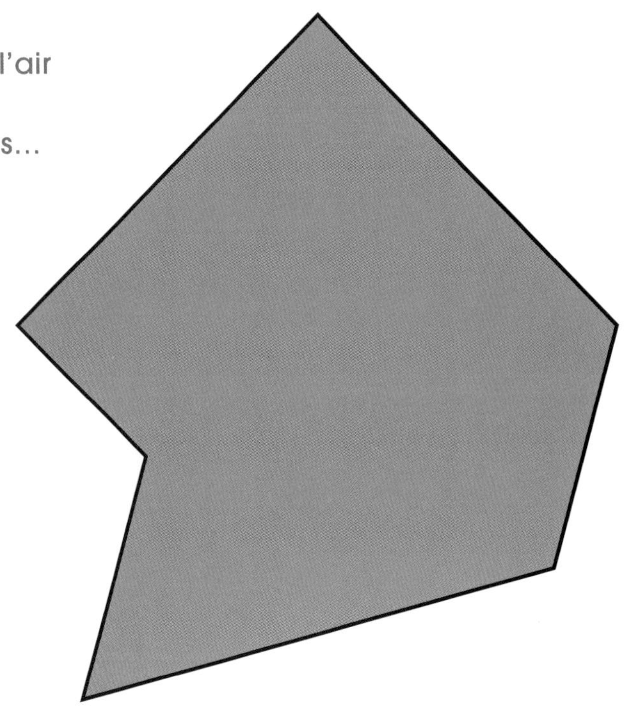

Essaie d'obtenir les figures décrites ci-dessous. Note chaque fois l'emplacement du miroir. Dessine les formes obtenues sur du papier brouillon.

a) Un rectangle qui n'est pas un carré.

b) Un quadrilatère concave.

c) Un quadrilatère qui ressemble à un cerf-volant.

d) Un losange sans angles droits.

e) Un parallélogramme sans angles droits, qui n'est pas un losange.

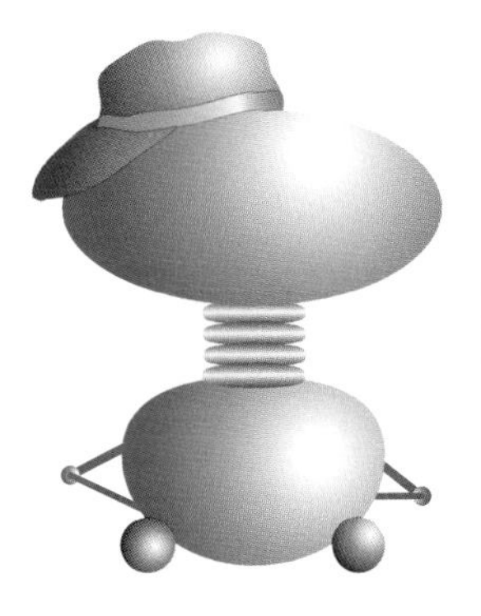

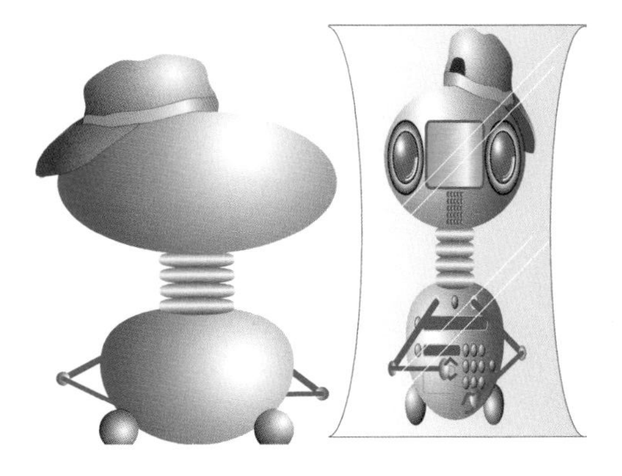

f) Un triangle équilatéral.

g) Un pentagone convexe.

h) Un hexagone concave.

i) Un octogone convexe.

j) Un octogone concave.

k) Une figure qui n'est pas un polygone.

Pour obtenir la figure du numéro 1, on a d'abord tracé un carré. Puis on a ajouté un hexagone et un triangle ayant tous leurs côtés égaux. Retrouve chaque polygone avec ton miroir.

Voici un ensemble de polygones.

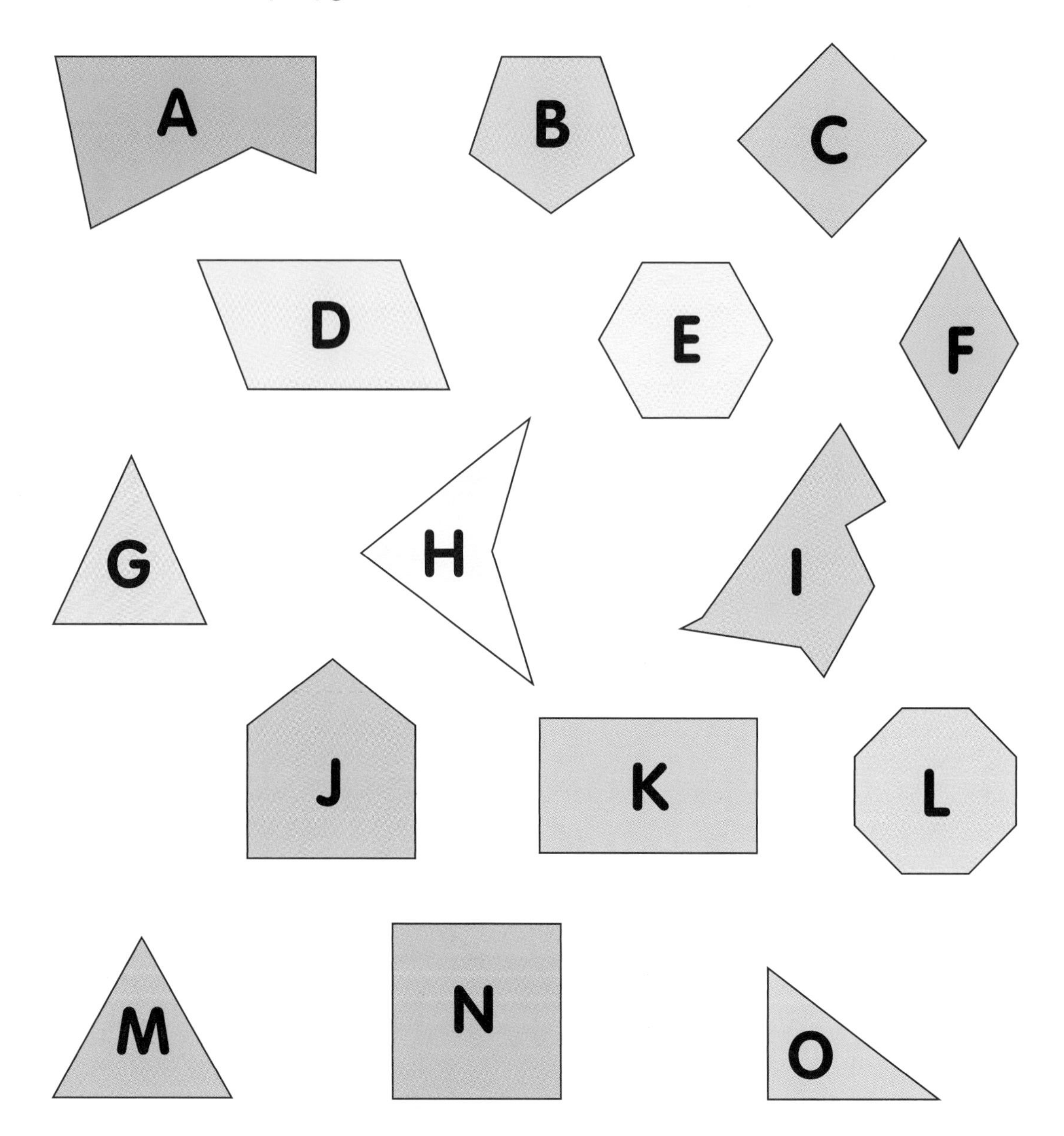

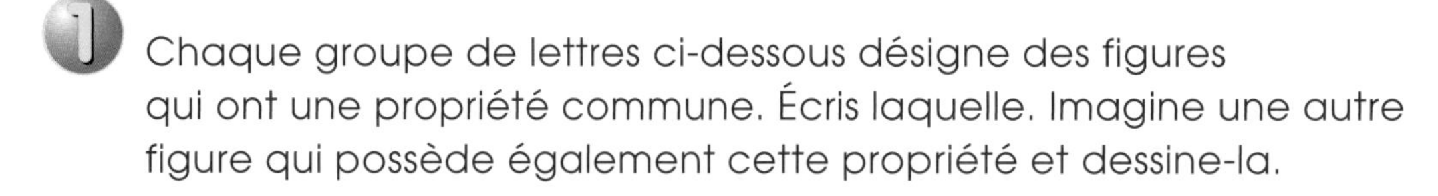

1. Chaque groupe de lettres ci-dessous désigne des figures qui ont une propriété commune. Écris laquelle. Imagine une autre figure qui possède également cette propriété et dessine-la.

a) **G**, **M** et **O**.

b) **A**, **B** et **J**.

c) **A**, **H** et **I**

d) **J**, **K** et **O**.

e) **A**, **I** et **O**, mais pas **G**.

f) **C**, **D**, **E** et **L**, mais pas **B**.

g) **B**, **E**, **L** et **N**, mais pas **F**.

h) **B**, **G**, **H** et **J**, mais pas **N**.

À l'atelier, chaque bijou nécessite un type précis de pierre.
Une première pierre est déjà posée sur la table des sautoirs.

a) Complète le travail en dessinant pour chaque cas les pierres selon les critères énoncés sur le convoyeur.

b) Utilise les mots de la liste pour nommer chacune des figures qui rappellent les formes des pierres.

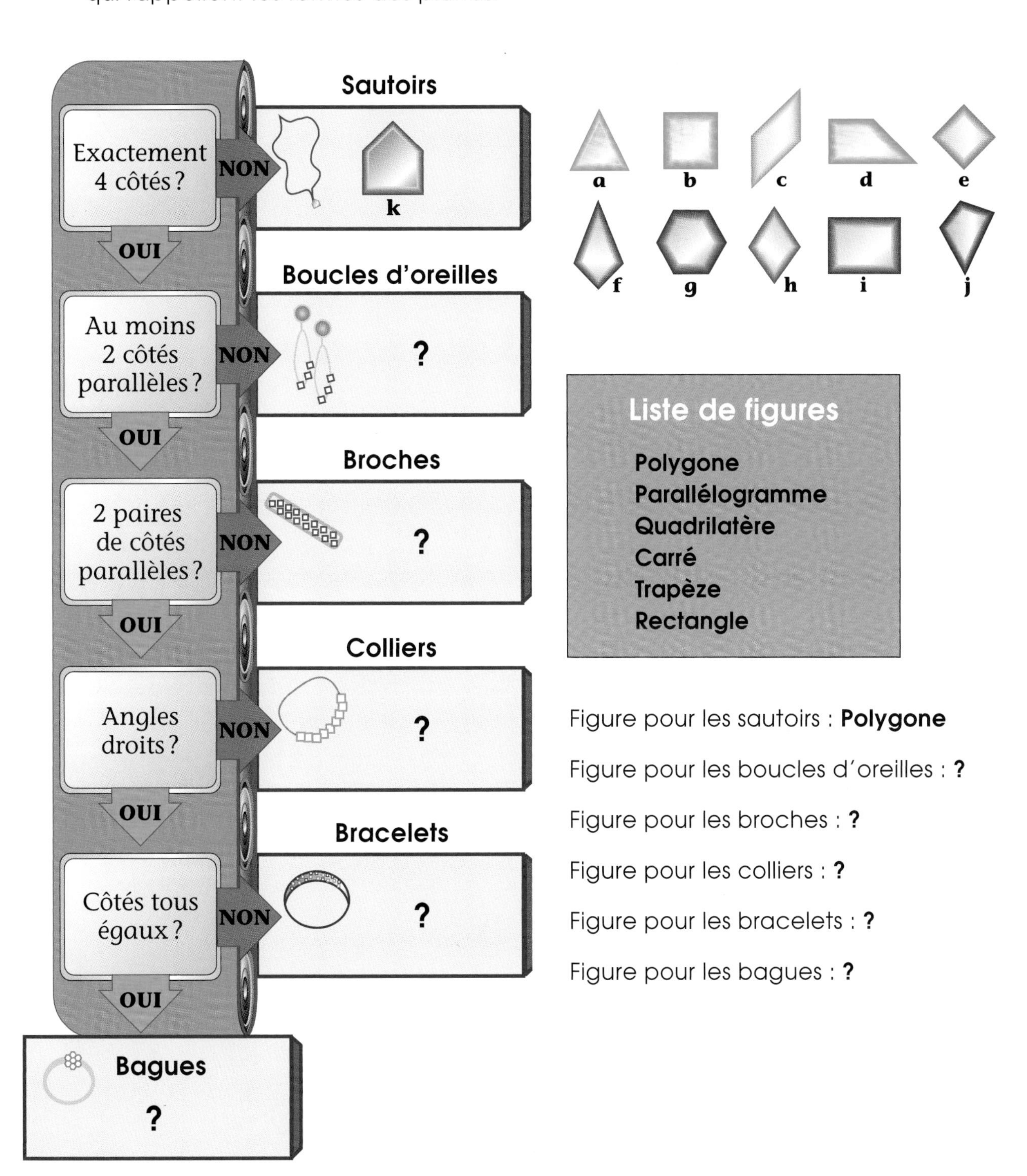

Liste de figures

- Polygone
- Parallélogramme
- Quadrilatère
- Carré
- Trapèze
- Rectangle

Figure pour les sautoirs : **Polygone**

Figure pour les boucles d'oreilles : **?**

Figure pour les broches : **?**

Figure pour les colliers : **?**

Figure pour les bracelets : **?**

Figure pour les bagues : **?**

E 1

Indications précises et...

Je t'écoute...

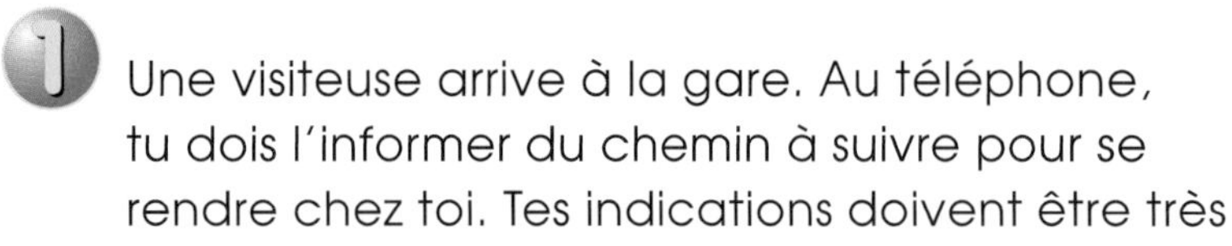

1 Une visiteuse arrive à la gare. Au téléphone, tu dois l'informer du chemin à suivre pour se rendre chez toi. Tes indications doivent être très précises, car elle ne connaît pas la ville...

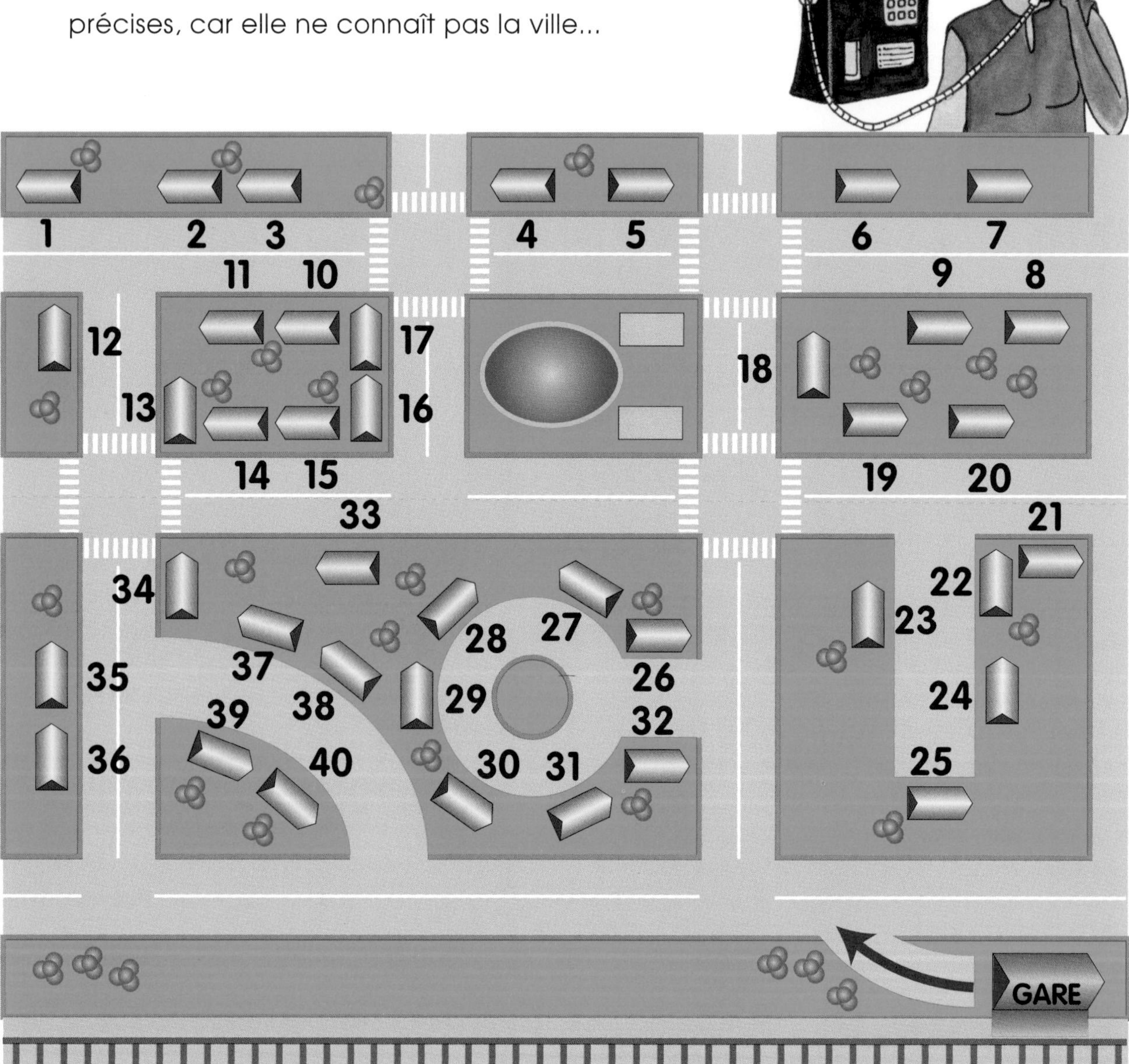

a) Quelles seraient tes indications pour aller à la maison n° 6 ?

b) « Sors de la gare. Tourne à gauche. Première rue à droite. Deuxième rue à gauche. Première rue à droite. Deuxième maison à gauche. »

À quelle maison conduisent ces indications ?

... sens de l'orientation

Les pilotes des premiers avions éprouvaient des difficultés à décrire la position des objets dans leur champ visuel. Un ingénieux système de communication a alors été mis au point.

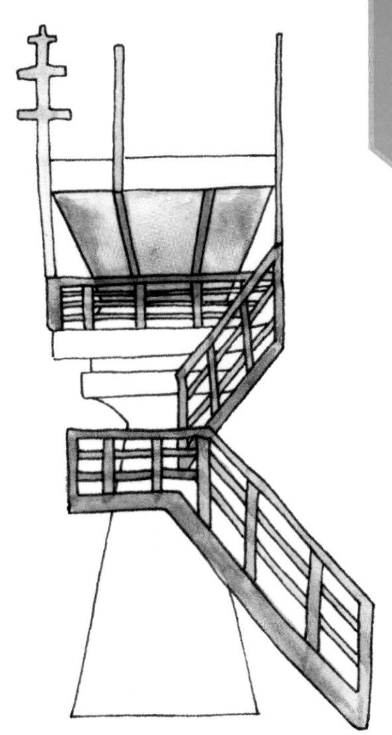

Tu pilotes un avion et voici ton champ de vision.

Que vois-tu :

a) à 9 heures ?

b) à 1 heure ?

c) à 11 heures ?

À quelle position se trouve :

a) le soleil ?

b) le dirigeable ?

c) le gratte-ciel ?

d) la montgolfière ?

Place un jeton pour représenter les objets suivants aux positions demandées.

a)  à 8 heures

b) à 1 heure 30

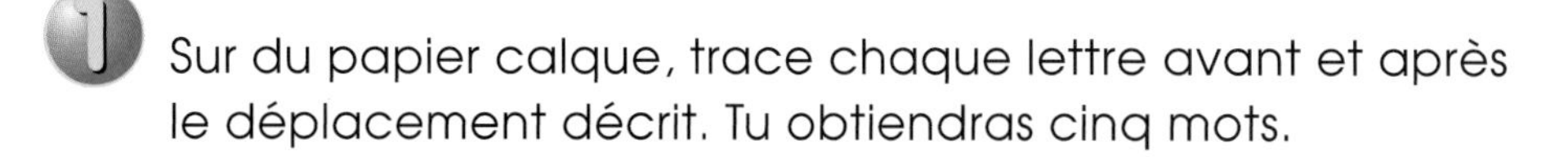

Sur du papier calque, trace chaque lettre avant et après le déplacement décrit. Tu obtiendras cinq mots.

Z

14 cm vers 5 heures

O

5 cm vers 9 heures

^

N

$9\frac{1}{2}$ cm vers 7 heures et, à partir de cet endroit, 5 cm vers 5 heures

A

$4\frac{1}{2}$ cm vers 12 heures

POUR LES AS D

$8\frac{1}{2}$ cm vers 6 heures 30

E

$7\frac{1}{2}$ cm vers 2 heures

I

$9\frac{1}{2}$ cm vers 1 heure

E

$12\frac{1}{2}$ cm vers 12 heures

Pour chacun des cas ci-dessous, utilise le système des pilotes d'avion pour décrire chaque translation. Effectue tes mesures en centimètres.

b)

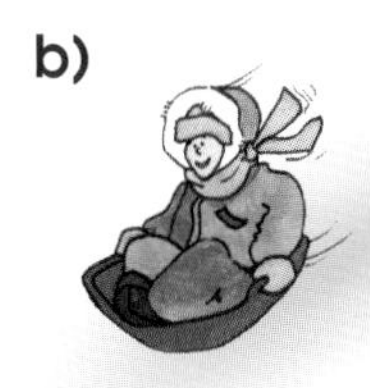

a)

c)

d)

f)

e)

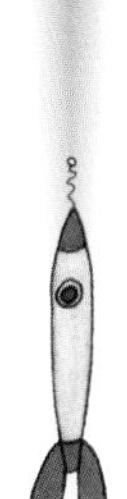

g)

Voici Kasilogo, la souris programmable. Les commandes qu'on lui donne doivent toujours être claires et précises.

 Décris le programme de chaque parcours à partir de la position indiquée par le triangle.

a)

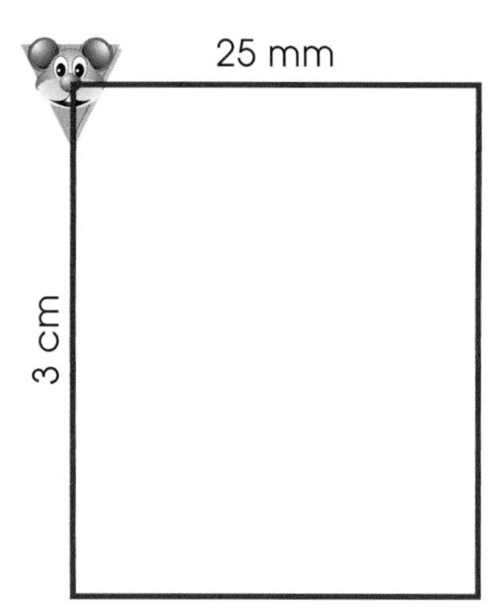

b)

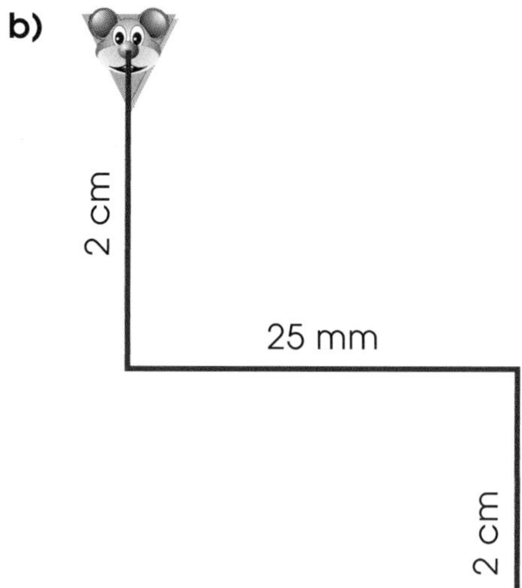

c)

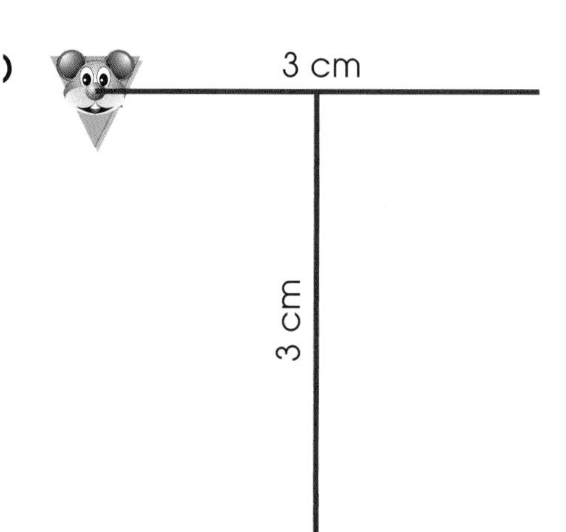

d)

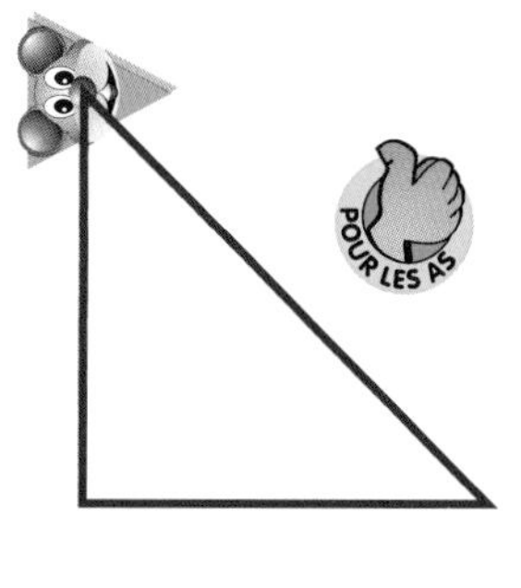

 Chaque programme ci-dessous décrit le trajet que doit parcourir la souris Kasilogo. Trace chaque trajet.

a) droite $\frac{3}{4}$ de tour
avance 30 mm
recule 15 mm
gauche $\frac{1}{4}$ de tour
avance 15 mm
recule 30 mm

b) avance 15 mm
gauche $\frac{1}{8}$ de tour
avance 1 cm
recule 10 mm
droite $\frac{1}{4}$ de tour
avance 1 cm

c) avance 4 cm
gauche $\frac{1}{4}$ de tour
avance 2 cm
droite $\frac{3}{4}$ de tour
avance 20 mm
gauche $\frac{1}{4}$ de tour
avance 4 cm
droite $\frac{1}{4}$ de tour
avance 2 cm
droite $\frac{1}{4}$ de tour
avance 2 cm

d) droite $\frac{1}{8}$ de tour
avance 5 cm
gauche $\frac{3}{8}$ de tour
avance 35 mm
gauche $\frac{3}{8}$ de tour
avance 5 cm
droite $\frac{3}{8}$ de tour
avance 35 mm

Dessine chaque trajet programmé pour Kasilogo.

a) Répète 3

[avance 1 cm

gauche $\frac{1}{4}$ de tour

avance 5 mm

droite $\frac{1}{2}$ tour

avance 15 mm

droite $\frac{3}{4}$ de tour]

b) Répète 2

[avance 3 cm

droite $\frac{1}{4}$ de tour

avance 25 mm

droite $\frac{1}{4}$ de tour]

c) Répète 4

[avance 10 mm

droite $\frac{1}{4}$ de tour

avance 10 mm

gauche $\frac{3}{4}$ de tour

avance 1 cm

gauche $\frac{1}{4}$ de tour]

d) Répète 4

[avance 1 cm

droite $\frac{1}{4}$ de tour

avance 5 mm

gauche $\frac{1}{4}$ de tour

avance 5 mm

gauche $\frac{1}{4}$ de tour

avance 5 mm

droite $\frac{1}{4}$ de tour

avance 1 cm

droite $\frac{1}{4}$ de tour]

1 Pour chaque trajet, dessine le motif qui se répète.

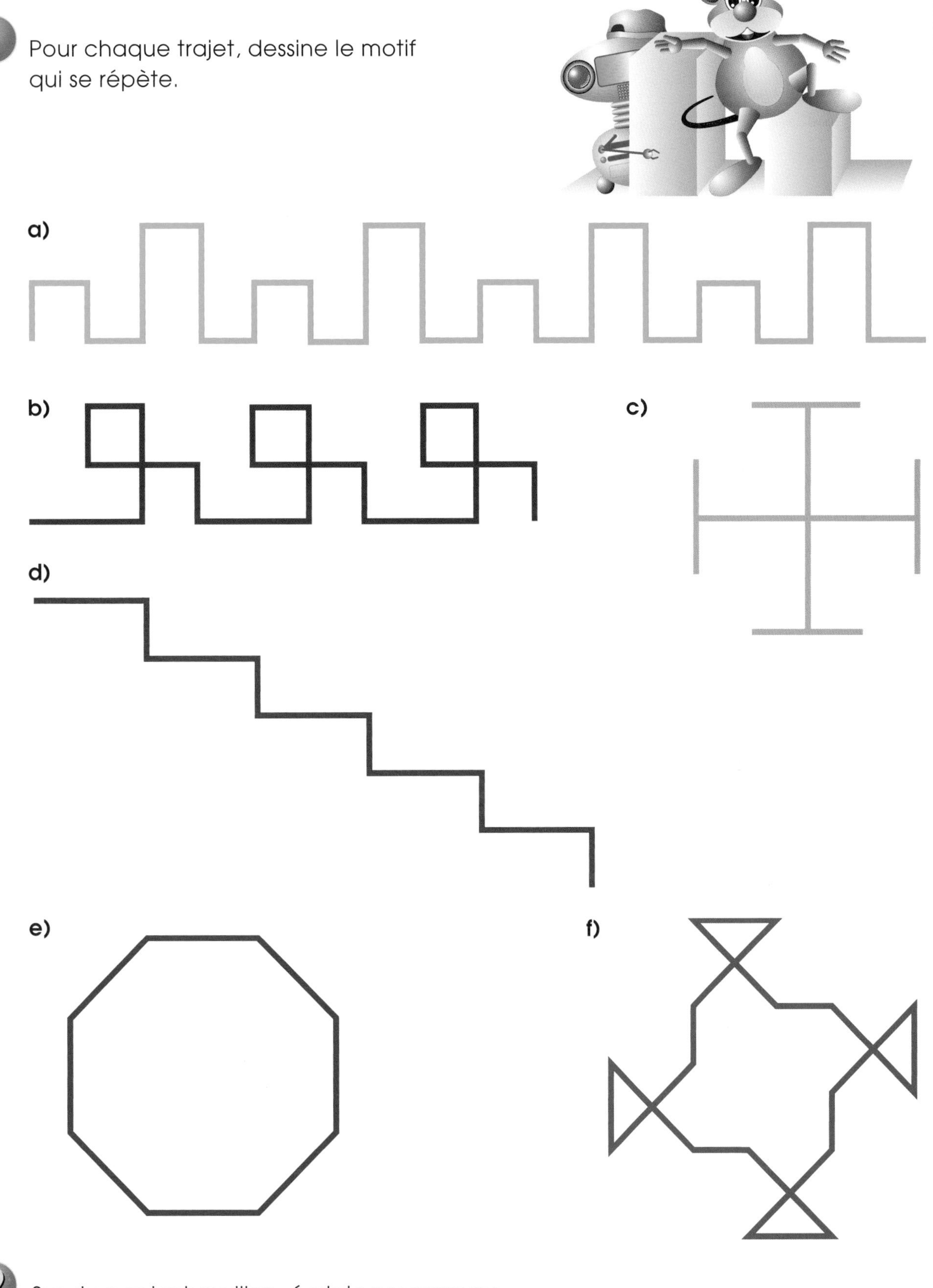

2 Sur du papier brouillon, écris le programme qui permet à Kasilogo de refaire chaque trajet. Note toutes tes mesures en millimètres.

Les blocs de base dix peuvent devenir des unités de mesure par la magie d'un simple bricolage.

Blocs de base dix	Unités de mesure
jeton	1 centimètre = 1 cm

unité	
bande	1 décimètre = 1 dm = 10 cm

dizaine	
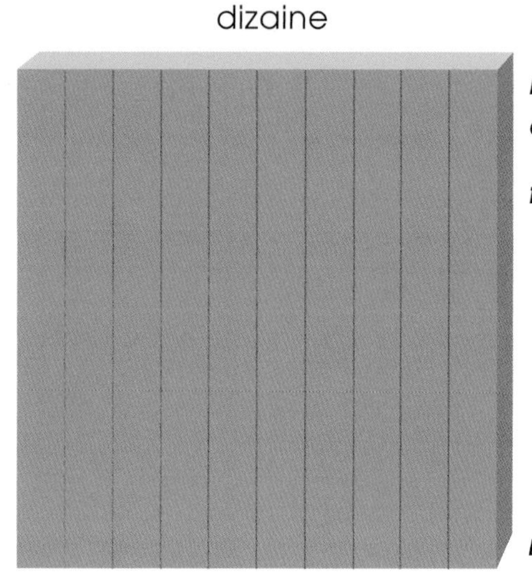	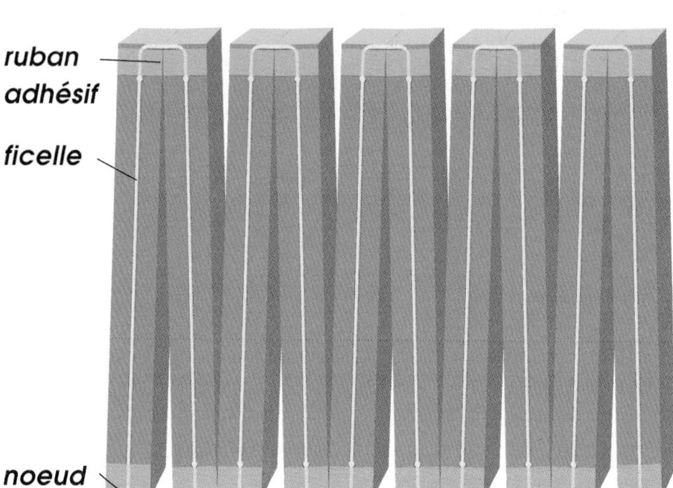
plaque ou centaine	1 mètre = 1 m = 100 cm

Ces ressemblances peuvent t'aider à compléter des égalités portant sur des unités de mesure.

Exemple

1 m + 2 dm + 3 cm = 123 cm

1 centaine + 2 dizaines + 3 unités = 123

Complète les opérations. Note ta réponse en centimètres. Utilise la clé de Caboche.

a) 5 m + 4 cm + 8 dm + 2 m

b) 13 dm + 21 cm + 15 m + 4 dm

c) 7 m – 5 dm – 11 cm

d) 10 m – 135 cm

e) 3 × (4 cm + 5 dm + 2 m)

f) (3 m × 2) + (7 cm × 3) + (6 dm × 4)

g) (7 m ÷ 2) + (9 dm ÷ 3) + (12 cm ÷ 6)

h) (9 m + 3 dm + 6 cm) ÷ 4

i) (11 cm + 15 m + 3 dm) ÷ 2

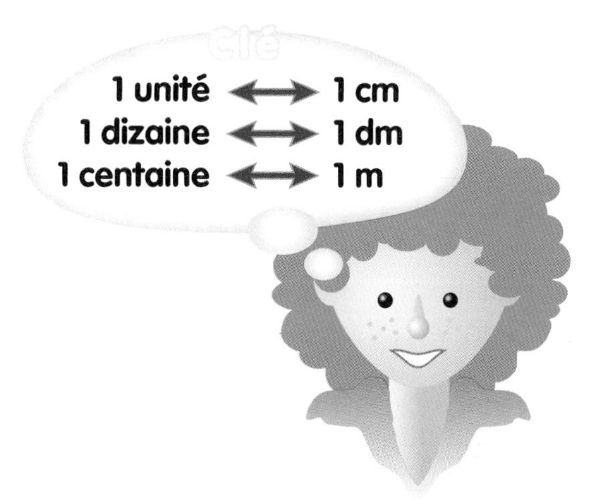

Utilise la clé pour compléter les égalités suivantes.
Utilise aussi ta super-planche

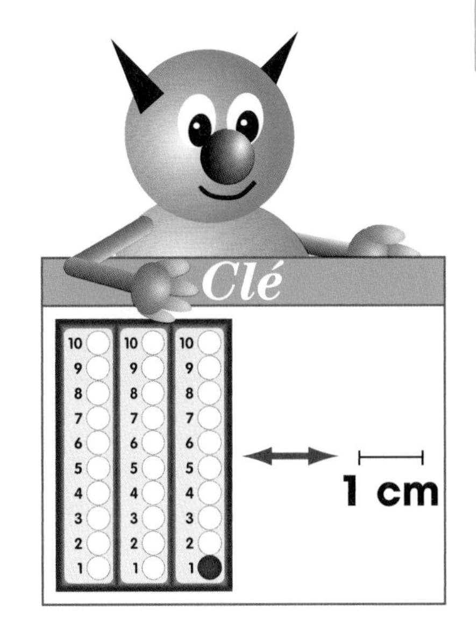

a) 4 m – 5 dm + 20 cm – 3 dm = ▭ cm

b) 24 cm + 18 dm + 6 m – 140 cm = ▭ cm

c) 6 m = 3 dm + 4 m + ▭ cm

d) 8 m = 350 cm + 3 m + ▭ dm

e) 5 m + 210 cm – 14 dm = ▭ dm

f) 58 dm – 6 m + 320 cm = ▭ dm

g) 620 cm – 15 dm + 3 m = ▭ cm

h) 7 m – 280 cm + 16 dm = ▭ cm

i) 8 m – 128 cm – 21 dm = ▭ cm

j) 81 dm – 2 m – 279 cm = ▭ cm

Dans le tableau qui suit, toutes les mesures d'une même ligne sont égales. Reproduis et complète le tableau.

Mètres	Décimètres	Centimètres	Millimètres
1	10	100	1000
4	?	?	?
?	?	500	?
?	60	?	?
?	?	?	3000
?	?	230	?
$1\frac{1}{2}$	?	?	?

Deviens un mini-prof. Invente des cas semblables à ceux du problème 1.
Si possible, réalise ton œuvre à l'ordinateur.
Garde tes réponses secrètes.

Échange tes problèmes contre ceux de quelques camarades.

Tourner en rond...

Aux premiers temps de la navigation, les marins croyaient que la Terre était plate et que d'immenses colonnes la soutenaient.

Des navigateurs plus audacieux ont fini par s'éloigner des côtes vers l'inconnu...
En pleine mer, leurs seuls points de repère étaient les astres.

1 Aujourd'hui, nous savons que la Terre est ronde comme une boule. Nous savons aussi :

- qu'elle tourne sur elle-même sans aucun support ;
- que son diamètre à l'équateur est de 12 756 km ;
- que sa circonférence est de 40 076 km.

À quoi correspondent ces deux mesures ?

2 Si tu regardes un grand navire quitter le port, tu le verras disparaître comme ci-dessous. Sais-tu pourquoi ?

... sans perdre la carte

Un grand cargo tombe en panne en pleine mer. Le capitaine lance un signal de détresse.

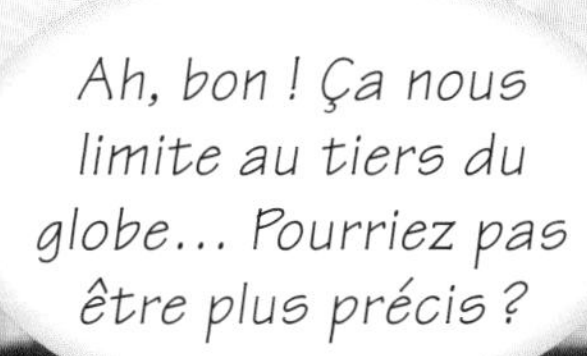

Voilà un capitaine bien peu expérimenté...

 Aujourd'hui, il existe un système de repérage très précis pour situer n'importe quel point du globe. Pour le découvrir, observe un globe terrestre ou une carte du monde.

Quelques volcans du monde

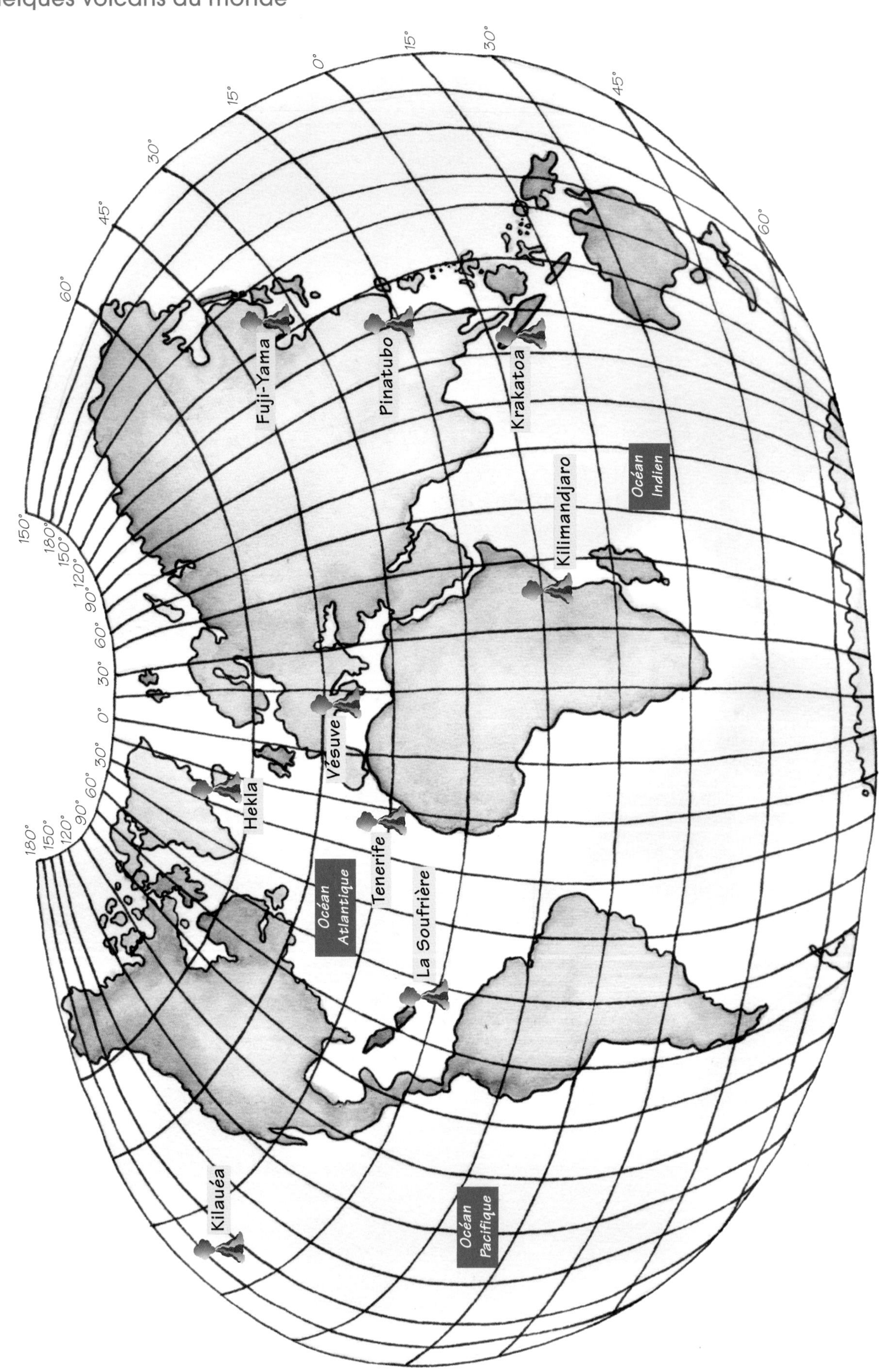

Sur quels continents trouve-t-on les monuments et lieux célèbres suivants ?

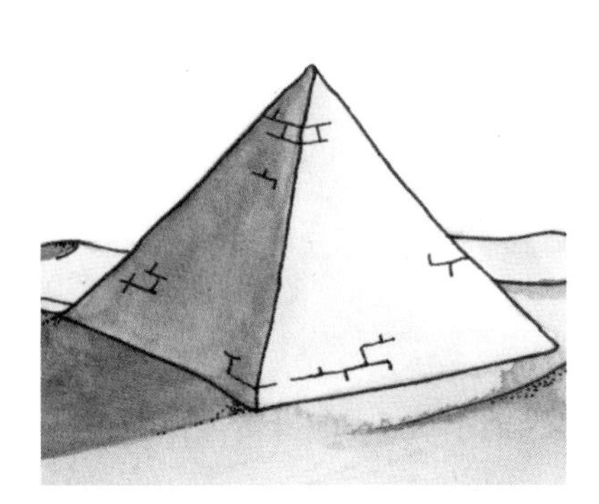

a) Pyramides d'Égypte (30° N., 30° E.)

b) Tour Eiffel (49° N., 2° O.)

c) Vatican (42° N., 12° E.)

d) Désert du Sahara (25° N., 14° O.)

e) Grand Canyon (36° N., 112° O.)

f) Rocher Percé (48° N., 64° O.)

Consulte la carte de la page précédente. Quel volcan se trouve à chacune des positions géographiques suivantes ?

a) 16° N., 62° O.
b) 64° N., 20° O.
c) 7° S., 110° E.
d) 35° N., 138° E.

Trouve la position géographique approximative de chacun des volcans suivants.

a) Tenerife
b) Pinatubo
c) Kilimandjaro
d) Vésuve

 La carte lunaire ci-dessous doit permettre un repérage efficace. Quelles coordonnées faudrait-il ajouter ?

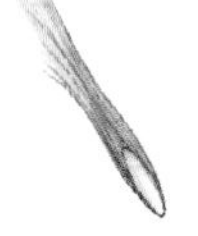

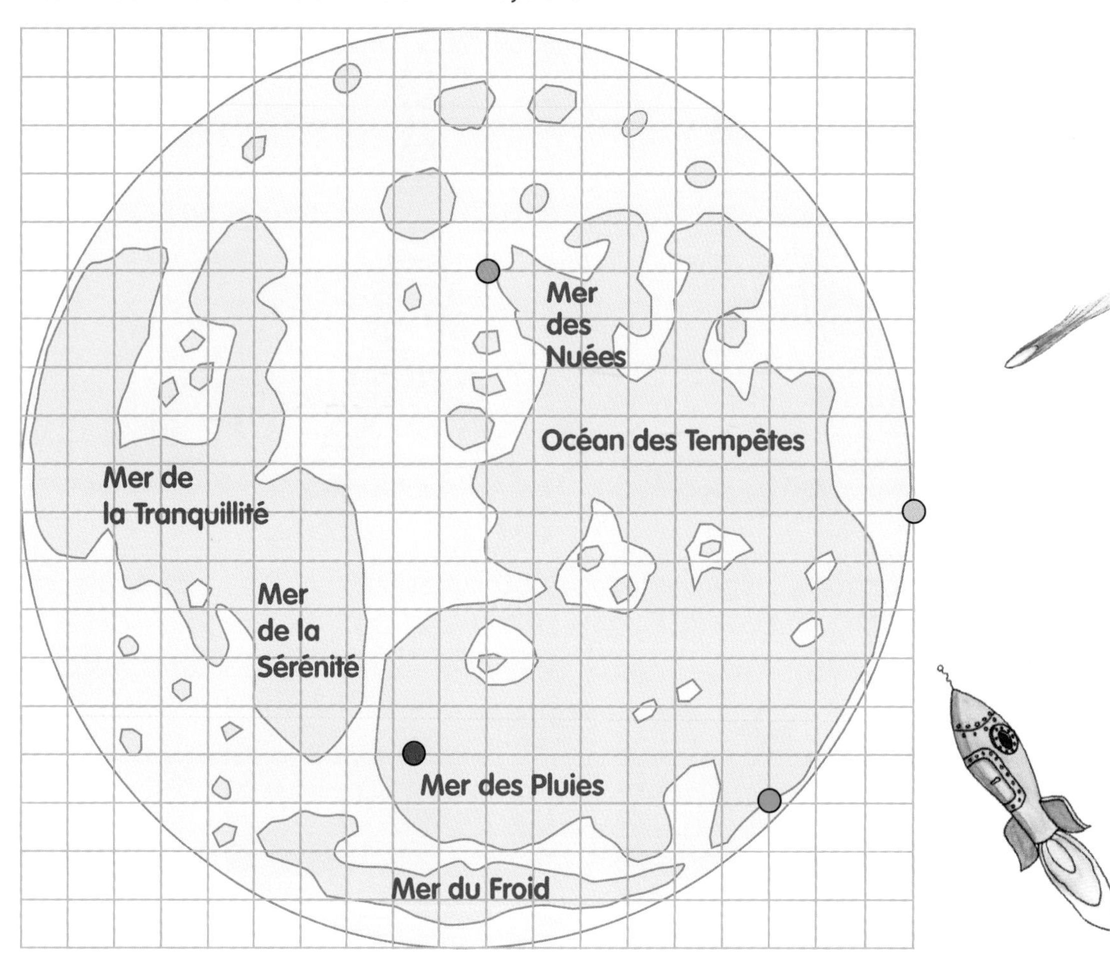

 Chaque cas associe un point d'impact d'une météorite colorié sur la carte du numéro 1 avec ses coordonnées cartésiennes. Ajoute les informations manquantes. Pour les cas e), f), g) et h), utilise la fiche complémentaire *Géométrie 9*.

a) ● à (**?**,**?**)

b) ● à (**?**,**?**)

c) ○ à (**?**,**?**)

d) ● à (**?**,**?**)

e) ● à (3, 6)

f) ● à (16, 14)

g) ○ à (0, 10)

h) ○ à ($11\frac{1}{2}$, $9\frac{1}{2}$)

 Si des cases étaient ajoutées à la grille de la carte du numéro 1, quelles seraient les coordonnées de la tête de chaque comète illustrée ?

a) 

b) 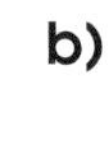 

Voici quelques grandes constellations du ciel de l'hémisphère Nord.

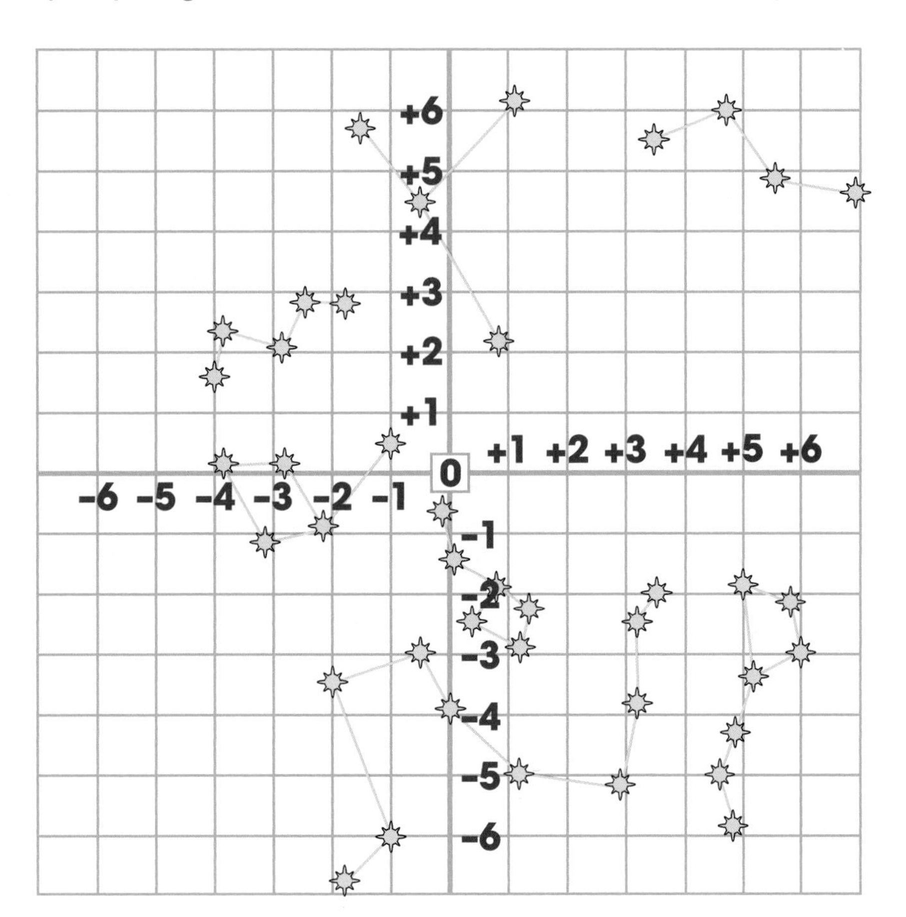

Grâce aux indices suivants, repère sur la carte chacune des constellations.

a) L'étoile située à (+1, +2) appartient à la Girafe.

b) L'étoile située à (–3, +2) se trouve dans Cassiopée.

c) L'étoile située à (+5, –6) appartient à la Grande Ourse.

d) L'étoile située à (–4, 0) est dans la constellation Céphée.

Sur la fiche complémentaire *Géométrie 10,* reproduis les constellations ci-dessus. Ajoute les étoiles qui manquent.

a) L'étoile située à (–1, –7) complète la constellation du Dragon.

b) L'étoile située à (+8, +5) complète la constellation du Lynx.

c) Pour imiter la course apparente des étoiles, fais tourner le diagramme des constellations dans le sens anti-horaire. Polaris, l'étoile Polaire, est située au point (0, 0). Elle doit sembler immobile. À quelle constellation appartient Polaris ?

L'écran radar ci-contre te montre une carte lunaire. Reproduis chaque trajectoire sur la grille de la fiche complémentaire *Géométrie 9*.

La trace d'un astronef voyageant en ligne droite traverse l'écran.

a) Trouve au moins 4 points où l'astronef est déjà passé.

(16, **?**) (**?**, 11)

(**?**, **?**) (**?**, **?**)

b) Trouve au moins 4 points où il passera bientôt.

(10, **?**) (**?**, 0)

(**?**, **?**) (**?**, **?**)

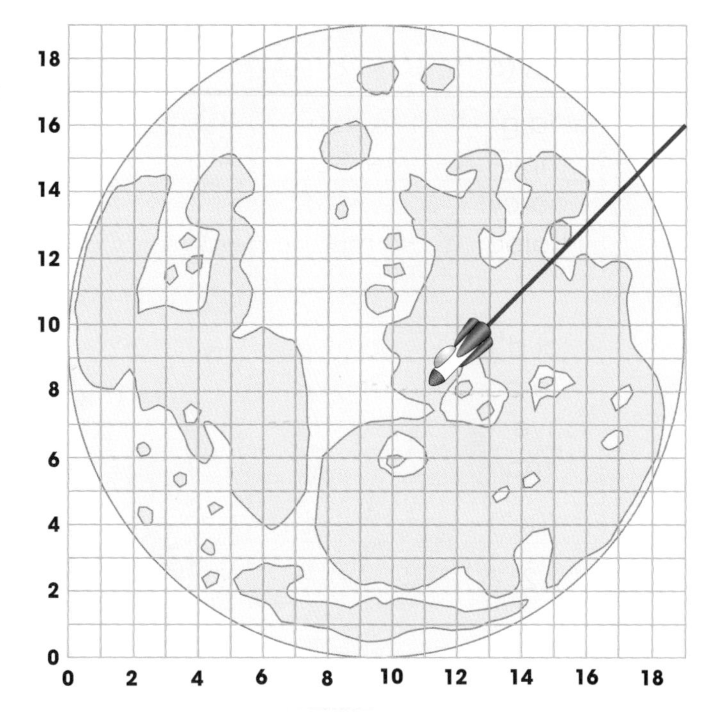

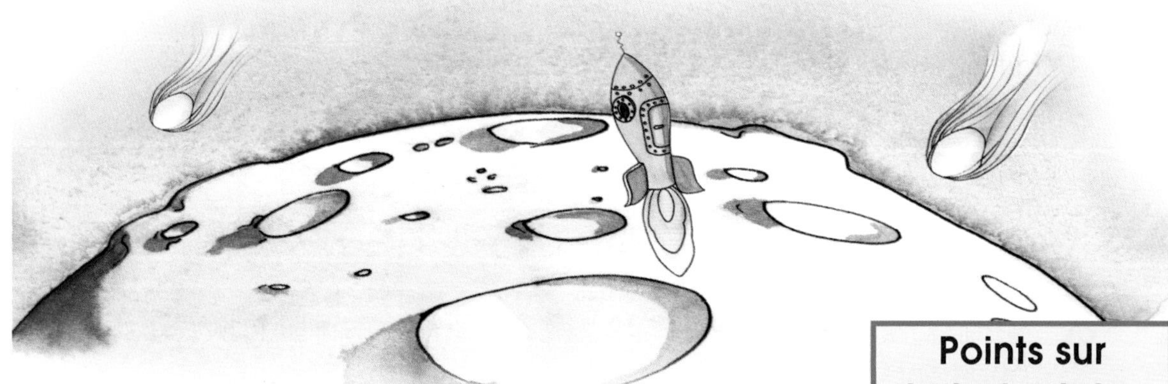

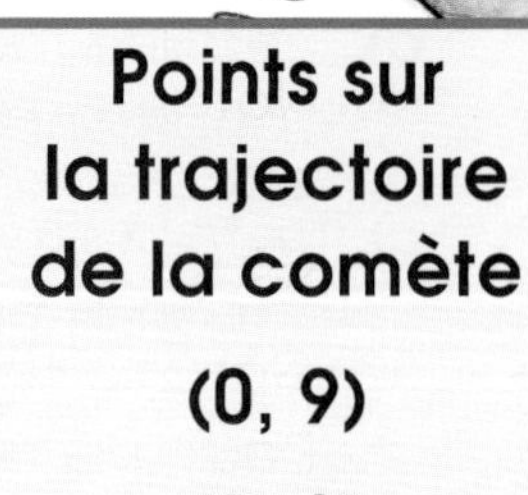

Une comète traverse également l'écran au même moment. Le tableau ci-contre te donne une série de points situés sur sa trajectoire.

a) Note les coordonnées manquantes.

b) Sur la grille de la fiche complémentaire *Géométrie 9*, trace la ligne droite représentant le passage de la comète.

c) Complète l'énoncé suivant.
POUR LES AS
Pour que (a, b) soit sur la trajectoire de la comète, il faut que ▬ + ▬ = ▬

d) À quel point y a-t-il risque de collision entre la comète et l'astronef ?

Points sur la trajectoire de la comète
(0, 9)
(1, 8)
(2, 7)
(3, ?)
(?, 5)
(7, ?)
POUR LES AS **(?, $\frac{1}{2}$)**

Imagine une fusée voyageant en ligne droite qui passe par les points suivants :

(3, 8), (6, 5) et (9, 2)

Sur la grille de la fiche complémentaire *Géométrie 9* encercle ces lieux et trace la trajectoire complète.

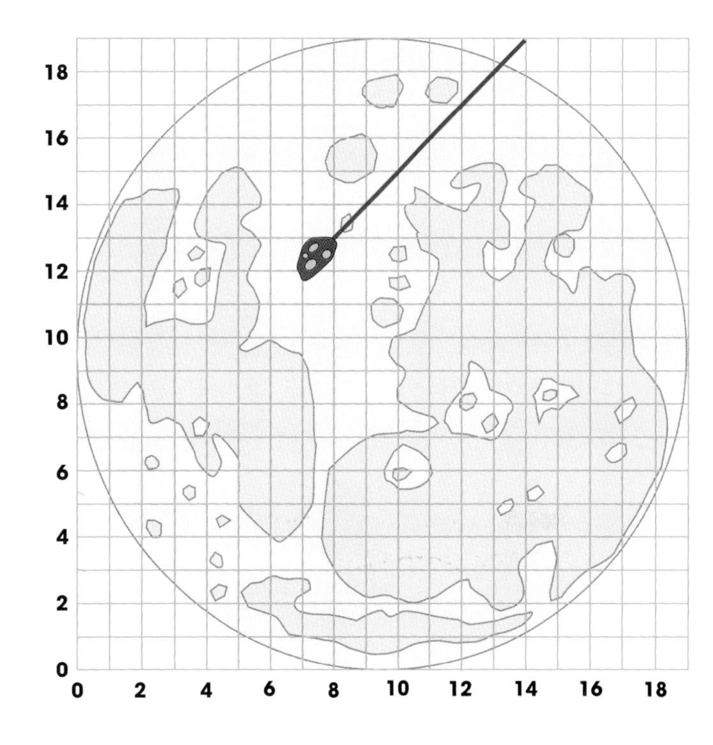

Voici d'autres points situés sur le parcours de la fusée. Trouve les coordonnées qui manquent.

a) (0, **?**)

b) (**?**, 4)

c) (2, **?**)

d) (**?**, $9\frac{1}{2}$)

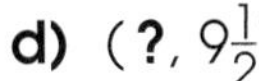

Complète l'énoncé suivant.

Pour que (a, b) soit sur la trajectoire de la fusée, il faut que...

Une météorite traverse aussi l'écran en ligne droite. On voit sa trace sur l'écran. Le tableau ci-contre te donne sept points situés sur le passage de la météorite.

a) Note les coordonnées manquantes et complète la trajectoire sur la grille de la fiche complémentaire *Géométrie 9*.

b) Complète l'énoncé suivant. Pour que (a, b) soit sur la trajectoire de la météorite, il faut que...

c) À quel point y a-t-il risque de collision entre la météorite et la fusée ?

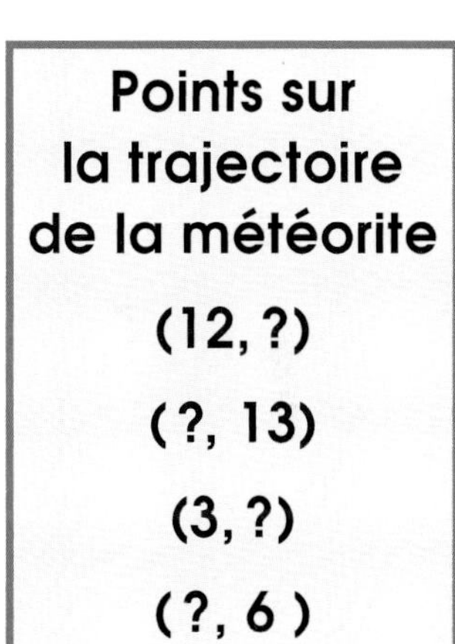

Points sur la trajectoire de la météorite

(12, ?)

(?, 13)

(3, ?)

(?, 6)

(?, ?)

(?, ?)

(?, $3\frac{1}{5}$)

D 29

Architectes en herbe...

Tu connais probablement déjà le talent des trois petits cochons pour la construction.

Construis le modèle de chaque condo décrit ci-dessous. Utilise des centicubes pour représenter chaque pièce.

a) Condo de 6 

Le toit **Les 4 faces**

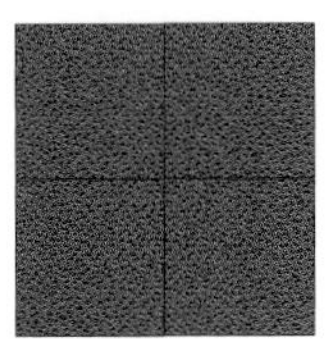

b) Condo de 6 

Le toit **Les 4 faces**

5 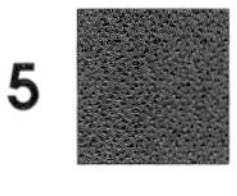

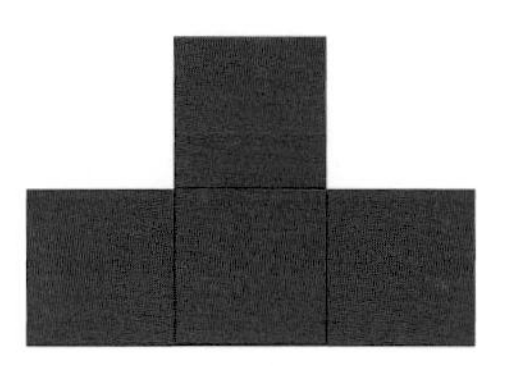

c) Condo de 10

Le toit **Les 4 faces**

8 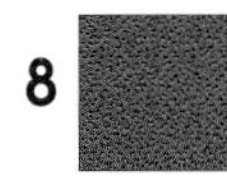

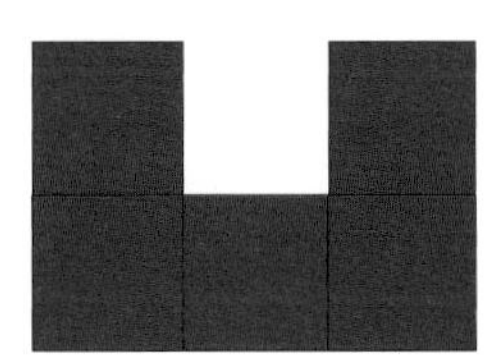

d) Condo de moins de 7

Les 4 faces

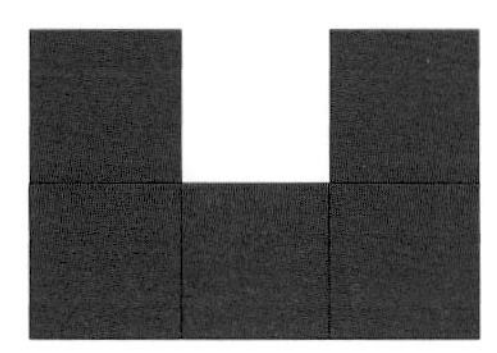

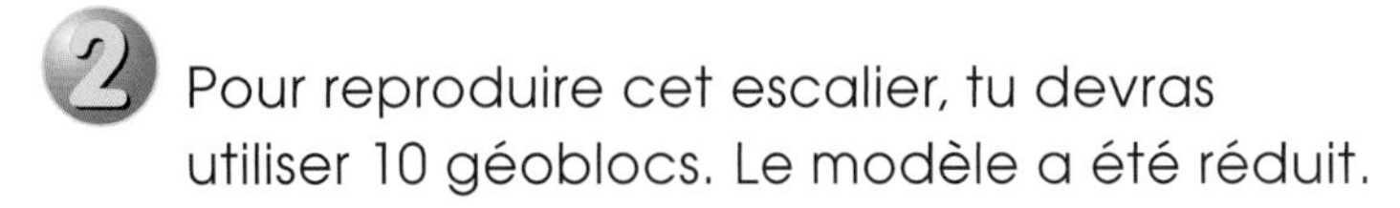

Pour reproduire cet escalier, tu devras utiliser 10 géoblocs. Le modèle a été réduit.

- Les 10 blocs sont des prismes.
- Exactement 6 blocs ont au moins une face qui n'est pas un rectangle.
- Les faces du bloc qui occupe le coin inférieur droit ne sont pas toutes des quadrilatères.

… au Géovillage

3 Construis chaque modèle proposé sur cette page avec les géoblocs indiqués. Imagine aussi tes propres constructions à ajouter au Géovillage.

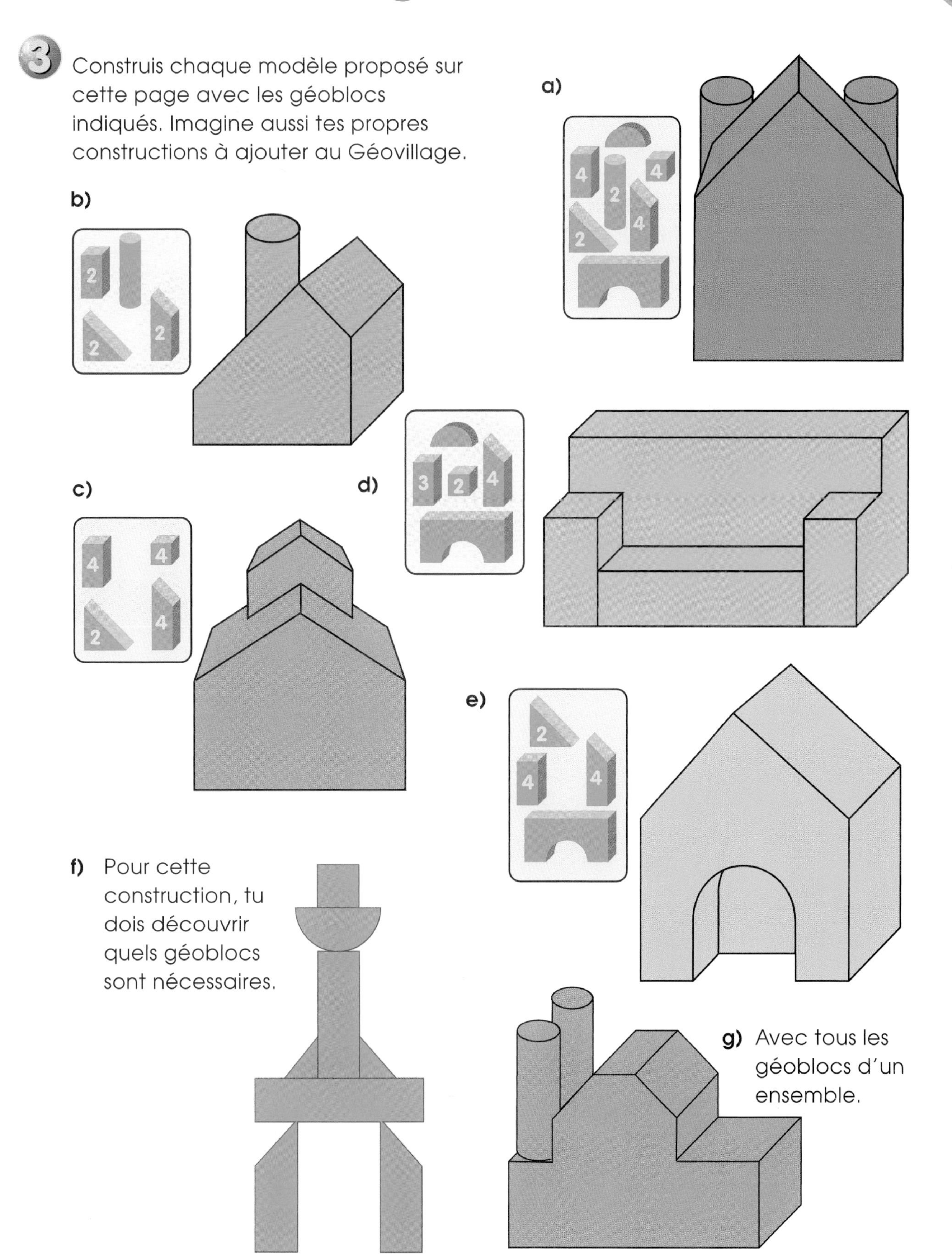

f) Pour cette construction, tu dois découvrir quels géoblocs sont nécessaires.

g) Avec tous les géoblocs d'un ensemble.

Les cubes utilisés pour réaliser les constructions ci-dessous sont des centicubes.

Fiche descriptive

Nombre de ■ : **?** ou Volume : **?** cm^3

Nombre de ■ : **?** ou Aire du toit : **?** cm^2

Nombre de ■ : **?** ou Aire latérale : **?** cm^2

Périmètre de la base : **?** cm

1 Pour chaque construction ci-dessous, complète la fiche descriptive représentée à droite. Prédis les mesures qui te sont demandées. Vérifie ensuite tes prédictions en construisant chaque solide.

a)

b)

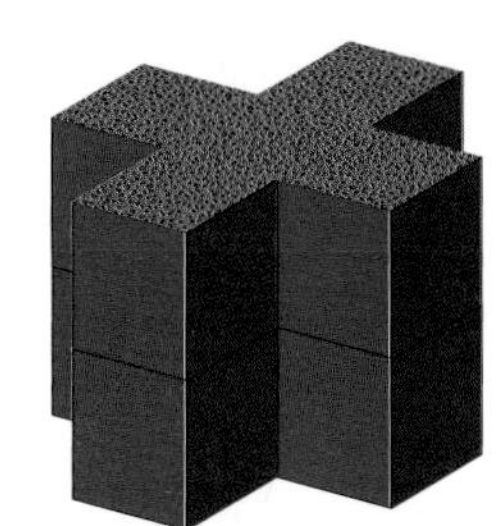

c)

d)

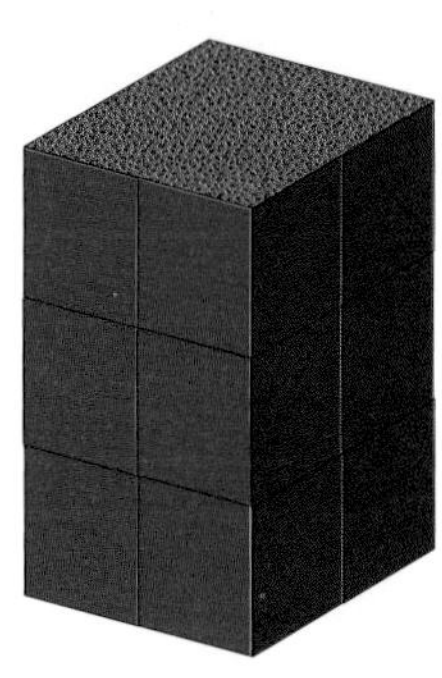

e)

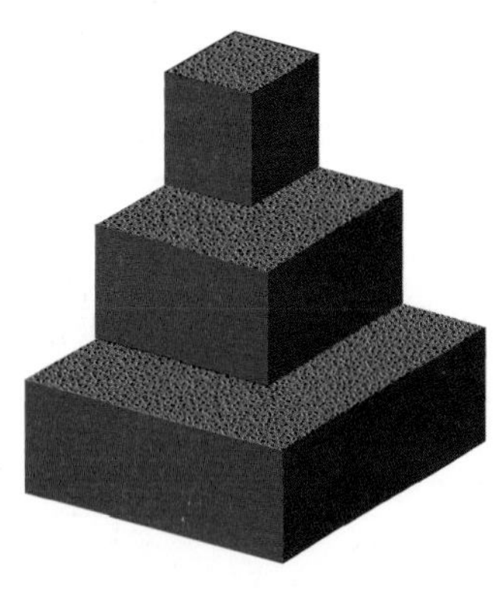

f)

2 Quels solides du numéro 1 sont des prismes ?

À partir des indices fournis, construis un modèle qui convient. Complète les données.

a)

Plan du toit — **Plan des quatre côtés**

?

Volume : 7 cm³
Périmètre (base) : ? cm

b)

Plan du toit — **Plan des quatre côtés**

Volume : ? cm³
Périmètre (base) : ? cm

c)

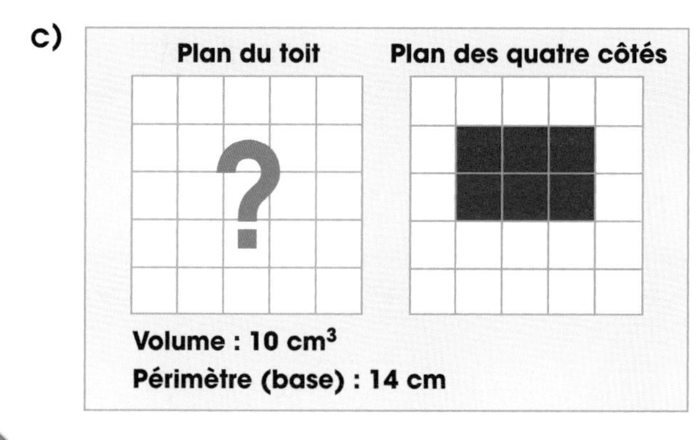

d)

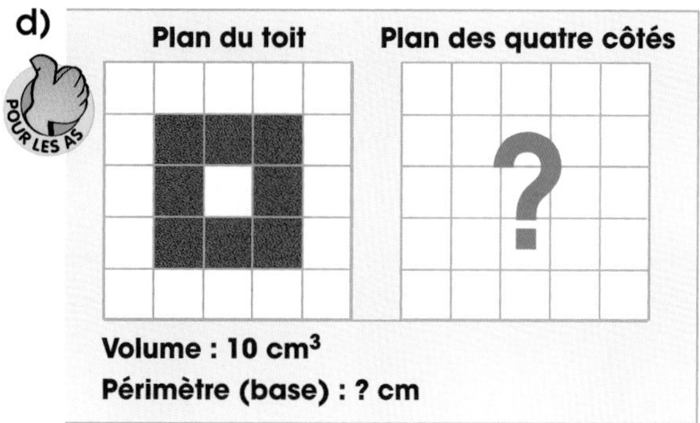

POUR LES AS

2 Chacun de ces châteaux peut être érigé avec un ensemble complet de géoblocs. Avec un peu de patience, tu y arriveras.

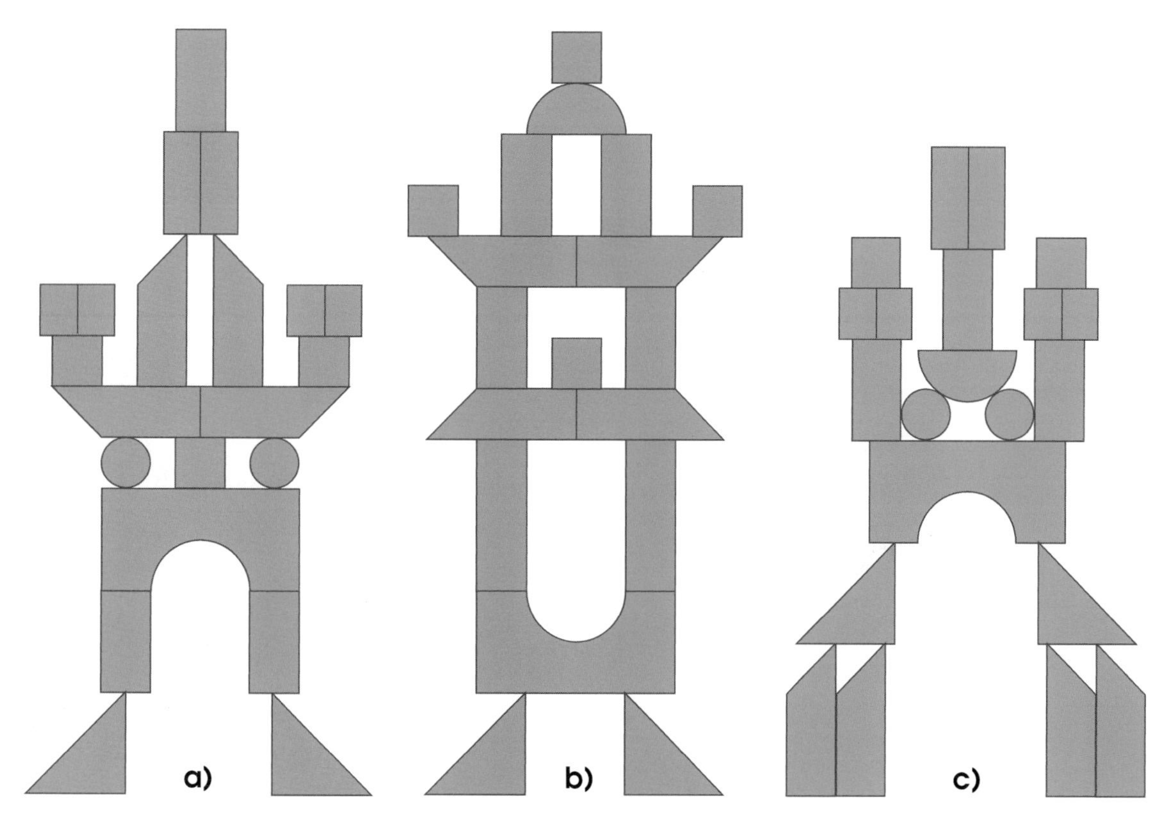

1 Chaque lettre ci-dessous a été formée avec les géoblocs indiqués. Les modèles ont été réduits. Trouve la position de chaque bloc.

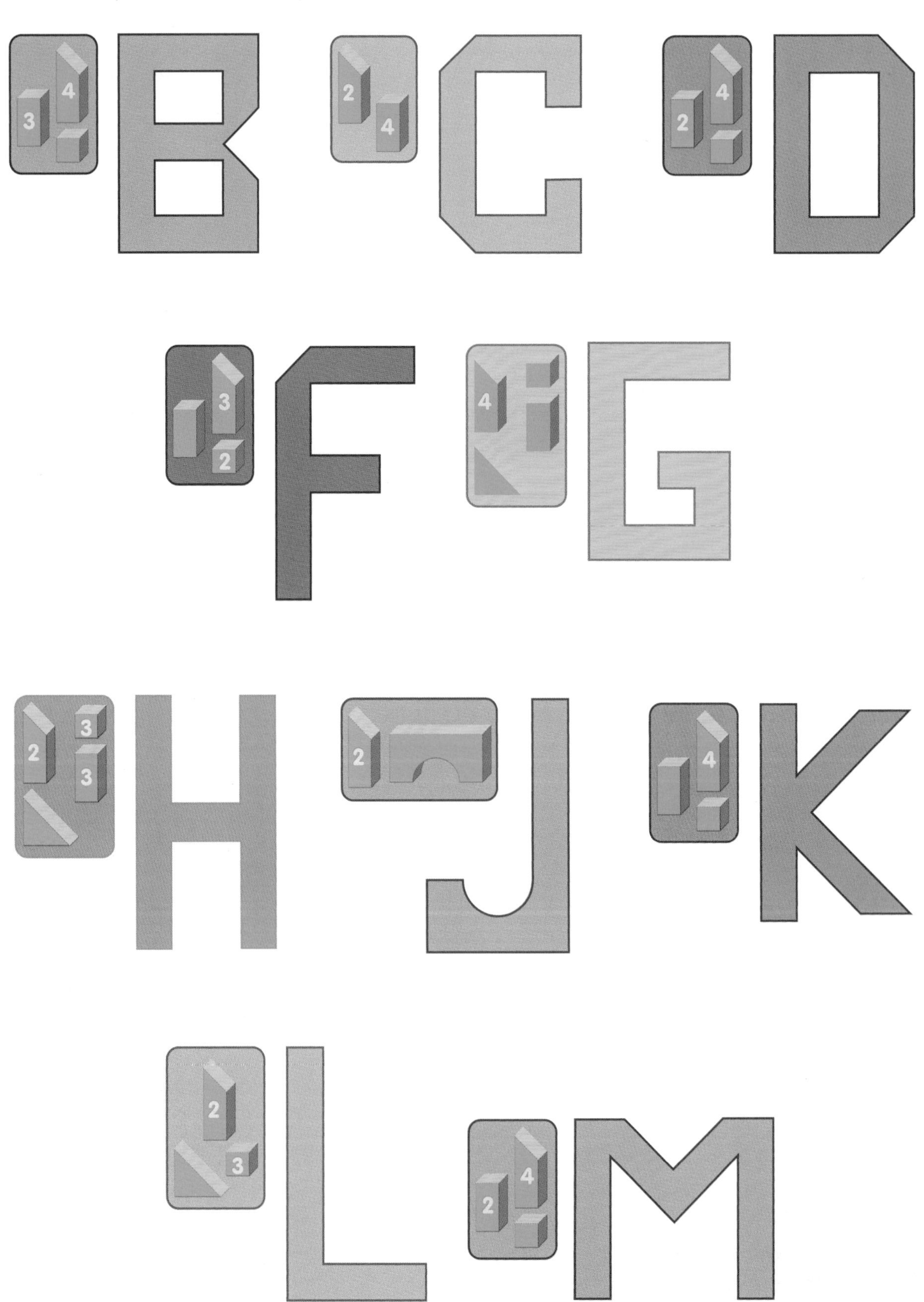

1 Chaque lettre ci-dessous a été formée avec le nombre de géoblocs indiqué. Les modèles ont été réduits.
Trouve la position de chaque bloc.

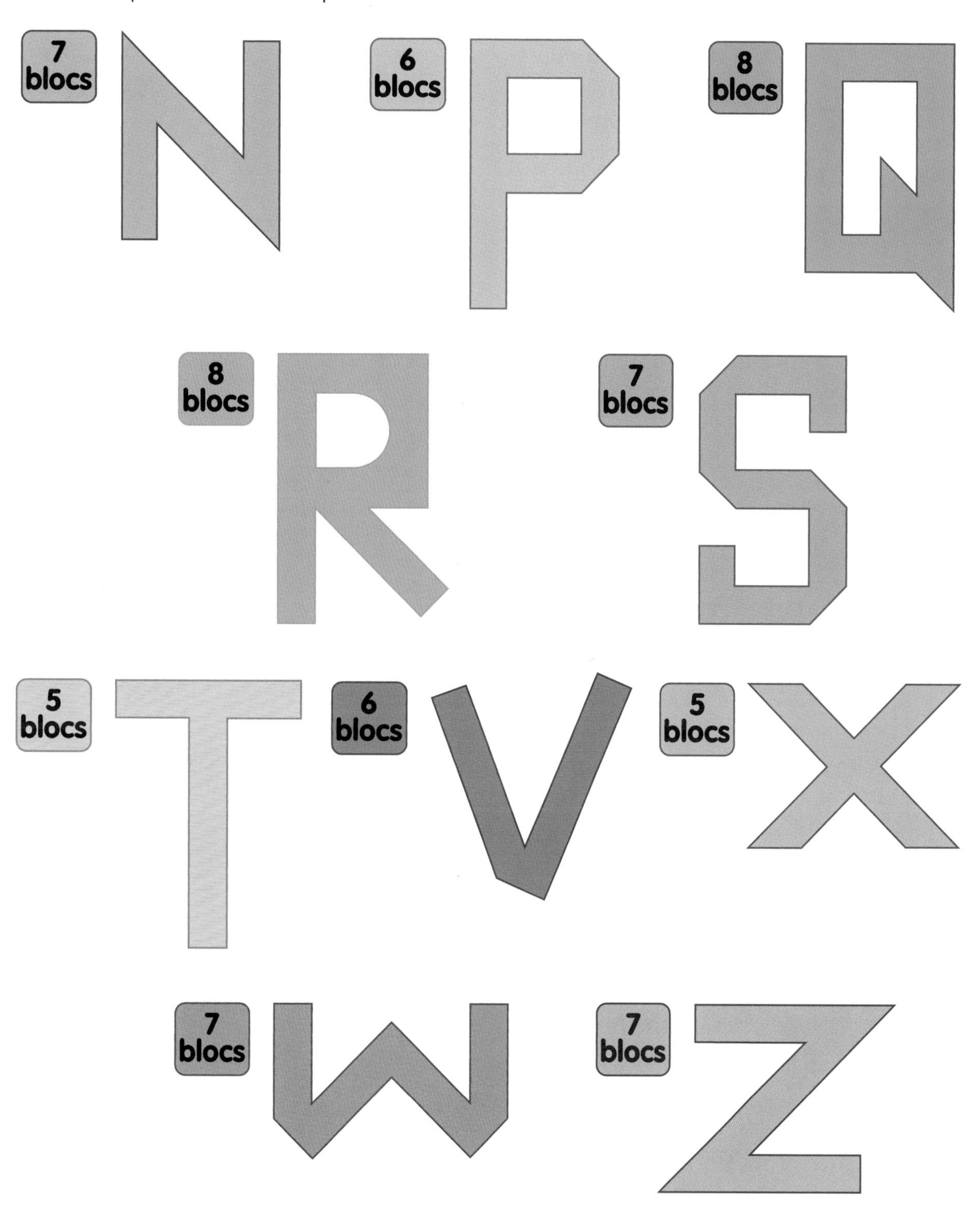

2 Invente un modèle pour chacune des voyelles.
Dessine les contours et soumets tes problèmes à quelques camarades.

Le miroir est un merveilleux outil pour créer une symétrie.

Modèle

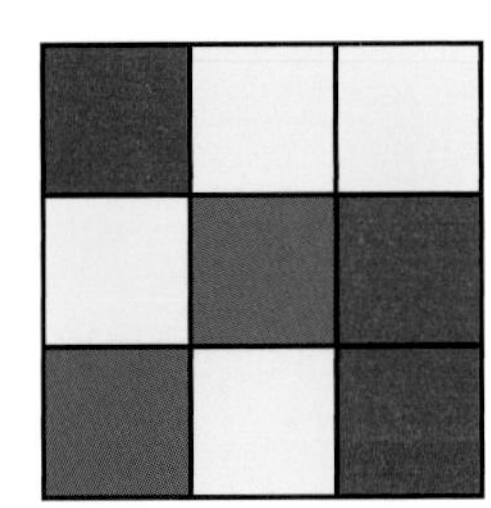

Le miroir permet d'obtenir une figure *symétrique* à partir du modèle.

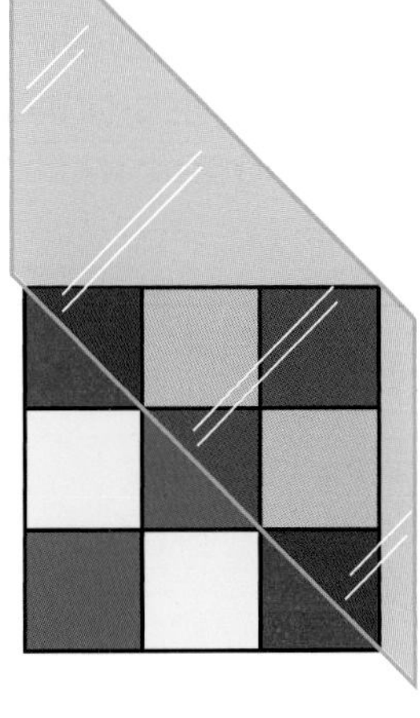

La ligne du miroir correspond à l'axe de symétrie, aussi appelé *axe de réflexion*.

1 Construis les modèles suivants avec des centicubes. Place le miroir sur ton modèle de façon à obtenir chacune des images symétriques suggérées. Certaines images ont subi une rotation. L'exemple ci-dessous te montre la façon de noter tes solutions sur la fiche complémentaire *Géométrie 11*.

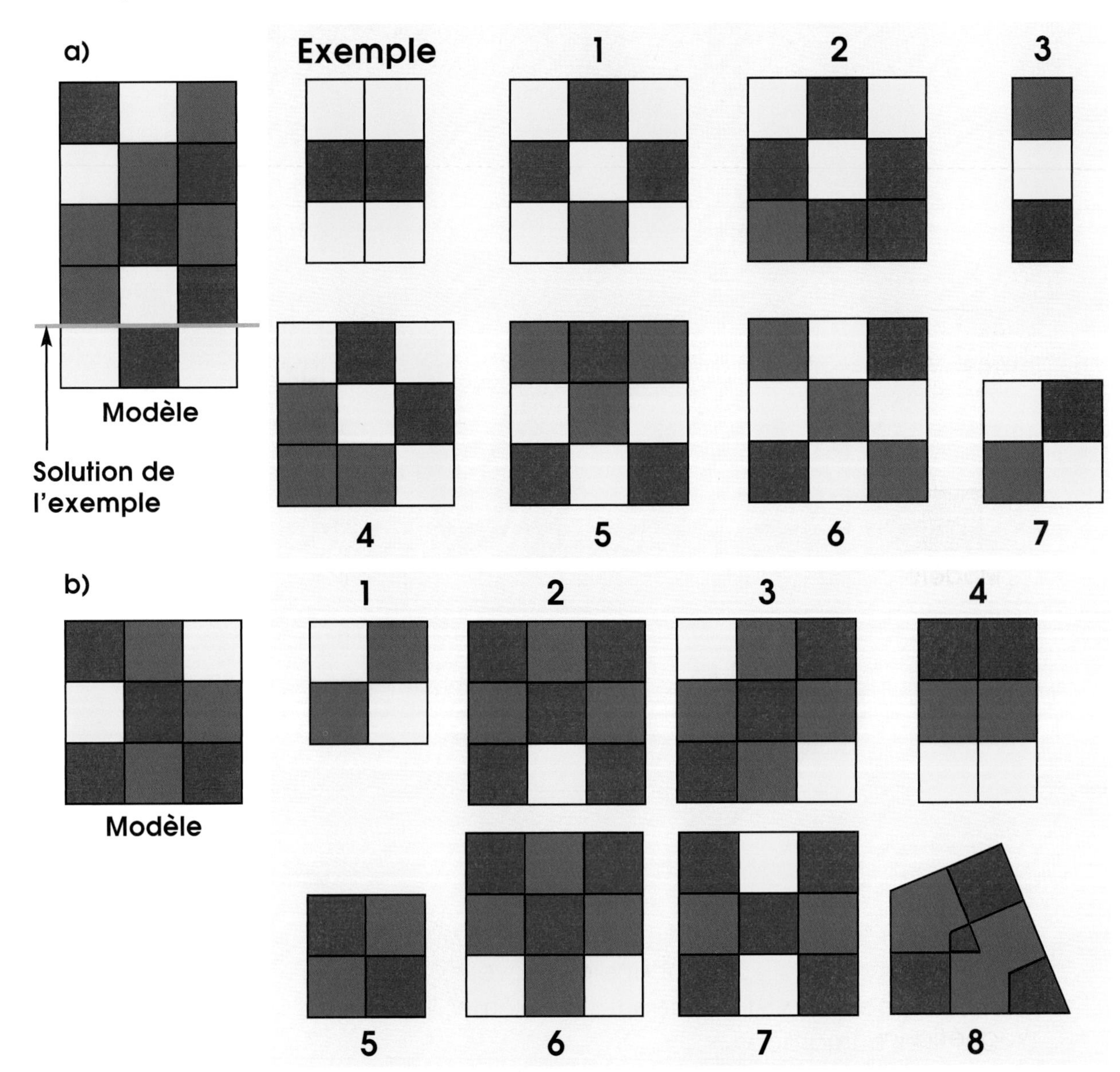

Fiche complémentaire *Géométrie* 11

Construis les modèles suivants avec des centicubes. Place le miroir sur ton modèle de façons à obtenir chacune des images symétriques suggérées. Note tes solutions sur la fiche complémentaire *Géométrie 12.*

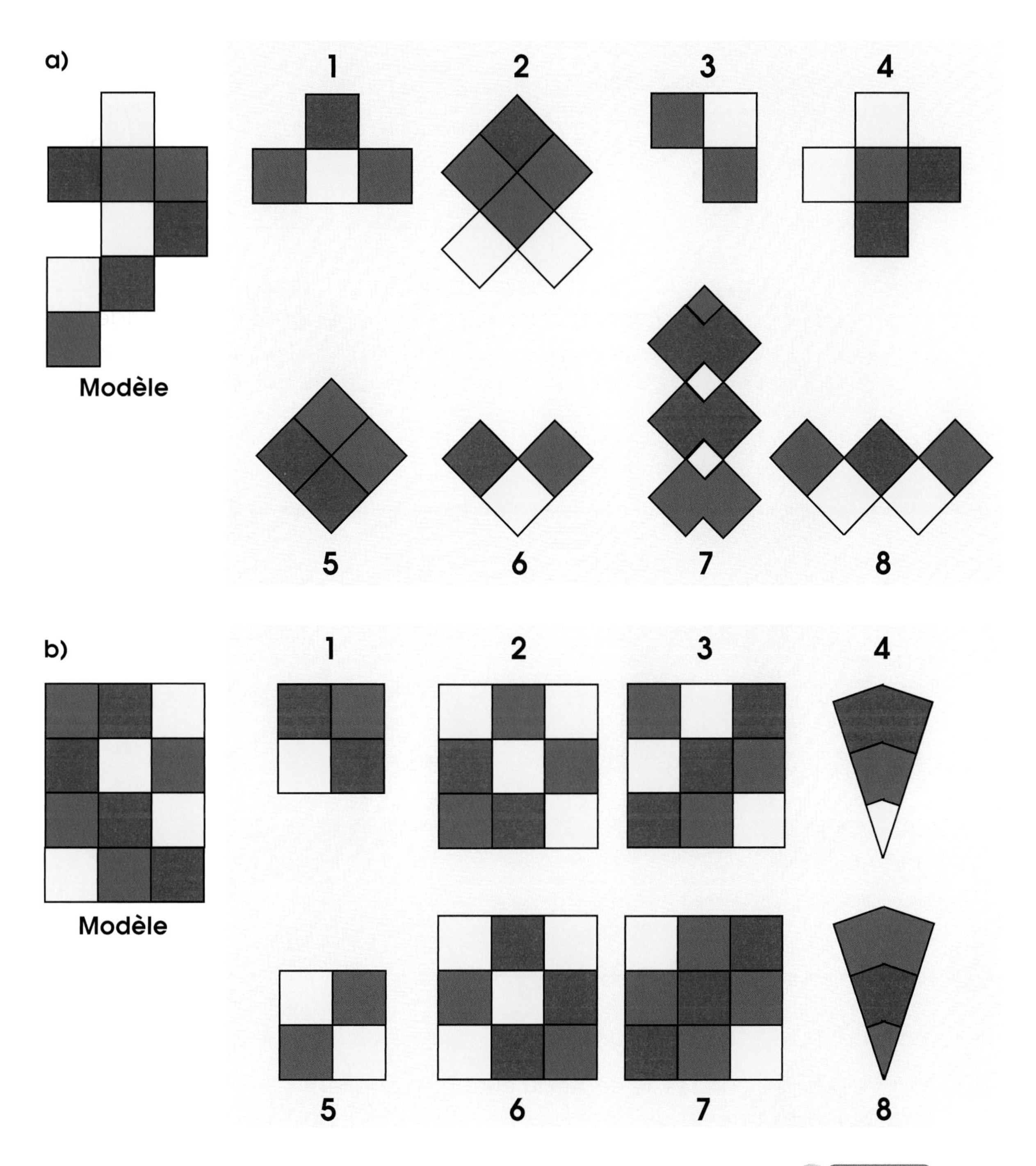

Deviens un mini-prof ! Invente un problème semblable au numéro 1. Ces figures sont plus faciles à produire à l'aide d'un logiciel de dessin comportant une grille magnétique.

Fiches complémentaires *Géométrie* 12 et 13

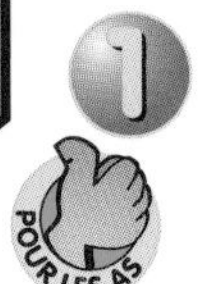

Pour chaque construction ci-dessous, complète la fiche descriptive représentée à droite. Prédis les mesures qui te sont demandées. Vérifie ensuite tes prédictions en construisant chaque solide.

Fiche descriptive

Nombre de  : **?** ou Volume : **?** cm^3

Nombre de : **?** ou Aire du toit : **?** cm^2

Nombre de : **?** ou Aire latérale : **?** cm^2

Périmètre de la base : **?** cm

a)

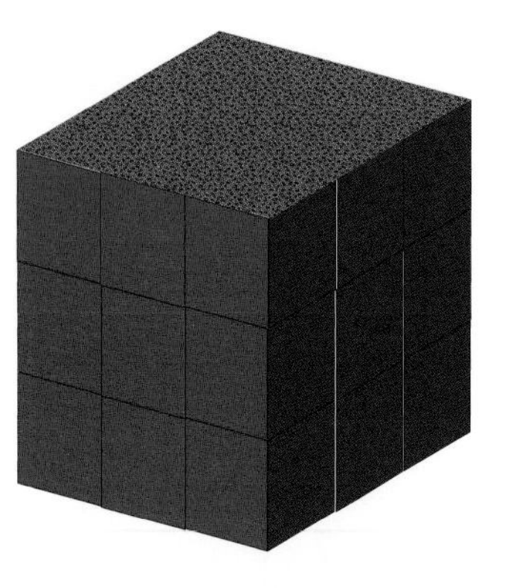

b)

c)

d)

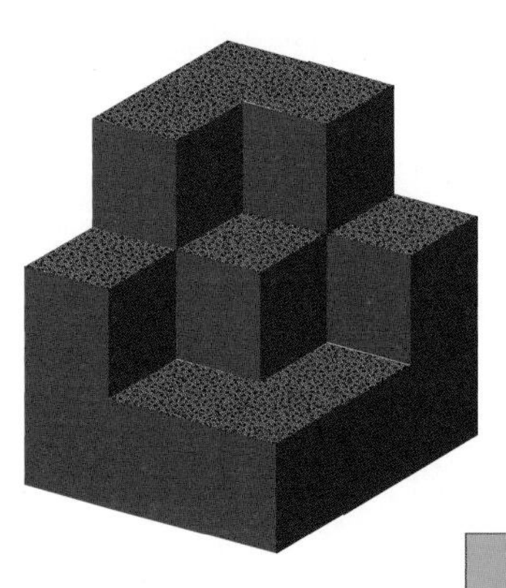

2 Quels solides du numéro 1 sont des prismes ?

3 Malgré les apparences, le château ci-contre contient un ensemble complet de géoblocs.

a) Érige-le sans qu'il s'écroule.

b) Où sont les prismes triangulaires ?

c) Où sont les les prismes rectangulaires ?

d) Mais où est donc le demi-cylindre ?

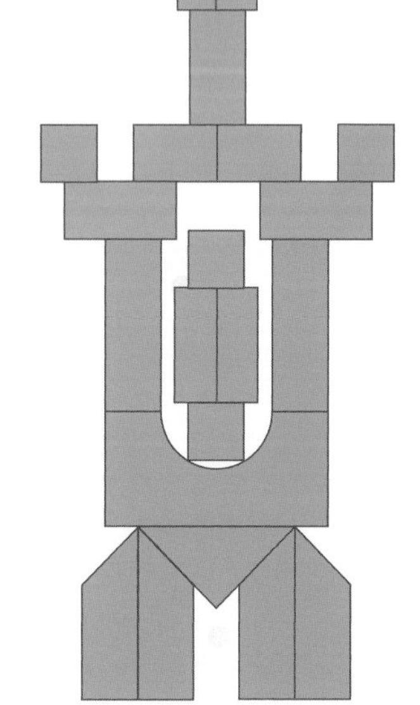

Voici la carte d'identité de la pyramide à base carrée.
Quels sont les renseignements qui manquent ?

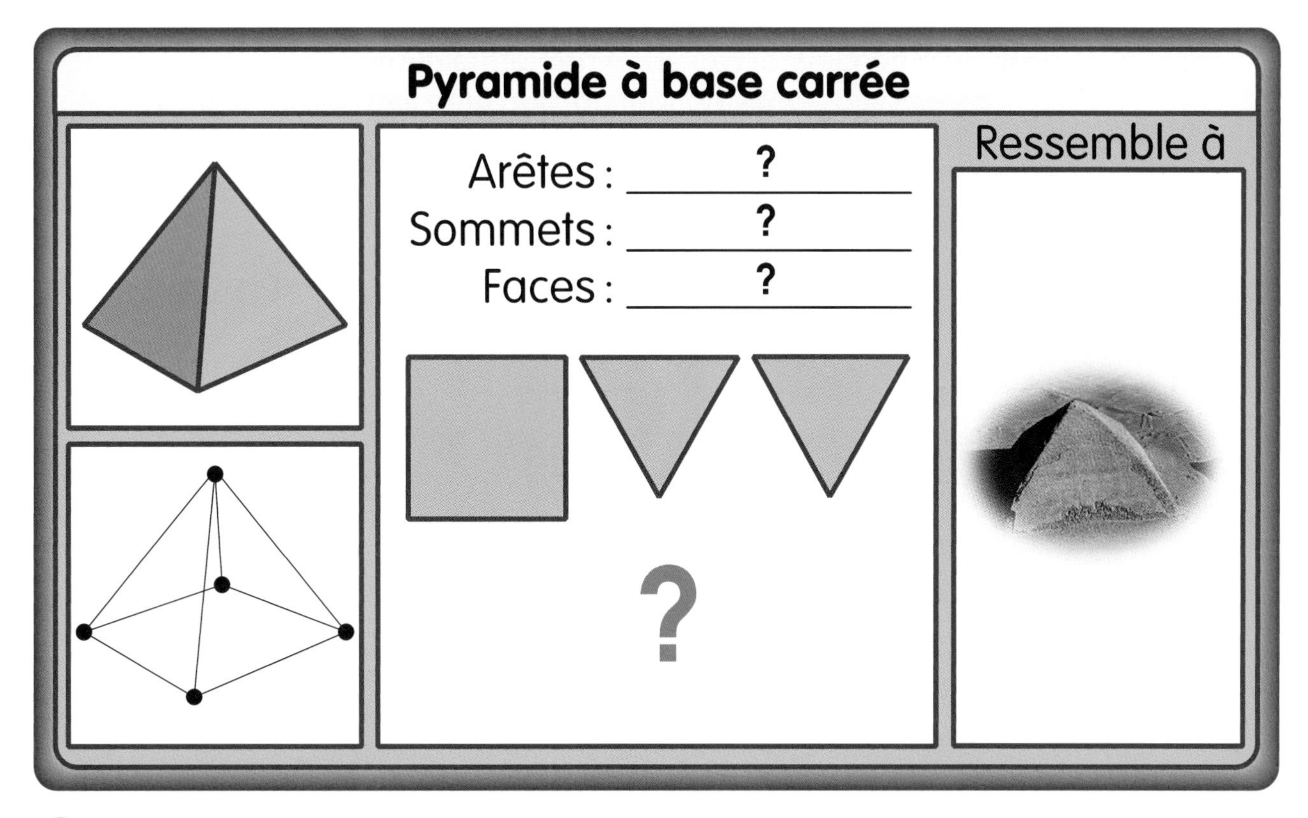

2 Remplis la carte d'identité du prisme tronqué de la fiche complémentaire *Géométrie 14*.

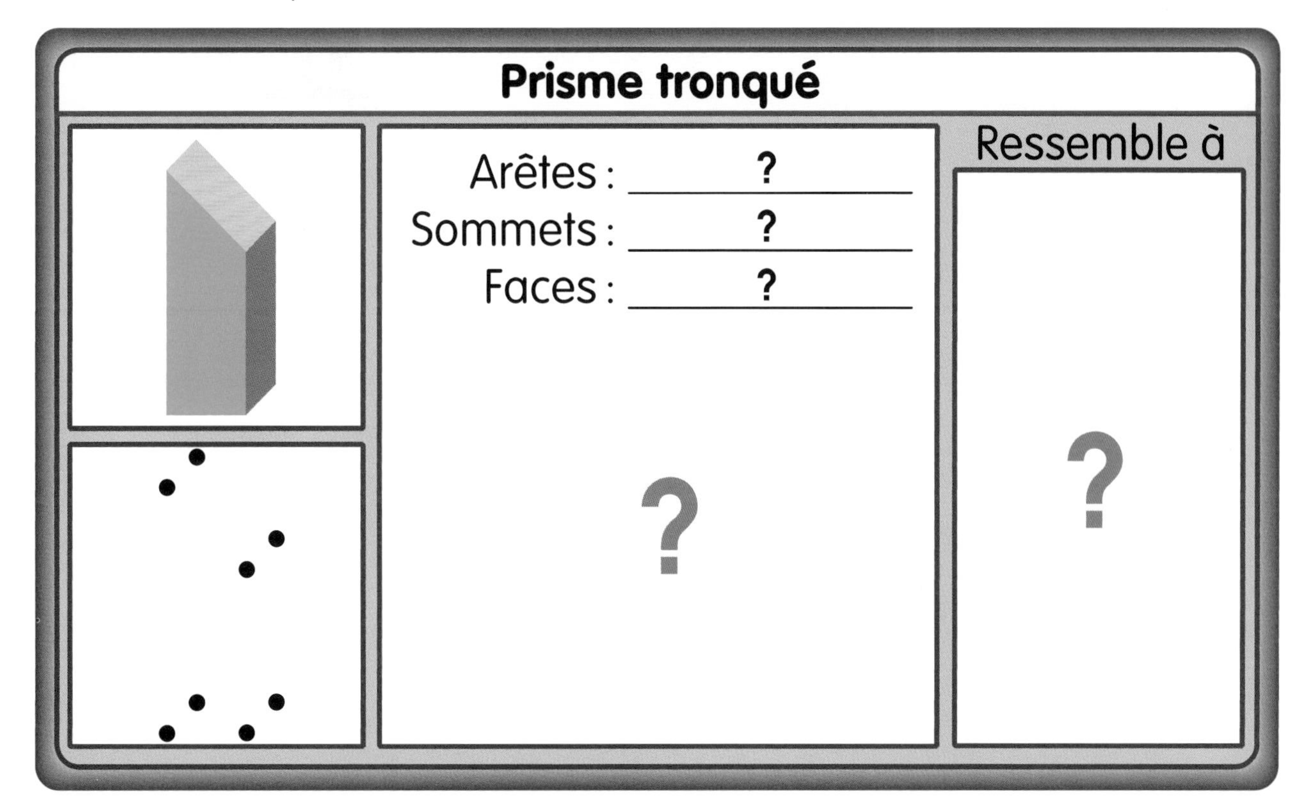

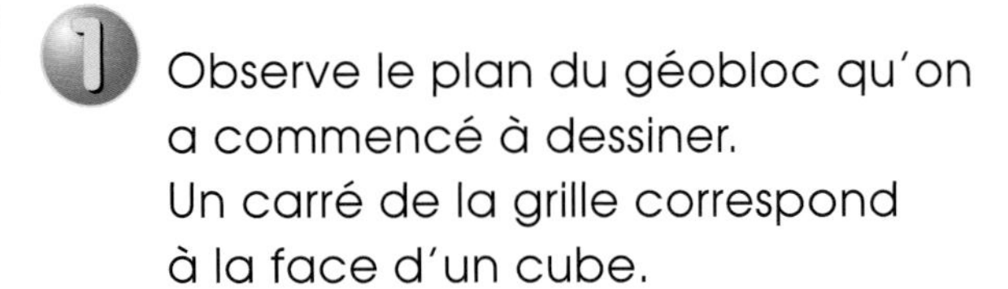

1 Observe le plan du géobloc qu'on a commencé à dessiner.
Un carré de la grille correspond à la face d'un cube.

a) Combien de faces manque-t-il ?

b) Sur du papier quadrillé, reproduis et termine le plan à l'échelle.

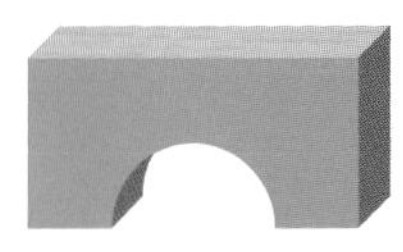

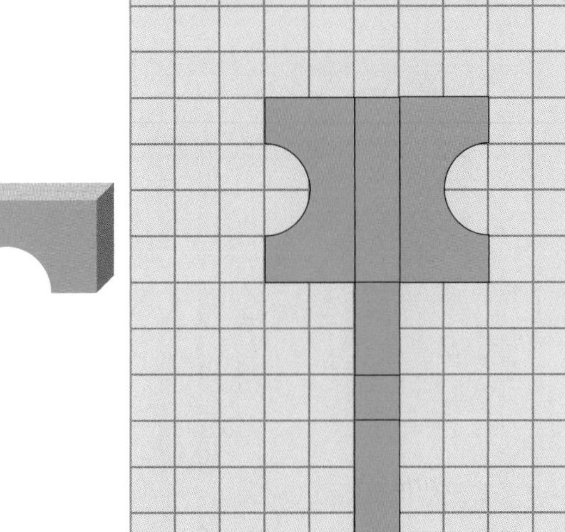

2 Sur du papier quadrillé, fais le plan de chaque prisme de ton ensemble de géoblocs. Pars de la face déjà dessinée. Si possible, trace aussi chaque plan à l'ordinateur.

a)

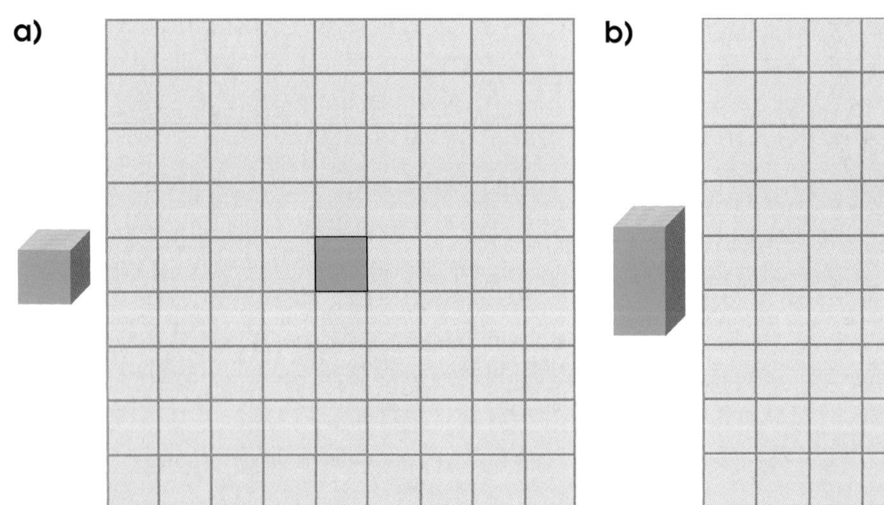

b)

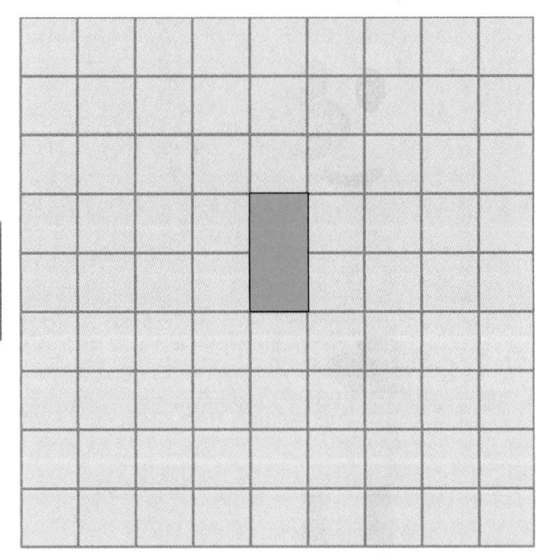

c)

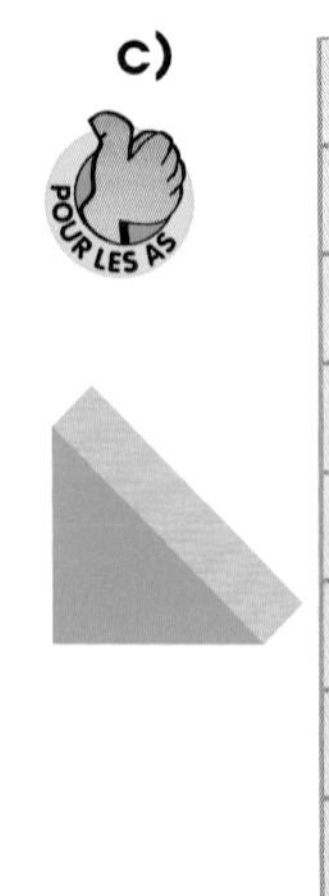

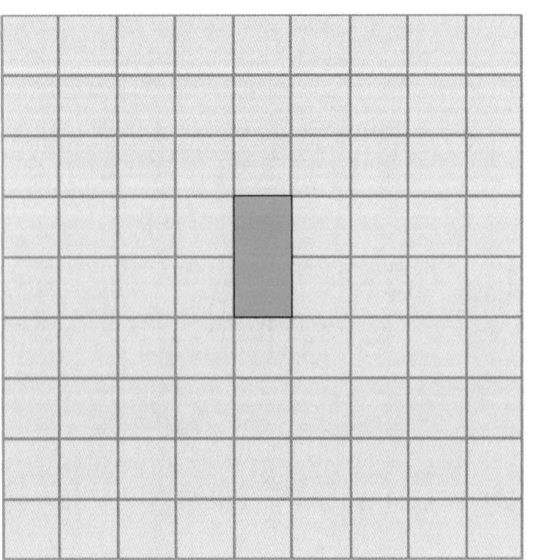

d)

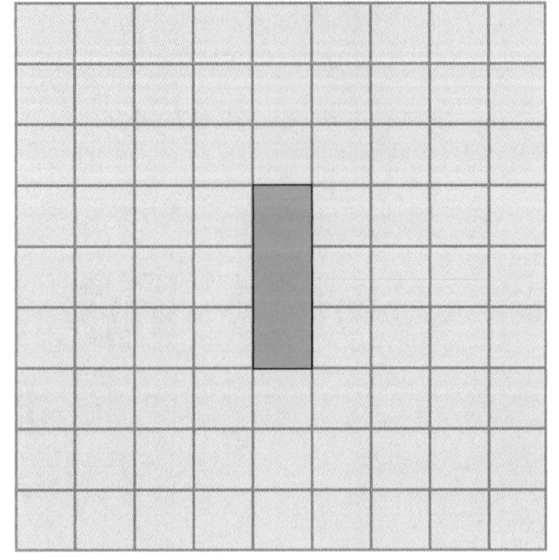

Méli-mélo

Résoudre des problèmes, c'est...

Créativité ou...

Insatisfait du travail de ses élèves, monsieur Mensa leur impose un exercice, dix minutes avant la récréation...

Les élèves doivent additionner tous les nombres de 1 à 100.

Le recours à la calculette étant interdit, certains élèves utilisent leur abaque.

D'autres préfèrent le calcul écrit.

À peine cinq minutes de travail suffisent pourtant à Caboche pour obtenir la somme.

Intrigué, monsieur Mensa interroge Caboche devant le groupe.

Caboche explique qu'il faut toujours chercher plusieurs avenues de solution. Surtout devant un problème difficile.

Bientôt, tout le groupe se met à chercher une solution plus simple.

 Essaie de comprendre comment la créativité de Caboche a pu sauver la récréation.

... deuxième bonne réponse !

La créativité se manifeste souvent par la recherche d'une deuxième bonne réponse. Cette recherche est bien plus facile en équipe. Résous les problèmes suivants.

2 Trouve l'élément qui ne va pas dans chacun des groupes suivants :

a)

b)

c)

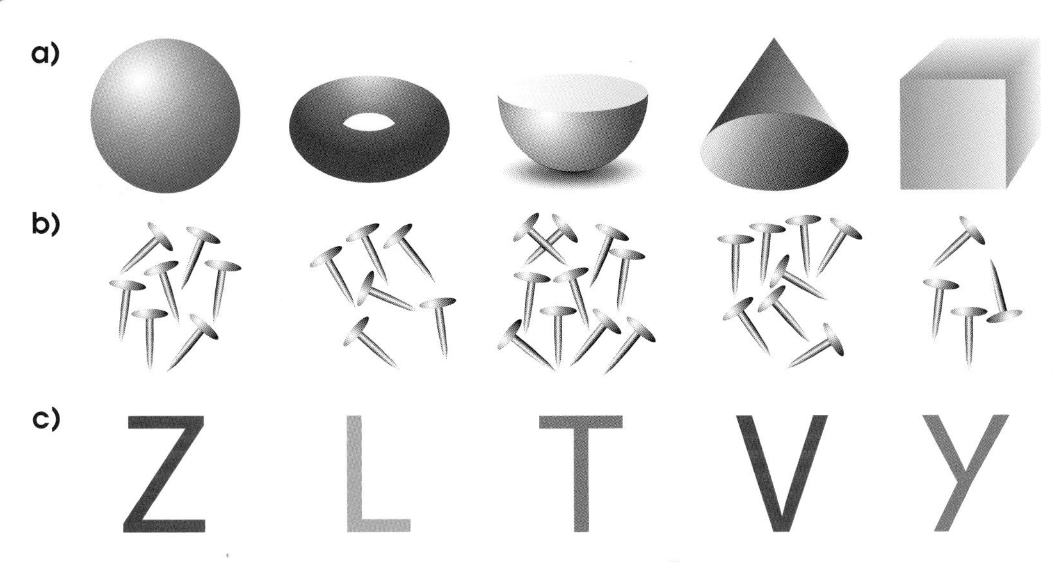

3 Juan visite le zoo. Sous la clôture d'un enclos, il aperçoit 11 pattes de flamants roses.
Combien de flamants y a-t-il dans cet enclos ?

Note la phrase mathématique.

4 À 1 heure, la corde à danser de Natacha mesure exactement 2 mètres et demi de longueur.
Quelle sera la longueur de cette corde à 2 heures ?

Note la phrase mathématique.

5 Régularités 1

Observe bien les nombres déjà notés dans cette pyramide. Leur agencement suit un ordre systématique.

Reproduis le diagramme. Cherche des régularités qui te permettent d'ajouter des nombres.

Prépare-toi à justifier tes choix.

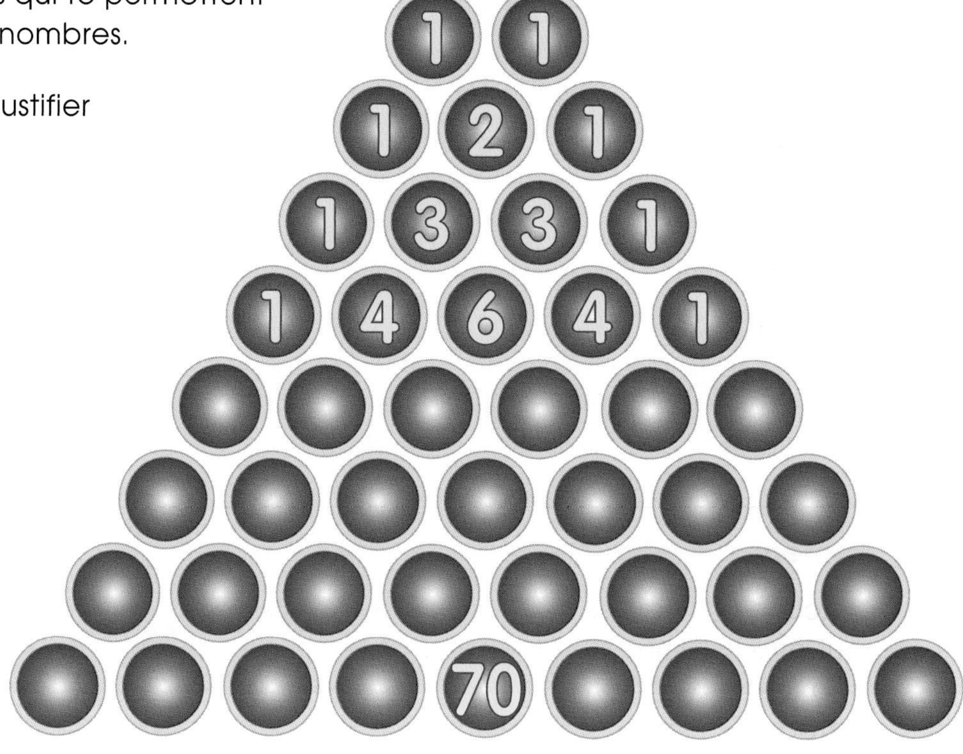

6 « Votre numéro, S.V.P. » 1

À l'aide des indices suivants, retrouve les chiffres cachés du numéro de téléphone.

- Tous les chiffres sont différents, consécutifs mais placés en désordre.
- Le plus petit des chiffres cachés n'est pas placé immédiatement après deux chiffres impairs.
- Le chiffre le plus grand n'est pas à droite.
- Il y a plus de chiffres impairs que de chiffres pairs.

3 ▢ ▢ – 2 1 5 ▢

Note ta démarche.

7 Jonglerie

Voici douze étiquettes. Place-les pour obtenir les phrases mathématiques qui suivent.

4	6	7	8	9	11	15	24	36	42	60	72

$\square + \square = \square$

$\square - \square = \square$

$\square \div \square = \square$

$\square \times \square = \square$

8 Moment de réflexion

Chacune des figures symétriques ci-dessous peut être obtenue en plaçant un miroir sur la figure de base.
Reproduis la figure de base. L'orientation peut avoir été modifiée.
Utilise ton miroir et note tes solutions sur ta figure comme dans l'exemple du cas a).

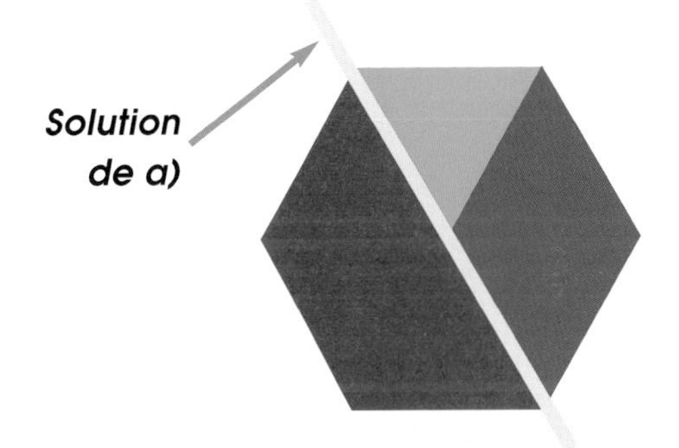

Figure de base

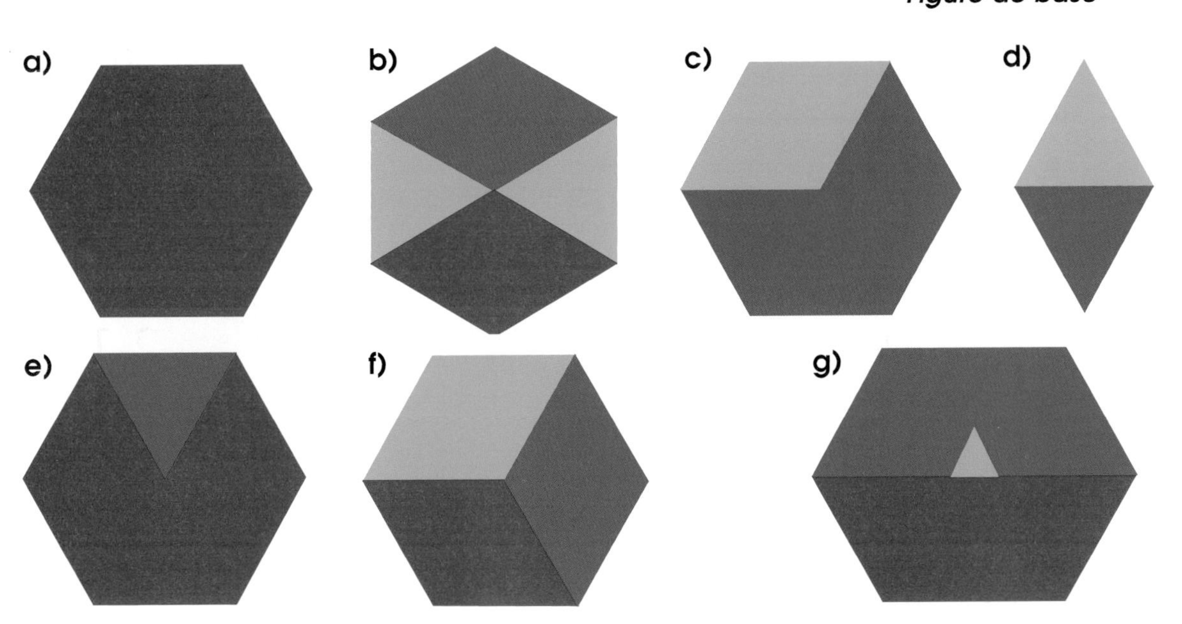

9 J'observe... je trouve 1

Dans les aventures de Tintin, on rencontre souvent Dupont et Dupond, les deux policiers maladroits. Un jour, regardant une photo d'eux, le capitaine Haddock confie à Tintin :

« Tonnerre de Brest ! Je ne sais jamais lequel est Dupont et lequel est Dupond.

— Capitaine, c'est pourtant facile, répond Tintin. Moi, je peux toujours les distinguer... »

Explique comment Tintin s'y prend.

10 Cubes à peindre

Le cube de Domino est fait de centicubes.

a) Prédis combien de centicubes seront nécessaires pour le construire.

b) Imagine maintenant que le gros cube soit entièrement immergé dans un pot de peinture rouge. Prédis combien de centicubes auront :

- 4 faces peintes
- 3 faces peintes
- 2 faces peintes
- 1 face peinte
- 0 face peinte

Avec l'aide d'une ou d'un camarade, construis le cube et vérifie tes prédictions.

11 Du poulet au menu

Le renard est enfermé dans l'enclos bleu. Dans chacun des autres enclos se trouve un poulet. En creusant des passages sous les murs, le renard réussit à manger tous les poulets. Refais son trajet, sachant que :

- le renard n'est jamais passé deux fois dans un enclos où se trouvait déjà un poulet ;
- le renard a terminé son trajet dans l'enclos vert.

Dessine ta solution.

12 Avance, Hercule !

Hercule l'escargot est tombé au fond d'un puits de 14 m de profondeur. Tôt un dimanche matin, il commence à escalader la paroi du puits.

Durant le jour, il parvient à monter de 5 m. En dormant, il glisse et redescend de 3 m.
À ce rythme, quand Hercule sortira-t-il du puits ?

Note ta démarche.

13 Carrément mathématique 1

Voici le plan réduit d'arrangements rectangulaires tous recouverts uniquement de carrés.
Note la largeur en centimètres de chaque carré.

La racine de certains carrés est déjà indiquée.

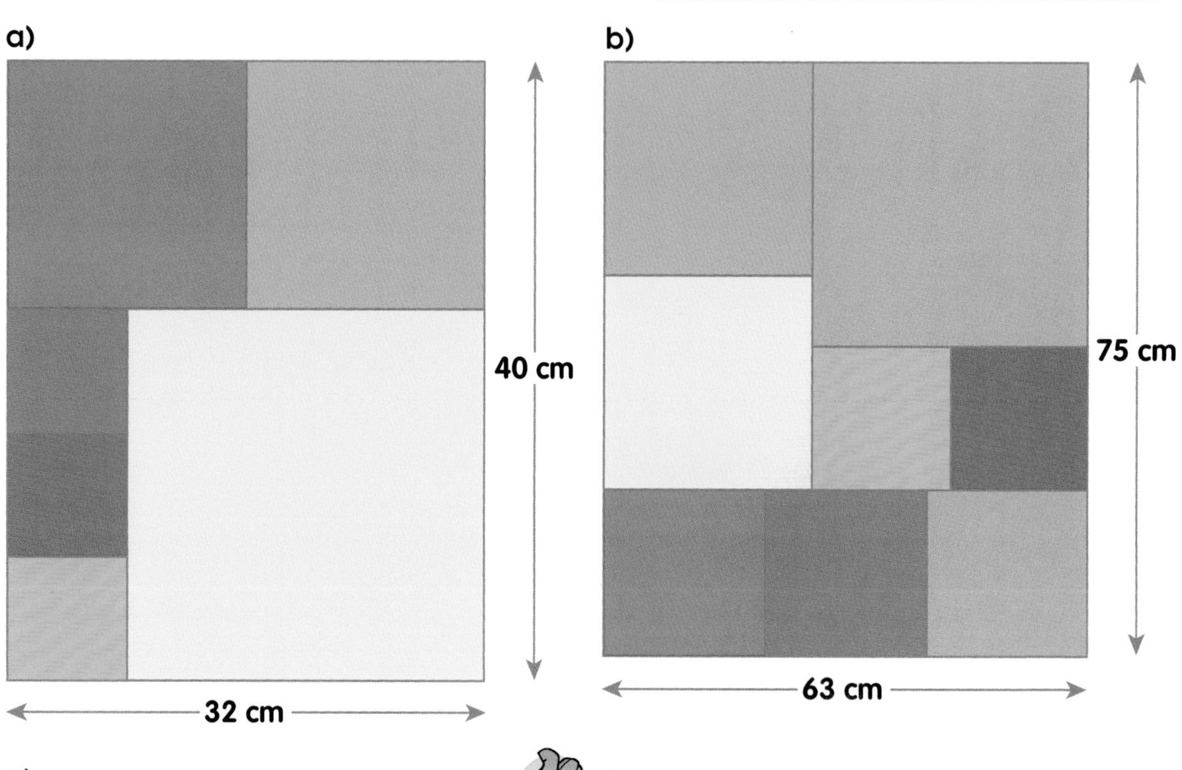

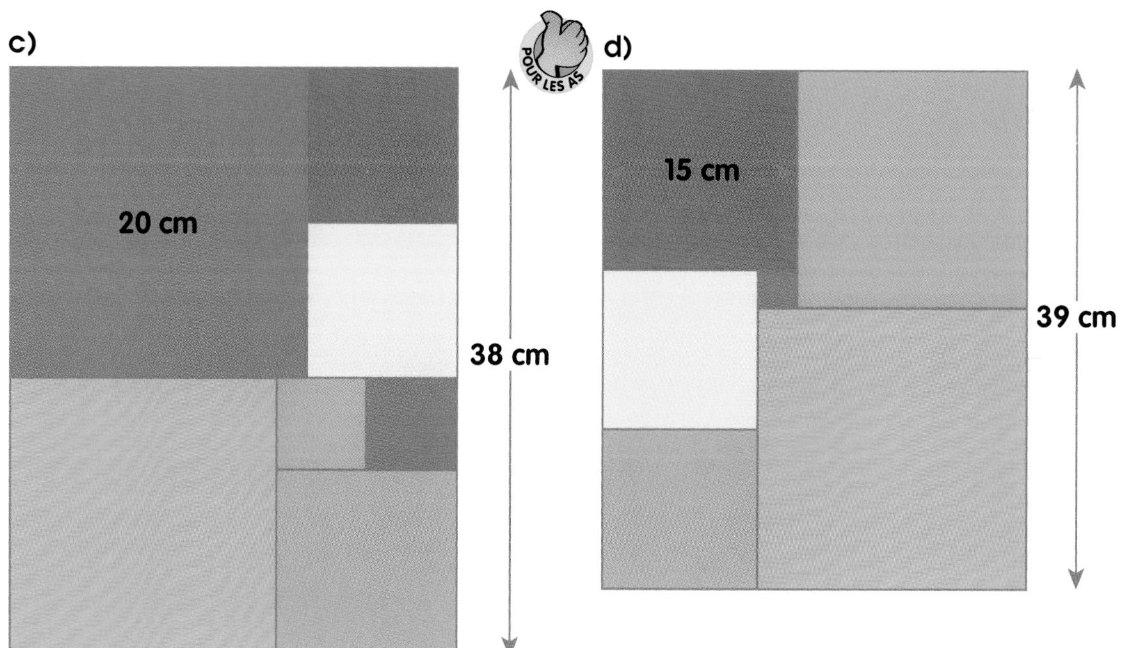

14 Consommation 1

Au supermarché, tu désires te procurer
1 litre de ton shampoing préféré.
Trois formats sont offerts.
Quel achat est le meilleur ?

Note ta démarche.

15 « Votre numéro, S.V.P. » 2

À l'aide des indices, retrouve les chiffres effacés du numéro de téléphone.

- Tous les chiffres sont différents.
- Les trois premiers chiffres forment un nombre plus grand que les trois derniers.
- Les deux premiers chiffres forment un multiple de 9, les deux derniers aussi.
- Les chiffres cachés représentent tous des nombres premiers.

Note ta démarche.

Compte-noisettes

Pour la collation, les 6 membres de la famille Lacasse ont mangé 36 noisettes. Tu sais que :

- Ève en a mangé 4 de moins que Julie ;
- Nadia en a mangé autant que sa jumelle ;
- Papa et maman en ont mangé 5 chacun ;
- Julie en a mangé 2 de plus qu'Emma.

a) Parmi les trois enfants de la famille Lacasse, qui sont les jumelles ?

b) Combien de noisettes a mangées chaque membre de la famille ?

Note ta démarche. Présente ta solution sous forme de tableau.

Régularités 2

Observe bien les nombres déjà notés dans la grille. On les a obtenus en suivant un procédé secret.

a) Reproduis la grille et ajoute les nombres manquants en suivant le même procédé.

Si la grille était prolongée...

b) En partant du coin inférieur gauche, quel serait le 9e nombre sur la diagonale des cases roses ?

c) Quel serait le nombre au bas de la 10e colonne ? Pourquoi ?

d) Quelles autres régularités as-tu observées dans cette grille ?

Présente tes découvertes aux autres.

17	**18**		**20**		
	11	**12**			
5	**6**	**7**		**23**	
	3		**15**		
1	**4**	**9**	**16**		

18 Phrases entrecroisées

Parmi les huit phrases en désordre ci-dessous
se cachent deux problèmes intéressants.
Replace les phrases en ordre
et résous les problèmes.

A Je choisis aussi une demi-douzaine de prunes jaunes.	**B** Aujourd'hui, il fait un soleil radieux au marché.
C Combien m'en faut-il pour faire 3 tartes et 5 gâteaux ?	**D** Combien de boîtes cela fait-il ?
E Pour faire une tarte, j'ai besoin de trois œufs.	**F** J'achète d'abord 2 douzaines d'oranges et 3 œufs.
G Combien de fruits cela fait-il ?	**H** Pour faire un gâteau, il m'en faut 4.

Pour chaque problème, indique les phrases utilisées.
Note ta démarche.

19 Carrément mathématique 2

Voici le plan réduit d'arrangements rectangulaires tous recouverts uniquement de carrés.
Note la largeur en centimètres de chaque carré.

La largeur d'un carré est aussi appelée sa racine.

La racine de certains carrés est déjà indiquée.

a)

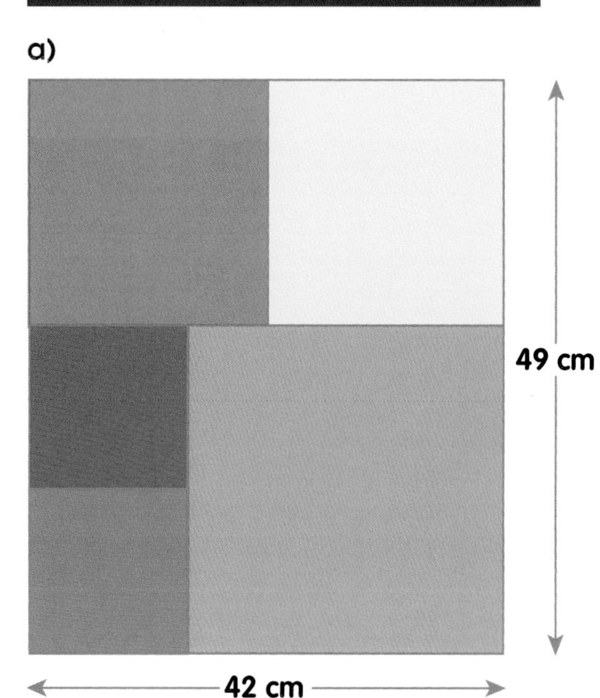

b)

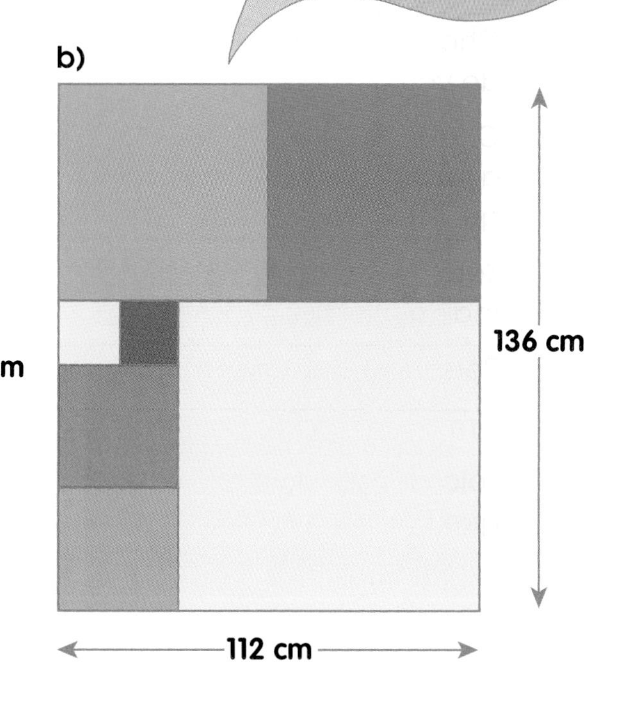

c)

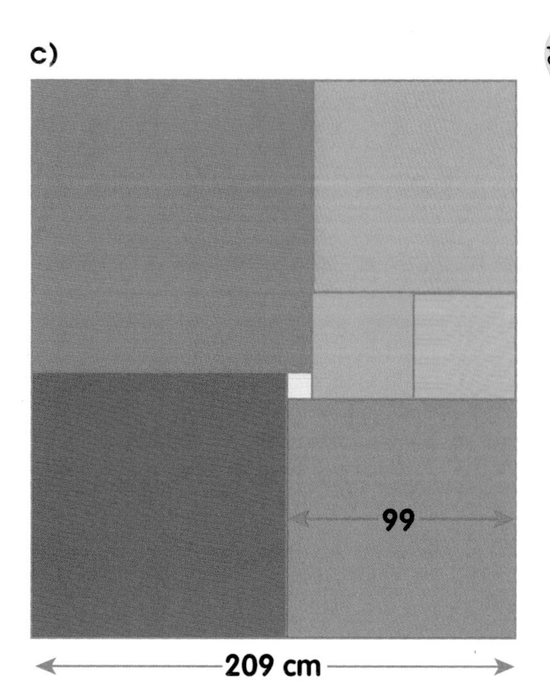

POUR LES AS **d)**

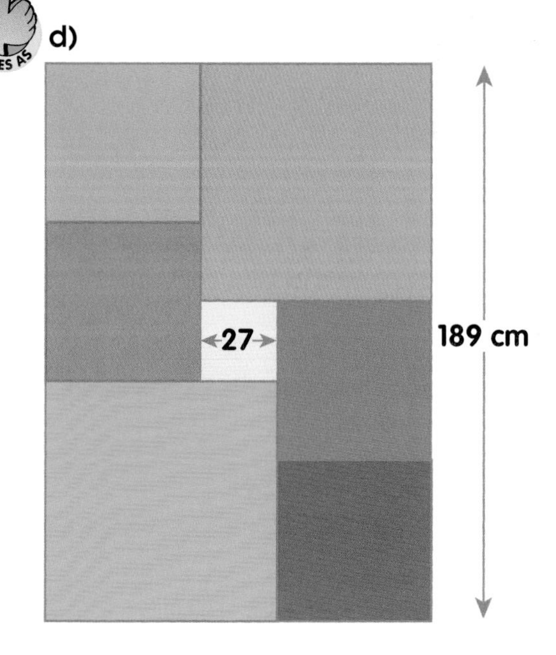

20 Élections

À l'école Sourire, un concours a permis d'élire l'élève à la personnalité la plus attachante. Cinq élèves se sont livré une chaude lutte.
Reproduis le diagramme à bandes qui rend compte des résultats de l'élection. Aide-toi des indices suivants pour le compléter.

- Chaque élève a reçu un nombre de votes différent des autres.
- Chaque candidate ou candidat a reçu un nombre de votes qui est un multiple de 5, sauf Kim.
- Sara a eu plus de votes que Loïc, mais moins que Tuan.
- Personne n'a obtenu plus de 54 votes.
- Kim a perdu par seulement 2 votes.
- Loïc a reçu 10 votes de moins que Rosa.

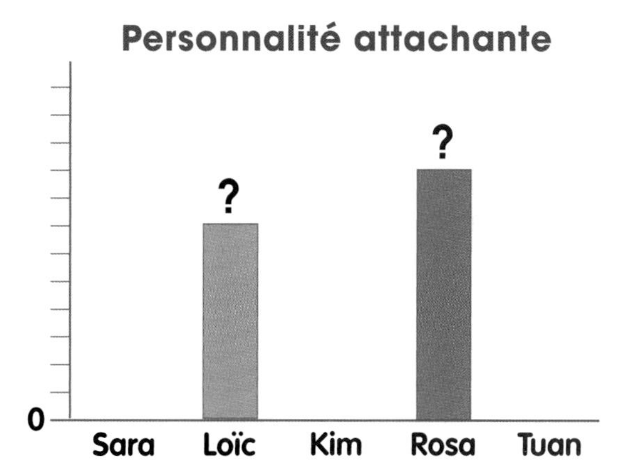

21 Consommation 2

Ton équipe doit acheter une douzaine de rouleaux d'essuie-tout cette semaine. Utilise les dépliants publicitaires pour trouver le meilleur achat possible. Justifie ton choix.

Note ta démarche.

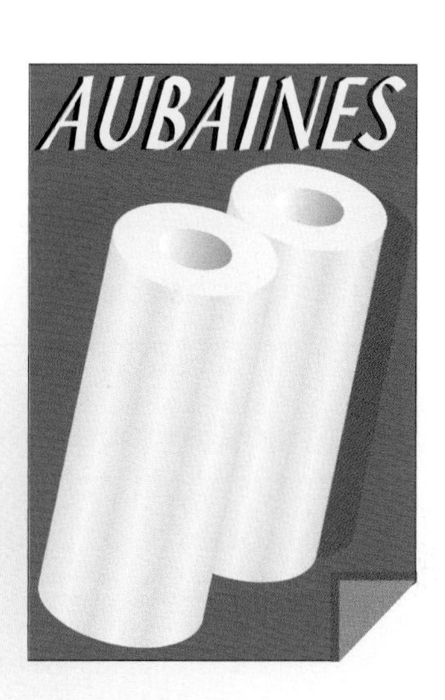

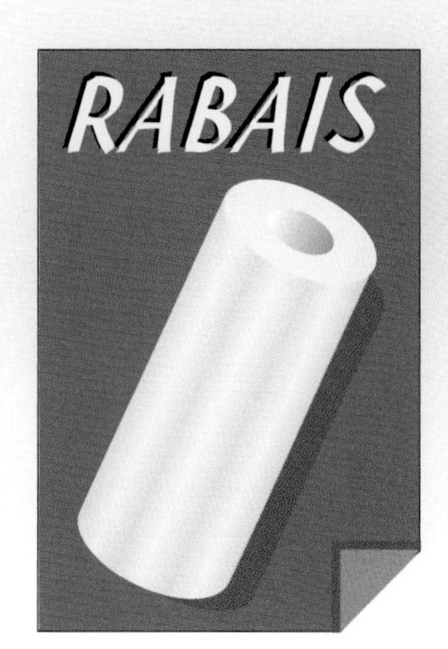

Ras-le-bol au camp

La patrouille des Dégourdis campe près d'une rivière. Pour préparer le souper, les cuistots ont besoin de certaines quantités d'eau. Les Dégourdis ont sous la main un contenant de 3 litres et un contenant de 5 litres.

En se servant uniquement de ces deux contenants non gradués, comment les Dégourdis peuvent-ils obtenir le plus exactement possible :

a) 6 litres d'eau ?

b) 2 litres d'eau ?

c) 1 litre d'eau ?

d) 4 litres d'eau ?

Avec les membres de ton équipe, prépare-toi à démontrer ta débrouillardise.

Tours de roues

Un jeu de construction contient un nombre de roues inférieur à 100. Trouve combien il y en a, sachant que :

- si tu construis des motocyclettes, il reste 1 roue ;
- si tu construis des tricycles, il reste 1 roue ;
- si tu construis des automobiles, il reste 1 roue ;
- toutes les roues sont rangées dans des petits coffrets qui contiennent un même nombre de roues. Ces coffrets ne contiennent pas 5 roues.

Note ta démarche.

Calendrier 1

Le calendrier est un instrument permettant d'organiser les jours d'une année. Chaque jour est classé de façon unique et précise.

Avec une ou un camarade, utilise un calendrier de l'année en cours pour répondre aux questions suivantes.

a) Tu partiras à la campagne le mardi de la 3e semaine complète de juillet.

À quelle date partiras-tu ?

b) Ton prochain rendez-vous chez le dentiste aura lieu le 2e mardi du 10e mois de cette année.

Quelle est la date de ton prochain rendez-vous ?

c) Quel jour tombe le 4e jeudi après le 3e mardi du 2e mois de 30 jours de l'année ?

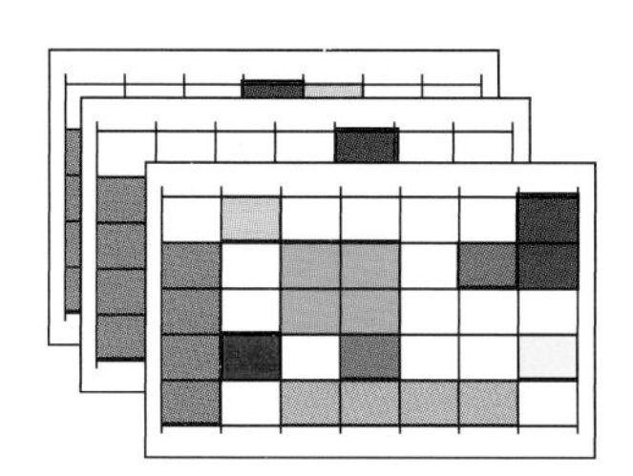

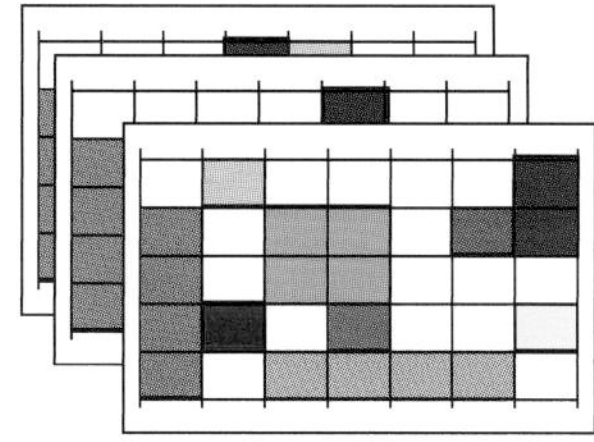

d) Ta cousine viendra te visiter dans 5 semaines et 6 jours. Combien de jours cela fait-il d'ici là et quelle est la date prévue de son arrivée ?

J'observe... je trouve 2

Observe bien les verres de jus ci-dessous.
Les trois premiers sont pleins, les autres sont vides.

Tu ne peux déplacer qu'un seul verre.
Comment obtenir une alternance verre vide, verre plein ?

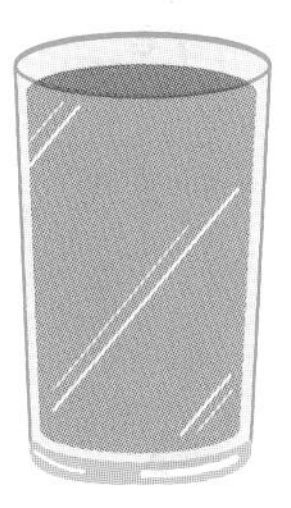 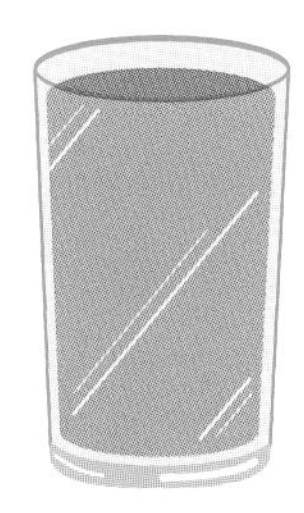 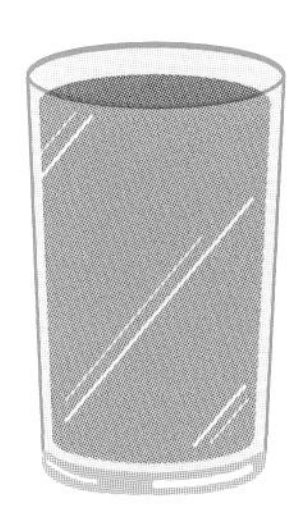   

26 Consommation 3

Tu dois repeindre un plafond qui mesure 3 m sur 6 m. À la quincaillerie, tu as le choix entre les trois contenants de peinture illustrés.

Qu'achètes-tu ? Explique ton choix.

Note ta démarche.

27 Segments

Voici douze points que tu dois relier sans lever le crayon. Reproduis-les. Utilise le moins de segments de droite possible.

L'exemple ci-dessous te montre un tracé nécessitant 8 segments.

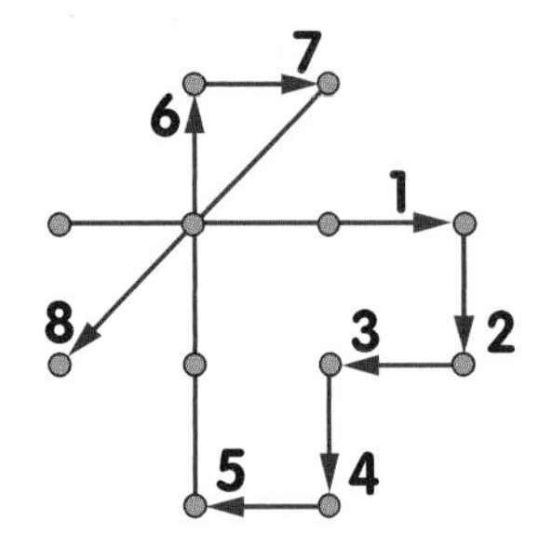

Pas mal, mais tu peux faire mieux !

Calendrier 2

La fête de Pâques n'a pas lieu à date fixe, car elle dépend du calendrier lunaire. Elle a lieu le premier dimanche suivant la première pleine lune du printemps.

a) Vérifie cela sur un calendrier indiquant les phases lunaires.

b) Quelle est la date la plus tardive possible de la fête de Pâques ?

c) Et quelle est la date la plus hâtive possible ?

29 Salle de spectacle

Dans la petite salle d'un théâtre de marionnettes, les rangs de fauteuils forment un arrangement rectangulaire.

Les fauteuils sont regroupés en quatre sections, chacune formant à son tour un arrangement rectangulaire.

Dessine le plan de cette salle de spectacle, sachant que les quatre sections sont décrites par les expressions mathématiques ci-dessous.

Section verte	Section rouge	Section bleue	Section jaune
2×4	2×3	6×2	4×7

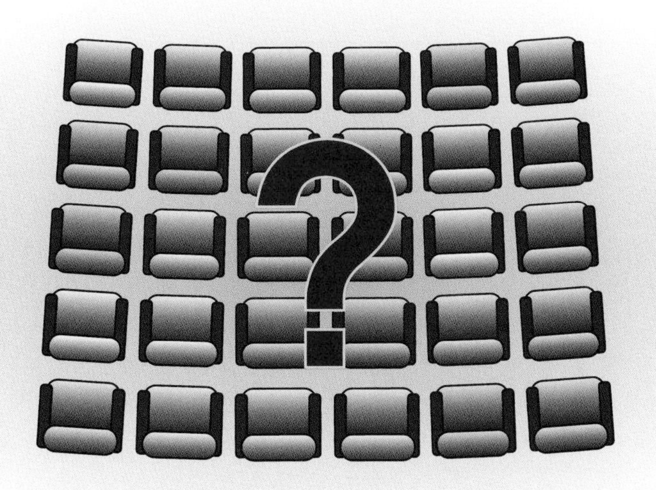

Carrément mathématique 3

Voici le plan réduit d'arrangements rectangulaires tous recouverts uniquement de carrés.
Note la largeur en centimètres de chaque carré.

La racine de certains carrés est déjà indiquée.

a)

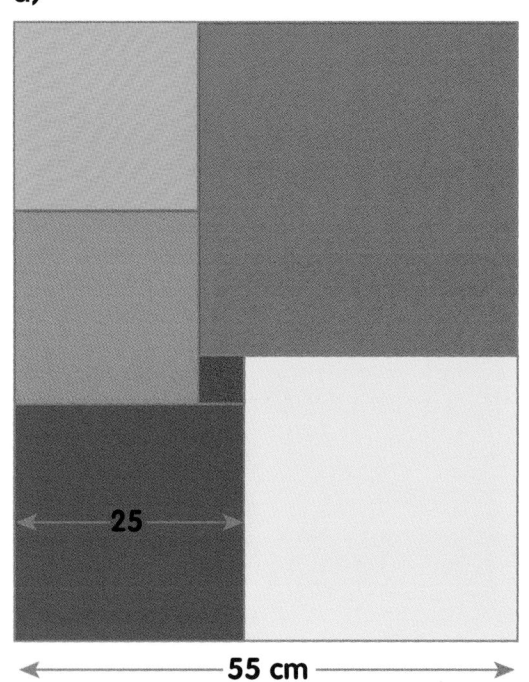

b)

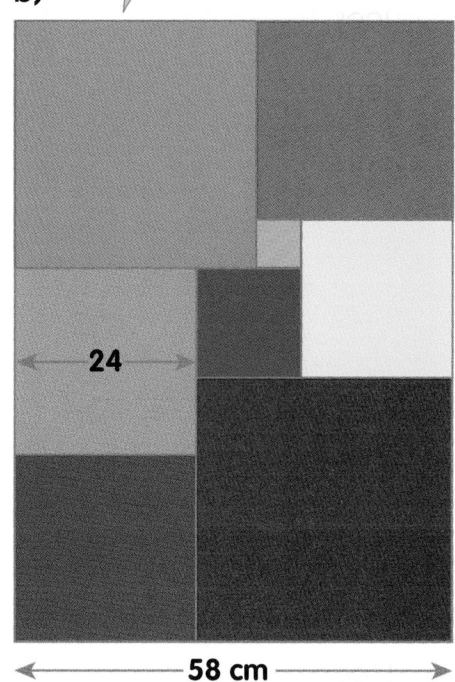

c)

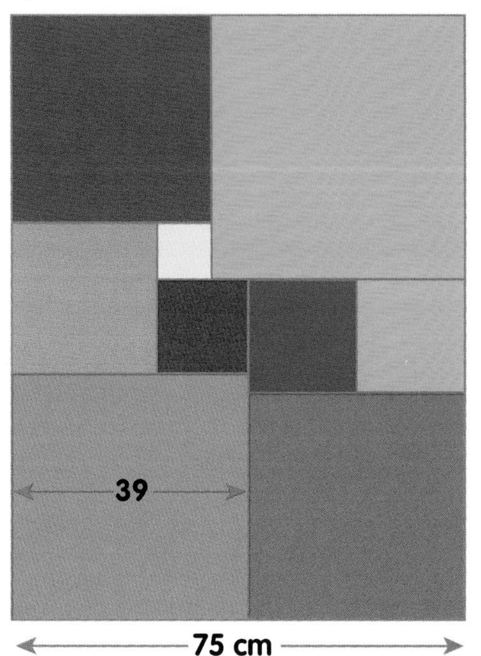

d)

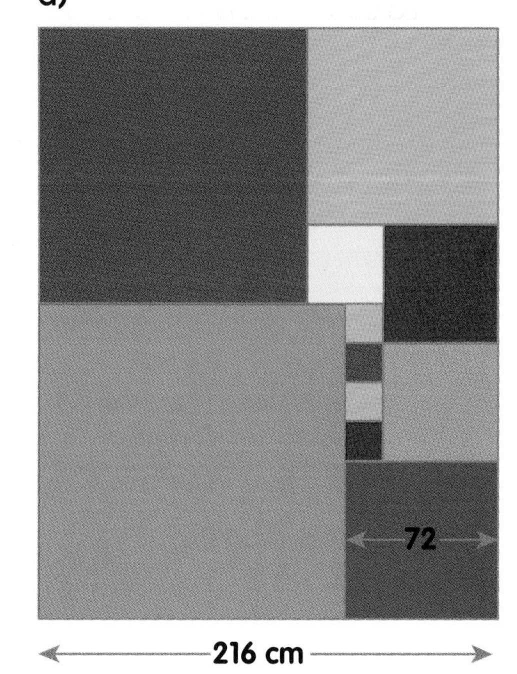

31 Mesures sur le pouce

Aujourd'hui, les règles sont graduées en centimètres. Du temps de tes grands-parents, elles étaient graduées en pouces.

Deux bandes de papier te sont remises.

L'une mesure 7 pouces et l'autre 5 pouces.

Tu dois graduer ces deux règles de papier en pouces, le plus précisément possible.

Tu peux utiliser ton crayon, et rien d'autre.

Prépare-toi à expliquer ta démarche.

32 Températures à midi

Le diagramme à ligne brisée décrit les mesures de température prises à midi durant une semaine entière.
Reproduis-le et notes-y la température enregistrée chaque jour.
Aide-toi des indices suivants pour compléter le diagramme à ligne brisée.

- 12 °C séparent la plus chaude journée de la plus froide.
- Le 11 avril, il a fait 5 °C de plus que la veille.
- L'écart de température entre le mercredi et le jeudi a été de 6 °C.
- Le samedi, il a fait 3 °C de moins que le 13 avril.
- Le 15 avril, il a fait 16 °C.

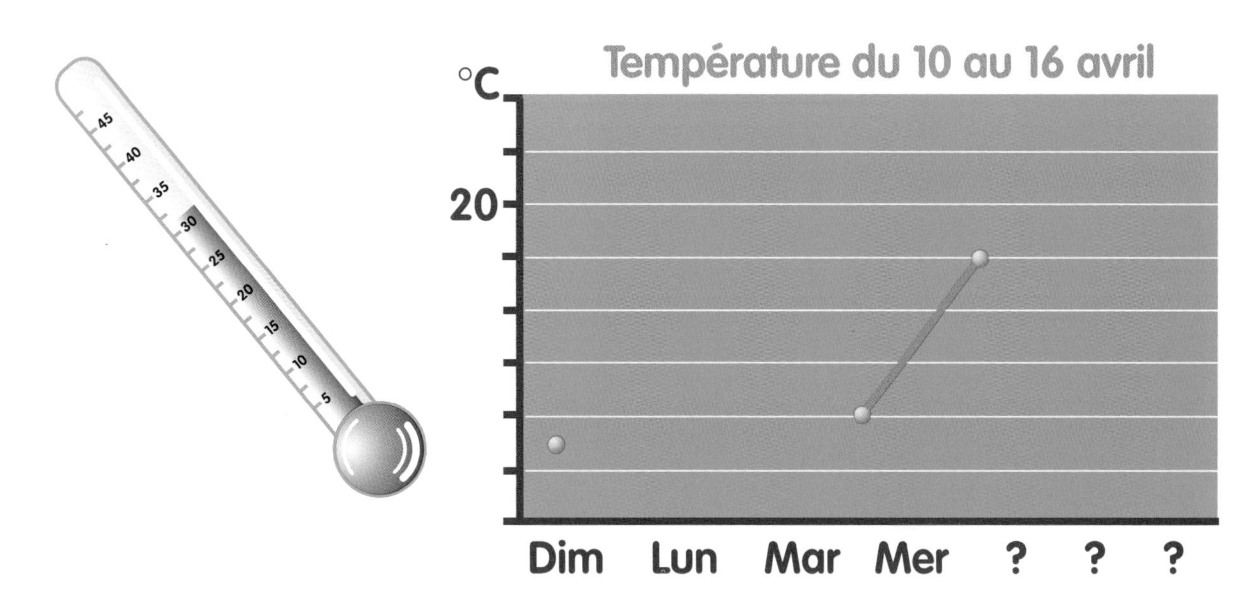

« Votre numéro, S.V.P. » 3

À l'aide des indices suivants, retrouve les chiffres effacés du numéro de téléphone.

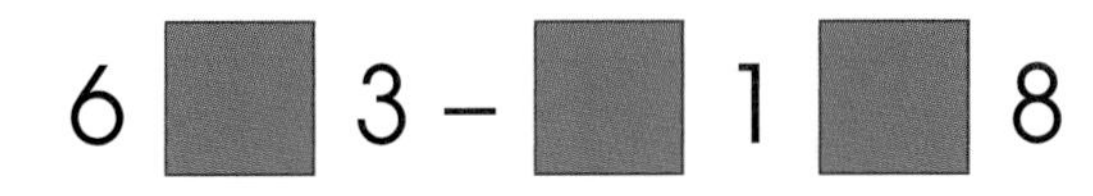

- Seulement deux chiffres sont identiques dans ce numéro ; ils se suivent et sont impairs.
- Les deux premiers chiffres forment un multiple de 3.
- Les trois derniers chiffres forment un multiple de 4.
- Deux chiffres de ce numéro ne sont jamais des complémentaires de 10.

Note ta démarche.

Consommation 4

À l'épicerie, la nourriture pour chien est offerte en trois formats différents. Tu désires faire le meilleur achat possible. Explique ton choix. Note ta démarche.

35 Pièces mystères

Pour chacun des cas suivants, imagine que tu peux prendre des pièces de monnaie provenant uniquement du lot illustré ci-contre.

a) Combien de sommes différentes est-il possible d'obtenir en utilisant trois pièces ?

Énumère toutes les sommes sur du papier brouillon, en notant pour chacune une phrase mathématique. Utilise la multiplication s'il y a répétition de pièces, comme dans l'exemple.

Exemple : (2 × 5 ¢) + 1 ¢ = 11 ¢

b) Si tu utilises maintenant quatre pièces, il est possible d'obtenir exactement 35 combinaisons différentes.

Seulement deux d'entre elles donnent la même somme.

Quelles sont ces deux combinaisons et cette somme ?

c) Quelles combinaisons de pièces permettent d'obtenir les sommes suivantes ? Note tes solutions au moyen de phrases mathématiques.

A 0,55 $ avec 9 pièces

B 0,77 $ avec 8 pièces

C 1,00 $ avec 6 pièces

D 0,66 $ avec 6 pièces

d) Trouve toutes les façons d'obtenir 25 ¢ avec 7 pièces ou moins.

36 Tournoi à la ronde

Quatre équipes de soccer participent à un tournoi à la ronde. Une victoire vaut 2 points et une partie nulle rapporte 1 point. Produis un tableau des statistiques comme celui ci-dessous pour déterminer le classement final.

Résultats des parties			
Tigres	3	Loups	4
Aigles	2	Panthères	2
Loups	3	Aigles	5
Panthères	0	Tigres	2
Loups	2	Panthères	3
Tigres	1	Aigles	2

Légende	
V :	Victoire
D :	Défaite
N :	Partie nulle
P :	Points
BM :	Buts marqués
BA :	Buts accordés

Équipes	V	D	N	P	BM	BA	Rang

37 Timbres en feuille

Si tu achètes deux timbres, ceux-ci peuvent être reliés l'un à l'autre de deux façons différentes. Ces deux arrangements sont illustrés ci-contre. Sur du papier pointé, dessine toutes les façons de relier quatre timbres.

Les personnages en action

Problème : Comment trouver la hauteur d'un arbre ?

Caboche

Je fais comme si…
Je cherche à quoi ça sert.

Je pense qu'en comparant la longueur de son ombre à la mienne…

J'associe.
J'imagine.
J'invente.
Je découvre.

Troublefête

Je raisonne.
Je me concentre.

Je vérifie si les objets les plus hauts possèdent les ombres les plus longues.

Je démontre.
Je vérifie.
J'explique.

Papyrus

Je lis et j'écris.

L'unité de mesure utilisée est le mètre et son symbole est m.

J'utilise les bons termes et les bons symboles.

D3D4

Je suis précis et rapide.
Je me souviens.

Je mesure la hauteur de ces objets et la longueur de leur ombre.

Je mesure.
Je dessine.

Je calcule.
Je mémorise.